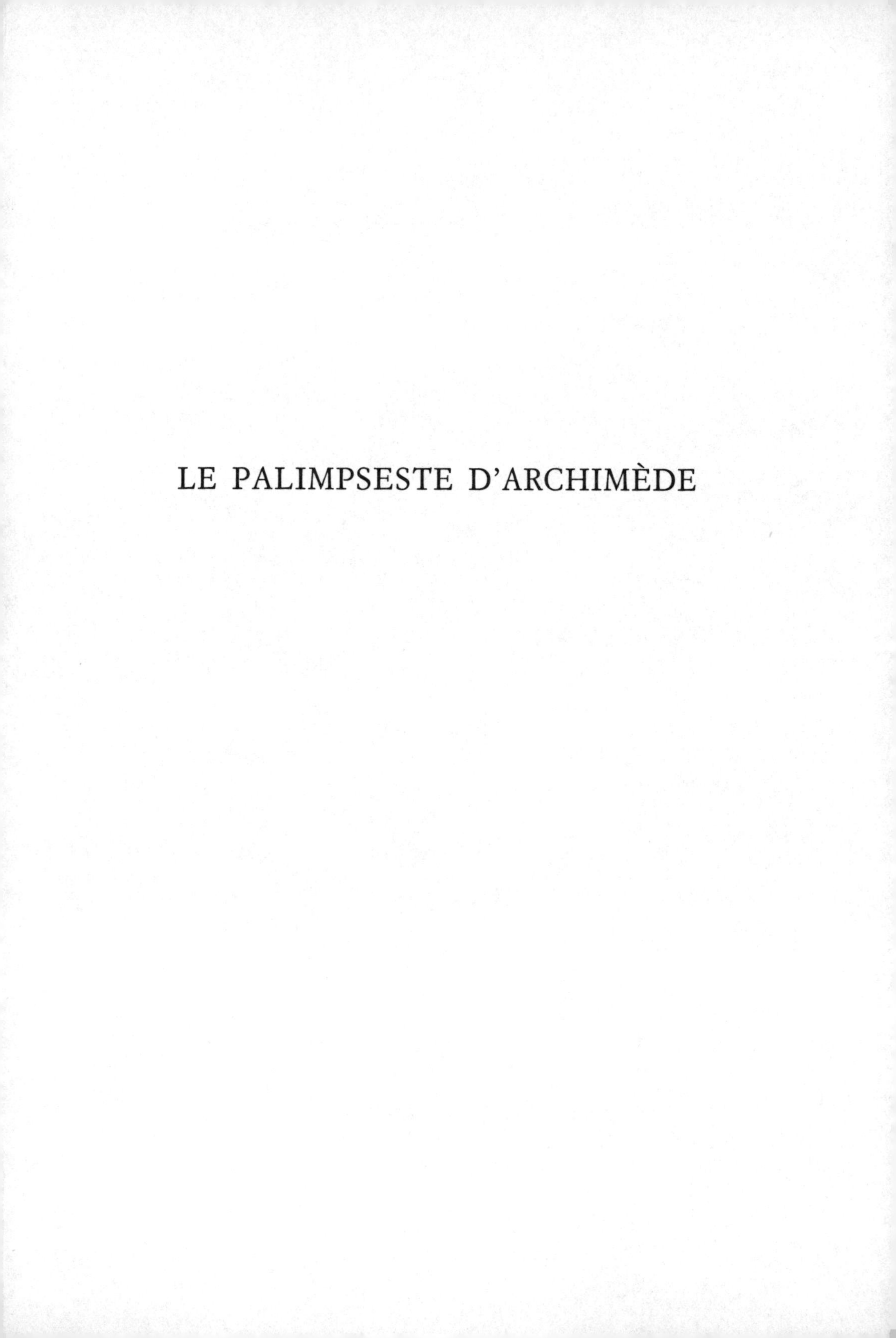

LE PALIMPSESTE D'ARCHIMÈDE

ELIETTE ABÉCASSIS

LE PALIMPSESTE D'ARCHIMÈDE

roman

ALBIN MICHEL

À mon père,
qui m'a transmis l'amour de la philosophie.

« Tout le problème du monde, c'est la relation entre la droite et le cercle. »

Léon ASKÉNAZI

Prologue

Dieu était parmi nous. Mais personne n'avait réussi à deviner sa volonté, ni le destin qu'il avait conçu pour les hommes. Il y avait bien eu quelques faux prophètes, mais Dieu les avait vite démasqués et remis à leur place. Il avait créé sa loi, et il était seul à la connaître.

Tout le problème consistait à tenter de la découvrir. Dans ce but, nous élaborions des théories, nous tâtonnions, nous suivions des stratégies complexes. Nous cherchions des signes. Nous observions le ciel, et de temps à autre, nous trouvions des séries. Nous devions faire preuve à la fois d'imagination et de rigueur, d'audace et de sens pratique. Pour comprendre la loi de Dieu, il n'était pas possible de sortir du cadre de la Raison. Pourtant, cette Raison empruntait parfois de curieux détours qui passaient par les voies insondables de l'intuition et de la mystique. Nous en appelions à l'Intelligence, seule capable de nous guider dans notre quête éperdue du Secret. Nous nous accrochions aux chiffres. Les mathématiques étaient la science qui devait nous mener vers la vérité. Aussi nous perdions-nous dans d'infinis calculs et théories dont la pertinence devait être testée. Chaque tentative, même infructueuse, nous faisait avancer sur la voie, par élimination. Nous progressions dans le champ des possibles, en délimitant les contours de l'impossible. Nous aurions donné notre vie pour savoir, mais comme nous en étions loin ! Certains, qui pensaient avoir compris, s'imaginaient prophètes. Dieu répondait par la positive ou la négative. Mais lorsque le prophète se trompait, Dieu le destituait et le jeu reprenait son cours.

Et cela pouvait durer toute une nuit, ou toute une vie, jusqu'à la fin des temps.

Ce soir-là, Dieu, c'était moi.

J'étais avec mes condisciples : Jérémie, Guillaume et Fabien. Nous nous étions rassemblés, comme à notre habitude, dans ma thurne. Pour jouer il faut être quatre et posséder deux jeux de 52 cartes. Le joueur appelé Dieu invente une loi qui définit une série de chiffres et de figures que les autres doivent découvrir. Chacun propose des cartes que Dieu accepte ou récuse, selon qu'elles sont conformes ou non à la loi secrète.

Nous avions choisi la version électronique, élaborée par des chercheurs en sciences cognitives. Il faisait sombre dans la pièce juste éclairée par une petite lampe posée près de l'écran à la lueur bleutée. Mes trois amis étaient penchés sur la table basse, occupés à spéculer sur « la loi divine » depuis presque deux heures.

Fabien, le mathématicien, passait d'une théorie à l'autre. Guillaume, l'historien, tiré à quatre épingles, méditait dans la position du Penseur, le poing sous le menton, non sans consulter régulièrement son BlackBerry ; Jérémie, le biologiste, notre « savant fou », pensait avoir deviné et s'était improvisé prophète. À tort. Il avait perdu.

J'en jubilais : ma loi était parfaite. Simple, voire évidente quand on y pense, mais difficile à trouver, même pour des cerveaux à la pensée aussi sophistiquée que celle de mes camarades normaliens.

Et c'est alors que tout a basculé.

Un sifflement : un tweet sur le téléphone portable de Guillaume, alors que nous étions concentrés sur les cartes étalées sur l'écran, et qui garderaient à jamais leur mystère.

« Robert Sorias est mort. Place de la Concorde, au pied du Grand Obélisque. Assassiné. »

Robert Sorias était professeur de mathématiques à l'École normale supérieure. Notre École. Le « jeu », cette fois, n'était pas virtuel. Nous l'ignorions encore, mais débutait pour nous l'aventure la plus étrange et la plus terrible, la plus sombre et la plus effrayante que nous ayons jamais vécue.

LIVRE I

1

La nouvelle de la mort du professeur Sorias s'était abattue sur l'École, et avait semé la panique. Les images du cauchemar s'imposaient devant nos yeux, nous réveillaient la nuit. La presse, qui s'était emparée de l'affaire, avait révélé des détails du crime :

« Robert Sorias, éminent mathématicien mondialement connu pour ses travaux sur le nombre Pi, en poste à l'École normale supérieure depuis quinze ans, a été assassiné le 12 avril. Son cadavre, retrouvé au pied de l'Obélisque de la place de la Concorde, à Paris, baignait dans son sang, la trachée ouverte et l'œsophage sectionné. Les viscères ont été arrachés et entassés près du corps dont les jambes ont été brûlées. Selon les premières constatations, ce carnage d'une rare violence serait l'œuvre d'un assassin qui connaîtrait parfaitement l'anatomie humaine. Aucun autre détail ne nous a été communiqué pour l'instant. L'enquête a été confiée au commissaire Masquelier, chef de la brigade criminelle à la direction de la police judiciaire de la préfecture de Paris. »

Mais la presse ne savait pas tout. La nuit du crime, plusieurs élèves mathématiciens de l'École avaient reçu un autre message, émanant d'un compte Twitter baptisé « Archimède » auquel ils étaient abonnés : « Sorias *56295* ».

Nous nous observions... Qui avait pu envoyer ce message ? Le meurtrier traînait-il là, parmi nous, parmi les professeurs, parmi les membres du corps administratif ?

Sous le soleil naissant du mois d'avril, je voyais mes camarades chuchoter dans les couloirs, par petits groupes, errer dans la bibliothèque, se réfugier dans les chambres, les thurnes, aux étages supérieurs et dans l'annexe, en face de l'École, mais personne ne se risquait dans la cour désertée. Les gros poissons rouges qu'on avait baptisés « Ernest », du nom d'un ancien directeur de l'École, tournaient dans le bassin, au centre du cloître. Entre les fenêtres qui donnaient sur l'enceinte, les quarante bustes de grands hommes français, scientifiques pour la partie nord, littéraires côté sud, veillaient sur ce huis clos étouffant. Seuls les agrégatifs sortaient pour se rendre à la Sorbonne, d'un pas hâtif, leur petite serviette sous le bras. Pendant ce temps, la police allait et venait dans les salles, les corridors, pour mener l'enquête, sous la direction du commissaire Masquelier.

Mes camarades et moi nous ne pensions plus qu'au meurtre. Impossible de passer devant une porte fermée sans supposer qu'un interrogatoire se déroulait dans la salle. Ceux qui avaient été interrogés se regroupaient pour confronter leurs réponses : personne ne connaissait d'ennemi au professeur Sorias. Le directeur de l'École lui-même, Éric Tibrac, son ami le plus proche, avait abondé en ce sens : Sorias était un enseignant hors pair, unanimement apprécié de ses élèves et de ses doctorants. Il faisait partie des « caïmans » de l'École depuis plus de quinze ans, les professeurs qui supervisaient nos études. Ce « caïman »-là avait en effet toujours su nous conseiller et suivre notre évolution avec rigueur et bienveillance.

Ce jour-là, il pleuvait sur le cimetière du Montparnasse. Jérémie, Guillaume et Fabien se serraient sous le même parapluie. Nous regardions les visages avec attention. Nous y reconnaissions des amis, des professeurs, quelques anciens compagnons de la Résistance d'Eleazar, le père de Robert Sorias, décédé quelques mois plus tôt.

La police aussi était présente. En tenue sombre, les yeux dissimulés derrière ses lunettes, le commissaire Masquelier observait l'assistance. Louise, l'épouse du défunt, se tenait droite, presque raide dans son tailleur noir. Ses deux fils l'encadraient, revenus de l'étranger pour la circonstance. La pâleur de ses traits réguliers révélait une étrange fragilité. Grande, les cheveux blonds coupés au carré, elle était élégante et distinguée.

Son frère, Pierre Thomas, président d'une association de résistants, avait tenu à rappeler le lien qui unissait leurs deux familles : Robert Sorias était le fils d'Eleazar, l'ami de son père, Jacques Thomas. C'est ainsi que leurs enfants respectifs, Robert et Louise, étaient tombés amoureux et s'étaient mariés après la guerre.

Cette histoire, nous la connaissions, et aussi certaines anecdotes qui avaient campé avec force le personnage de Robert Sorias. Aujourd'hui, les vieux compagnons de la Résistance de son père Eleazar étaient venus lui rendre une dernière visite. Je ne pouvais détacher les yeux de ce petit groupe qui se retrouvait en ces tristes circonstances. Je les sentais profondément liés.

Fragiles, courbés par l'âge et les épreuves, ils se saluaient avec tristesse et empressement.

Autour du cercueil, la petite foule écoutait le discours du professeur Andrieux. Cet homme imposant, au regard pétillant, avait été le collègue et l'ami du défunt. En attendant la nomination d'un nouveau professeur, c'est lui qui dirigerait les thèses des étudiants de Sorias. Il portait une étrange queue-de-pie, assortie d'une chemise à jabot, garnie d'un nœud papillon noir.

Sous la pluie, dans le cimetière, personne ne prêtait attention à un jeune homme brun, vêtu d'une chemise noire et d'un jean, sans autre signe particulier qu'une cicatrice sur la joue, près de l'oreille gauche : c'était moi, à côté d'une femme d'une rare élégance. Une cinquantaine d'années, les cheveux noir corbeau, les yeux bleus derrière des lunettes rondes légèrement teintées, de taille moyenne, elle s'appuyait sur une canne. Elle portait un ensemble sombre, avec un foulard rouge noué autour du cou.

– Professeur Maarek ? murmura le commissaire en s'approchant d'elle. Je me présente, je suis le commissaire Masquelier. Vous êtes bien spécialiste de philosophie grecque, n'est-ce pas ?

– Entre autres, commissaire, répondit-elle.

– Je vous contacterai bientôt, professeur. Toutes mes excuses pour avoir perturbé ce moment particulier.

Je la sentis se raidir. Elle s'appuya sur sa canne, cette canne qui faisait l'enjeu des paris entre nous : le professeur Maarek en avait-elle réellement besoin, était-ce une affectation de sa part, ou un symbole ? J'avais ma petite idée là-dessus. Rien chez cet esprit supérieur n'était laissé au hasard : elle s'habillait avec soin, toujours en rouge et en noir, ses couleurs fétiches. Mais j'étais loin de me douter de la profondeur du secret que ces signes révélaient.

2

Mon nom est Joachim Ravaisson. Le prénom me vient de Du Bellay et le nom est celui de mon père, un cousin éloigné du professeur de philosophie Félix Ravaisson, qui écrivit un opus remarquable sur la question de l'habitude. Mon frère et moi avons grandi sous la vigilante attention de nos parents, tous deux professeurs à la faculté de Caen, mon père en lettres classiques, ma mère en histoire médiévale. Du plus loin que je me souvienne, je les ai vus penchés sur leurs livres et leurs thèses, celles qu'ils écrivirent, puis celles qu'ils dirigeaient. À table, ils parlaient du travail et de leurs étudiants. Des volumes aux titres abscons et aux pages cornées remplissaient notre maison.

Nous habitions un petit pavillon avec un jardin, au centre de Caen, ville froide, humide, souvent triste, déserte le soir en hiver. La faculté où enseignaient mes parents, construite sur une colline, jouxtait une grande esplanade sur laquelle trônait une statue assez vilaine appelée « le Phoenix ».

Dès l'adolescence, je cherchai une solution pour fuir cette ville dont je connaissais chaque édifice, chaque pierre et presque chaque habitant. La voie de l'École normale supérieure me sembla la plus rapide : en deux années on pouvait ainsi devenir fonctionnaire et gagner un salaire. Rétrospectivement, je me dis que c'était une folie, mes chances étaient tellement minces en venant de ma province ! Face aux élèves de Henri-IV ou Louis-le-Grand, il était clair que je ne faisais pas le poids. Mes parents n'étaient pas normaliens et n'avaient pas le culte de l'École.

Après le bac, je rejoignis Paris pour entrer en hypokhâgne et khâgne. Aussitôt je me consacrai à absorber le plus de connaissances possible, à maîtriser les outils le plus pointus de l'éloquence, de la rhétorique et de la sacro-sainte dialectique. Aucune faute n'était permise. Il fallait tout ingérer : philosophie, histoire, langues vivantes et anciennes. Personne ne pouvait se permettre de faire d'impasse. Je n'avais aucun droit à l'erreur dans cette impossible conquête du savoir universel. J'ai passé bien des nuits à pleurer en pensant que je n'y arriverais jamais, que je n'en étais pas capable. Qu'ils étaient tous plus brillants que moi. J'ai vécu deux ans entre le lycée Henri-IV et la bibliothèque Sainte-Geneviève, sans jamais voir la couleur du ciel. Je me couchais au chant des oiseaux, pour me relever, quelques heures plus tard, épuisé de fatigue et de stress. Lorsque, au bout de ces années de travail acharné, je décrochai enfin le concours d'entrée à l'École normale supérieure, au rang numéro 7, ma joie n'eut d'égale que mon épuisement nerveux. J'avais tout simplement oublié que j'avais un corps et même un visage. Dans la petite chambre de l'internat du lycée Henri-IV, si j'avais eu un miroir, j'y aurais vu un jeune homme pâle, au teint transparent, aux yeux et aux cheveux sombres, aux traits fatigués. Et cette cicatrice sur la joue gauche qui me donne l'air d'un guerrier, plus que d'un poète.

En intégrant l'École, je fis quelques efforts vestimentaires. Un nouveau jean, un gilet, quelques chemises constituèrent ma garde-robe. Peu à peu, je réappris à me comporter en être humain et non en bête à concours. En ce sens, mes condisciples ne différaient pas de moi. Après avoir sacrifié leur jeunesse au travail, ceux qui avaient intégré le concours d'entrée à Normale Sup se retrouvaient ensemble sur le même site, où ils dormaient, mangeaient, étudiaient, toutes disciplines confondues.

Jusqu'à ce que nous atteignît l'horrible nouvelle.

La mort de Robert Sorias me terrifia. Elle me confrontait à la violence de mon sujet : car je préparais une thèse qui portait sur le Mal dans la philosophie de Plotin, sous la direction du professeur Maarek. La sauvagerie avec laquelle il avait été assassiné me fascinait. J'y voyais la scission mentale que j'avais voulu analyser dans mes recherches. J'avais l'impression que le Mal se rapprochait de moi, alors que je tentais de l'approcher.

3

Un soir, quelques jours après le meurtre, je rentrais dans ma thurne en longeant un couloir désert, quand je reçus un sms du professeur Maarek qui me demandait de la rejoindre. C'était étrange, elle n'avait pas l'habitude de m'appeler si tard, ni de me prévenir à la dernière minute. Son bureau était situé au dernier étage, sous les toits. Une pièce minuscule, peinte en vert clair, dans laquelle se serraient une table d'écolier, une armoire et deux chaises. L'unique fenêtre rectangulaire donnait sur la cour aux Ernests.

Je trouvai mon maître derrière son vieil ordinateur et une pile de thèses et de mémoires. Le sourire serein, elle m'invita à m'asseoir. Ses yeux d'un bleu perçant derrière ses lunettes me dévisagèrent avec une intensité que j'eus du mal à soutenir.

Normalienne, agrégée de philosophie, le professeur Maarek possédait un doctorat en philosophie antique. Avant d'être nommée à la Sorbonne, elle avait été assistante à l'Université de Rennes puis enseignante à l'École normale supérieure de la rue d'Ulm. Elle devint vacataire de recherches pour l'Année philologique, membre de diverses équipes de commissions sur l'étymologie grecque, au centre des études classiques et byzantines. Sa thèse de doctorat avait porté sur « Plotin et les mystères d'Éleusis ». Une chercheuse, certes, mais ce qu'elle aimait plus que tout, c'était l'enseignement. Elle disait volontiers apprécier ces instants où le flux de pensée circulait entre ses élèves et elle, lorsque les rapports s'inversaient, et qu'elle apprenait d'eux autant qu'ils apprenaient d'elle. Elle plaçait la transmission au-dessus de tout. Son charisme entraînait ses étudiants à la recherche de la sagesse. Elle n'apprenait pas la philosophie : elle l'incarnait. Elle la vivait dans sa chair et nous la faisait vivre. Pourtant cette femme passionnée n'avait rien d'ingénu : elle entretenait une prudente distance par rapport à tout, et son ironie cinglante n'épargnait rien ni personne. La philosophie devenait avec elle une exigence ésotérique, une initiation aux mystères de la vie. Le chemin pour accéder à la révélation. Cette expérience était telle qu'elle provoquait en nous une véritable brisure, un voyage initiatique dont nous ne pouvions sortir indemnes.

Le professeur Maarek vivait en apparence d'une façon austère, selon l'idéal de ses vertus : justice et maîtrise de soi. En vérité, personne ne savait rien de sa vie privée, ni où elle était née, si elle était mariée, si elle avait des enfants, et nous nous plaisions à imaginer que son existence était tout entière vouée à son travail et à l'enseignement. Certains la disaient immensément fortunée, grâce à un héritage familial, et le détail venait encore étoffer le mythe.

Subjugué par son intelligence, j'étais devenu son disciple, son élève favori, à qui elle donnait des cours particuliers à titre gracieux une fois par semaine. Cet adoubement m'avait différencié des autres élèves, qui jalousaient ma proximité avec le maître.

– Joachim, me dit-elle. J'ai rencontré aujourd'hui le commissaire

Masquelier. Il m'a apporté certaines précisions concernant la scène de crime… Nous savions déjà que le professeur Sorias n'a pas seulement été tué. Il a été égorgé et, en quelque sorte dépecé, d'une façon très… singulière. C'est la raison pour laquelle j'ai accepté de l'aider. Seriez-vous en mesure de m'assister dans cette démarche, Joachim ? Avant que vous me répondiez, sachez que vous serez confronté à l'impensable. Le chemin sera long et, je le crains, rempli de mauvaises surprises. Prenez donc le temps de la réflexion.

– J'ai réfléchi. Je suis d'accord, me hâtai-je de répondre.

Elle m'observa en silence, puis :

– Très bien. Je vais donc devoir vous montrer des images très choquantes. C'est sur l'organisation de la scène de crime que le commissaire a besoin de notre aide.

Le professeur Maarek me scruta du regard une nouvelle fois, puis elle tourna l'écran vers moi, après avoir lancé un diaporama.

Oh mon Dieu. Les images me bouleversèrent. La mare de sang noir comme du goudron dans laquelle gisait le cadavre nu. La plaie du cou, béante, large et profonde, les brûlures étendues sur les cuisses. L'éviscération laissait apercevoir l'intestin à travers une large plaie de l'abdomen. À côté, les organes mous arrachés à la vie… L'horreur chemina en moi. L'horreur dont seul l'humain se rend coupable.

Je dus détourner les yeux, le malaise me guettait. Le professeur Maarek, quant à elle, scrutait chaque détail avec attention.

– Quel esprit torturé a pu perpétrer une telle atrocité ? demandai-je.

– C'est ce que vous et moi allons nous efforcer de découvrir, murmura-t-elle.

4

Un car de police veillait devant l'entrée du 45, rue d'Ulm. L'École était désormais placée sous haute surveillance.

Le directeur, Éric Tibrac, nous avait tous convoqués, élèves et professeurs, en salle Dussane, pour nous informer que des mesures de protection avaient été mises en place et que nous pouvions reprendre les cours. Dans la plus vaste salle de l'École, régnait un silence de mort.

Le directeur regarda l'assistance qui ne manifestait rien, pas même une ombre de soulagement. La similitude entre tous ces normaliens était frappante. Il y avait une identité commune, faite de goût pour la culture, pour le débat, la profondeur, sans attirance véritable pour les biens matériels, une sincérité dans l'expression des idées, un intérêt passionné pour son domaine de recherches, que ce soit la physique, la biologie ou les langues, la littérature ou les mathématiques. Une même façon d'appréhender le monde par la connaissance.

En première année, à Ulm, le professeur Tibrac avait été mon caïman, avant d'être nommé directeur de l'École – c'est alors que je m'étais tourné vers le professeur Maarek. Le crâne chauve d'Éric Tibrac, ses yeux bleu acier sous les lunettes fines, son visage marqué et dur, sa carrure athlétique lui donnaient une allure imposante qui inspirait le respect.

– Bien, dit-il enfin de sa voix grave. Essayons de ne sombrer ni dans la paranoïa ni dans la délation sauvage. Efforçons-nous plutôt d'exercer notre discernement. Tout ce qui n'est pas habituel, tout ce qui peut nous paraître étrange doit être signalé. Je sais que votre concentration n'est pas réelle en ce moment, mais remettez-vous au travail. Vous êtes protégés et en sécurité.

Il s'est tu à nouveau, en balayant la salle du regard.

Assis entre le professeur Andrieux et le professeur Maarek, l'aumônier de l'École, Luc Delbos, semblait tendu. Ses larges épaules paraissaient à l'étroit dans son costume noir à col blanc. Il veillait sur les Talas – le mot venait de l'expression « ceux-qui-vont-à-la-messe » –, un groupe de normaliens catholiques, fort actif au sein de l'École, qui organisait nombre de conférences, de débats et de voyages, chorales et retraites, autour de la personnalité charismatique du père Delbos. Tous les jeudis, ils se donnaient rendez-vous pour la messe dans la chapelle des Sœurs de l'Adoration, rue Gay-Lussac, avant de partager un dîner, suivi d'une réunion. On les voyait se rassembler, vêtus de costumes et de cravates, de jupes et de chemisiers sages, dans l'Aquarium, le grand hall de l'entrée. Les matins, certains assistaient aux laudes à l'aumônerie, avant de prendre un petit-déjeuner au Pot. En début d'année, ils élisaient un Prince et une Princesse qui avaient la charge de s'occuper de l'aumônerie et d'organiser les activités en étroite collaboration avec le père Delbos.

– Je vous demande de veiller à faciliter la tâche de la police qui enquête dans nos murs, reprit le directeur. Ceux qui pensent avoir des renseignements intéressants peuvent s'adresser directement au commissaire Masquelier, ou à moi-même, qui les transmettrai. Je souhaite que chacun d'entre vous facilite l'aboutissement de cette enquête.

Une main s'éleva dans l'assistance pour poser une question. C'était celle de Fabien, mon voisin de thurne.

– Sait-on qui a envoyé le tweet concernant le professeur Sorias, et quel est ce compte qui s'appelle Archimède ?

– Le tweet a été envoyé à Ulm, depuis la salle d'informatique. C'est ici également qu'a été créé le compte Archimède, auquel plusieurs d'entre vous sont abonnés. Autrement dit, les investigations du commissaire Masquelier commencent ici même, au sein de l'École.

5

La salle Dussane se vidait. Les élèves en sortirent, par petites grappes, en discutant. Je rejoignis le professeur Maarek. Elle avait rendez-vous avec le commissaire Masquelier dans l'Aquarium, à l'entrée de l'École.

Nous vîmes celui-ci montrer sa carte de police au gardien de la loge, traverser la cour et s'arrêter devant la lourde porte en bois au-dessus de laquelle était inscrit en lettres dorées : ÉCOLE NORMALE SUPÉRIEURE, DÉCRET DE LA CONVENTION, 9 BRUMAIRE, AN III. Vêtu d'un costume gris, les yeux dissimulés derrière des lunettes rondes, il entra dans le bâtiment, l'air concentré.

Le professeur Maarek se dirigea vers lui.

– Commissaire Masquelier, dit-elle, en lui tendant la main.

– Bonjour, professeur Maarek.

– Je suis venue avec mon assistant, Joachim Ravaisson, que vous connaissez.

Dans l'Aquarium, des groupes d'élèves discutaient. Le commissaire Masquelier ajusta ses lunettes. Son regard s'attarda sur des affiches aux intitulés qui avaient trait tant aux mathématiques qu'à la philosophie ou à la biologie.

– L'École est divisée en lettres et en sciences, expliqua le professeur Maarek. Elle a pour originalité de mêler les disciplines au sein d'un même univers. Les départements de mathématiques, de physique et de biologie coexistent avec la philosophie, l'histoire, la géographie, la sociologie, l'économie, le droit et les langues.

– J'entends bien cela. Mais qu'en est-il des relations entre les élèves et leurs professeurs ?

– Chaque année, les élèves établissent un programme, en accord avec les directeurs des études, les fameux caïmans. Ce programme doit être validé en fin d'année.

– Et pour ceux qui ne réussissent pas ?

– C'est très rare, commissaire. Les normaliens excellent partout où ils vont, et en particulier à l'université, face à ceux qu'on appelle « les faqueux ». À la fin du cursus, les normaliens se consacrent à l'enseignement et à la recherche, sauf ceux qui rejoignent le monde de l'entreprise, les grands corps de l'État ou l'ENA.

« Voyez-vous, commissaire, ajouta le professeur Maarek en passant devant un groupe d'élèves en grande discussion, ces anciens khâgneux ne sont certes pas les plus beaux et les plus athlétiques des jeunes gens mais ils brillent par l'audace de leur pensée. Ils ont d'illustres prédécesseurs, que ce soit Monge, Daubenton, Berthollet, Louis Pasteur, Henri Bergson, Jean Jaurès ou Jean-Paul Sartre, Merleau-Ponty, Pierre Bourdieu ou Jacques Derrida pour les littéraires. Les pages les plus absconses de Kant, de Hegel ou d'Heidegger sont limpides comme de l'eau de roche pour les élèves philosophes. Les linguistes lisent le latin et le grec comme une langue vivante. Les mathématiciens, les physiciens, les biologistes embrassent leur discipline comme s'ils faisaient corps avec elle.

« Ensemble, continuait le professeur Maarek, ils vivent une

expérience unique : ils sont à Ulm comme dans un cocon, une abbaye de Thélème où ils peuvent faire ce qu'ils veulent.

– Vraiment tout ce qu'ils veulent ?

– Oh, commissaire. Je vous rassure tout de suite. Ils ne profitent pas de leur liberté et de l'argent qu'ils reçoivent en tant que fonctionnaires pour s'adonner à des orgies, bien au contraire.

– Ils sont tous logés ici ?

– Sur trois sites : Ulm, boulevard Jourdan et Montrouge. Mais la vie de l'École se déroule dans les bâtiments anciens de la rue d'Ulm, ici, au sein du Quartier latin. Les élèves en lettres suivent leur cursus à la Sorbonne, et prennent des cours à Normale Sup. Surtout au moment de l'agrégation, où il faut préparer le concours. Mais les autres années sont moins ardues, et ils ont le rare privilège de percevoir un salaire, commissaire, ils sont fonctionnaires comme vous, ils peuvent sortir, voyager, dîner au restaurant, ce sont des étudiants riches, en attendant d'amorcer leur mue en fonctionnaires pauvres : leur royaume est une prison, leur prison est un royaume.

– Oui, murmura le commissaire en mâchonnant un chewing-gum. Comme moi, en effet… Ils ont un self ? Un réfectoire ?

– Le Pot, où ils se réunissent. Le matin, le midi et le soir.

Pendant que le professeur Maarek expliquait le fonctionnement de l'École, nous déambulions à travers les couloirs. Nos pas nous emmenèrent jusqu'au deuxième étage où se trouvait la bibliothèque. Partout, des élèves lisaient, l'air sérieux, entre des murs couverts d'affiches de ciné-club.

Au passage, le commissaire entrebâilla la porte d'une salle de classe. Le professeur était en train de noircir le tableau de formules mathématiques que les élèves prenaient en note à toute vitesse. Il était vêtu d'une toge rouge, dont dépassaient ses pieds nus.

– Le professeur Andrieux, murmura Elsa Maarek. Le collègue et ami du professeur Sorias qui a prononcé un discours lors de son enterrement.

– Il donne toujours ses cours dans cette tenue ? demanda le commissaire.

– Oui, c'est un original.

– Vous le connaissez bien ?

– Non… Les relations entre les différents départements sont très minimes. Nous assistons ensemble à quelques réunions dans le bureau du directeur, c'est tout.

– Combien avez-vous d'élèves, professeur Maarek ?

– Par classe, une quinzaine.

– Et combien de classes ?

– Quatre ici, une par année. Plus la classe d'agrégatifs à la Sorbonne, ainsi que mes étudiants de maîtrise et de thèse.

– Je vois. Pourriez-vous nous conduire dans un lieu où nous serions tranquilles ?

– Bien sûr, commissaire. Suivez-moi.

Je savais qu'elle choisirait la salle des Actes, un de ses refuges favoris. Au seuil de la belle pièce lambrissée, tapissée des portraits d'ancêtres vénérables, Masquelier s'immobilisa, visiblement impressionné. Il déposa ses deux portables sur la table centrale, sortit son iPad, l'alluma, et prit place entre le professeur et moi, pendant que nous nous installions.

Sur la tablette apparut la fameuse scène de crime.

– Le meurtrier a pris ses précautions, annonça le commissaire, sans préambule. Les techniciens de la police scientifique n'ont relevé aucune empreinte, aucune trace de pas, aucune trace de sperme. Aucune ressemblance non plus avec un autre crime figurant dans nos archives. Quant à la scène de crime, elle n'évoque rien pour nous.

– Pourquoi l'Obélisque, pourquoi une telle mise en scène ? murmura le professeur Maarek. Et puis ce tweet étrange arrivé pendant la nuit du meurtre sur les portables d'une centaine d'élèves : Sorias *56295*. Que signifie-t-il ?

– L'analyse a révélé la présence de vin dans le sang qui maculait le sol. L'autopsie signale l'arrachement des pédicules hépatiques, spléniques, et des troncs aortiques et veineux, ce qui témoigne d'une extrême violence ainsi que d'une excellente connaissance de l'anatomie. Avec des hématomes des zones d'accès à l'abdomen et au thorax, ainsi que des stigmates d'arrachement au niveau des zones d'attaches péritonéales des viscères. Le meurtrier n'a probablement pas tué la victime sur place. Ce qui semble logique, compte tenu de la fréquentation du lieu.

– Où ont été retrouvés les organes ?

– Le cœur et le foie à côté de la victime.

– Il doit être très difficile de les arracher, n'est-ce pas, commissaire ? dit le professeur Maarek, sans laisser paraître le moindre trouble.

– Les manœuvres de désinsertion de la rate ont entraîné une fracture du parenchyme dont des fragments ont été retrouvés dans le sang. Tout le reste du corps ne présente aucune anomalie.

Il y eut un silence. Le professeur Maarek examinait attentivement l'écran, alors que j'avais détourné le regard devant cette scène insupportable.

– Nous recherchons donc une personnalité fortement perturbée, n'est-ce pas, commissaire ?

– Selon le premier profiling, l'assassin souffre probablement d'une psychose délirante. Il agit froidement, sans remords ni culpabilité. Il a besoin d'affirmer sa supériorité par des actes retentissants à fort caractère symbolique. Sa signature est très singulière. En vingt ans à la PJ, je n'ai jamais vu une telle… chose. Professeur Maarek, l'un de vos élèves aurait-il attiré votre attention par un comportement bizarre ces derniers temps ?

– Un comportement bizarre… Oui, dit Elsa Maarek avec sérieux. Certainement. Maintenant que vous m'y faites penser, je peux vous affirmer qu'ils ont tous un comportement bizarre…

6

Le lendemain, le professeur Maarek invita Louise Sorias à prendre un thé chez elle, alors que j'étais là pour une séance d'étude. J'avais déjà rencontré Mme Sorias lors de séances de travail chez le professeur Maarek : elle était sa voisine de palier. Les deux femmes étaient archicubes : des anciennes pensionnaires de la rue d'Ulm, où elles étaient devenues amies. Douce, plutôt effacée, Louise Sorias était égyptologue, elle enseignait à l'université Paris-IV, donnait des conférences sur les mythes et les religions, et avait écrit plusieurs livres sur l'Égypte ancienne.

Le professeur Maarek habitait au troisième étage d'un immeuble haussmannien qui jouxtait le Champ-de-Mars. Je n'avais jamais réussi à déterminer le nombre de pièces exact qui composaient cet appartement. Elle me recevait dans un grand salon au parquet précieux, aux plafonds moulurés, aux murs entièrement tapissés de bibliothèques dont les étages supérieurs n'étaient accessibles que par une échelle, qu'elle déplaçait au gré de ses besoins. J'étais toujours stupéfait de la voir se diriger avec précision vers un endroit ou un autre pour cueillir un livre, alors que ni ordre apparent ni classement ne pouvait l'orienter. Au milieu de la pièce, trônait un canapé rouge, flanqué de deux profonds fauteuils noirs et de plusieurs poufs. Au fond, se trouvait son bureau, un meuble d'époque où s'amoncelaient les thèses et les articles, ainsi qu'une quantité de minuscules carnets sur lesquels elle prenait des notes d'une écriture soignée, à l'encre violette. Dans la vaste cheminée, le professeur Maarek faisait du feu même en été, pour la lumière, disait-elle. Mais je savais que derrière cette flamme bien visible se cachait le symbole philosophique de la connaissance.

Chez elle, apparaissait de temps à autre un personnage de haute taille, aux cheveux noirs et aux yeux sombres, qui était en quelque sorte son serviteur. Elle l'appelait Guillermo, et lui commençait toutes ses phrases par un martial : « Señora ».

Ce jour-là, je remarquai que Louise Sorias avait les traits marqués par la fatigue.

– Le commissaire a perquisitionné chez moi. Il m'a longuement interrogée, dit-elle en sirotant le thé que nous avait servi Guillermo. J'ai appris des choses intéressantes sur cet homme. Il est titulaire d'un DESS de criminologie et d'un troisième cycle en criminalistique et en victimologie. C'est un expert en la matière. Sa compétence me rassure.

– Que t'a-t-il demandé ?

– Une foule de détails concernant Robert. Ses habitudes, ses amis, ses recherches. Il m'a fait remplir des questionnaires. Pour l'instant, il ne privilégie aucune piste.

– De ton côté, as-tu trouvé dans ses affaires quelque chose qui soit susceptible de le mettre sur une piste ?

Louise hocha la tête.

– Ceci, dit-elle en ouvrant l'écrin qu'elle avait placé près de son sac.

C'était un petit livre, un très vieil ouvrage vermoulu et plein de moisissures : un codex, qu'elle posa avec précaution sur la table basse, devant nous.

– Mon Dieu ! murmura le professeur Maarek. Où l'as-tu découvert ?

– Dans le double fond d'un tiroir de son bureau, bien empaqueté.

Je pris conscience que le professeur Maarek ne l'écoutait plus. Cette expression, ce regard figé, je les connaissais. Elle était en proie à une vive émotion.

– Professeur ?

– D'où peut-il bien venir ? s'interrogea-t-elle à haute voix.

– Ce codex appartenait à mon père, affirma Louise. Il m'en a fait don avant sa mort, en me demandant d'en prendre grand soin. C'était un bibliophile très averti.

– Mais alors, il n'est pas à Robert, il est à toi ?

– Il faisait partie de la collection de mon père. Je l'avais soigneusement mis à l'abri, j'ignore pourquoi il a fini entre les mains de Robert.

Avec des gestes précis, le professeur Maarek souleva l'ouvrage, de la taille d'une boîte à sucre, et tenta de l'ouvrir, sans succès.

Elle se leva et l'emporta vers une lampe, dont elle orienta la lumière avec précision.

– Voila bien longtemps que je n'avais pas utilisé mon matériel de paléographie, murmura-t-elle.

Elle se dirigea vers une commode ancienne, et en tira une pochette dont elle vida les instruments sur son bureau : scalpel, ciseaux de chirurgien, loupes de toutes dimensions. En plaçant le petit ouvrage sous l'humidificateur, elle veillait à l'intégrité des parties fragilisées. D'un flacon, elle préleva une substance qu'elle étendit au pinceau sur les pages endommagées, puis coinça l'ouvrage entre deux serre-livres afin d'en contrôler l'ouverture. Elle put alors, le plus délicatement du monde, en tourner les vénérables feuillets.

Nous la regardions faire, sans un mot, sans impatience, comme si nous pressentions combien le contenu de ce texte venu du passé allait troubler notre présent.

Au bout d'un long moment, Elsa Maarek ferma le codex, se leva, fit quelques pas, et nous rejoignit au salon, l'air déconcerté. Elle considéra Louise avec perplexité, les yeux brillants.

– Il est… très ancien.

– Tu peux le dater ? demanda Louise.

– Le Moyen Âge… au moins. Une vraie pièce de musée !

– Tu as pu en déchiffrer quelques pages ?

– Le texte en latin traite des Croisades, continua Elsa Maarek. Mais je n'ai lu que le début. L'histoire d'un homme, Cosmas, qui part de chez lui pour échapper à une sanction. Peut-être le support lui-même est-il encore plus ancien que le texte, ajouta-t-elle après un temps de réflexion.

– Que voulez-vous dire, professeur ? demandai-je.

– Je crois qu'il existait un autre texte sur ce parchemin : on l'a partiellement effacé afin de récrire dessus.

– Un palimpseste, murmurai-je.

Avec un sourire complice, le professeur Maarek m'expliqua qu'au Moyen Âge les parchemins étaient chers et difficiles à confectionner. Pour établir un manuscrit, il fallait bien vingt-quatre moutons. C'est pourquoi les moines copistes utilisaient souvent le support d'anciens codex pour récrire leur texte par-dessus.

– Et c'est ainsi que beaucoup de textes ont disparu sous l'action de la pierre ponce, ajouta-t-elle.

– Tu penses qu'il y a un autre texte sous celui-ci ? insista Louise.

– Regarde. On peut apercevoir les lettres en transparence. Apparemment, c'est du grec… Louise, ajouta-t-elle après une seconde d'hésitation, je crois que tu possèdes là un document unique qu'il faut absolument étudier. Qui sait, peut-être contient-il l'œuvre inédite d'un philosophe ou d'un grand savant. En tout cas, c'est un document d'une valeur inestimable.

– Qui date, selon toi, du Moyen Âge ?

– Je dirais autour de 1200. Mais s'il s'agit d'un palimpseste, il est peut-être bien plus ancien…

Louise Sorias considéra le manuscrit avec une sorte de respect mêlé d'angoisse.

– C'est incroyable qu'il ait fait le voyage jusqu'ici, dit-elle. Et qu'il soit en bon état, malgré tout. Il aurait pu disparaître en poussière.

– Depuis combien de temps est-il en ta possession ?

– Plus d'une dizaine d'années, mais j'ignore à quelle époque mon père l'a acheté.

– Il faut en prendre le plus grand soin… Voulez-vous le regarder, Joachim ? me demanda-t-elle.

À l'aide de la loupe, je commençai à en examiner les caractères. Je vis alors apparaître, par transparence, des lettres cachées, ou plutôt des empreintes de lettres. Je tournai le manuscrit dans l'autre sens, et aperçus les traces de lignes horizontales d'écriture. Le scribe avait dû faire pivoter le manuscrit pour écrire son nouveau texte verticalement.

– Je les vois en transparence ! Des caractères grecs sous l'écriture latine ! m'exclamai-je.

– C'est extraordinaire, répéta le professeur Maarek. Très surprenant, oui… Regarde toi-même, Louise !

Louise examina à son tour le codex à l'aide de la loupe. Elle le souleva pour en regarder les folios.

– Oui. Je vois les lettres, en effet, murmura-t-elle avec une sorte d'inquiétude.

– Que comptes-tu en faire ?

– Je vais tenter de trouver un acquéreur, dit Louise.

– Tu n'y penses pas ! s'exclama le professeur Maarek, d'un air offusqué. Tu possèdes là un écrit d'une valeur inestimable !

– J'ai compris, Elsa, dit Louise Sorias. Et c'est pour cette raison que je souhaite m'en séparer. Au plus vite.

7

Quelques jours plus tard, lorsque le professeur Maarek me proposa de l'accompagner à l'hôtel Drouot afin d'assister à la vente du codex de Louise Sorias, j'en fus flatté et heureux. Je ne l'avais jamais vue dans un tel état d'excitation. Elle n'en revenait pas d'avoir eu entre les mains un écrit aussi ancien et ne comprenait toujours pas la raison qui poussait son amie à s'en défaire aussi brutalement.

D'un tempérament calme, réfléchi, ultra-rationnel, le professeur Maarek n'avait pas l'habitude de montrer une telle tension, et encore moins de prendre des décisions à la légère. Tout ce qu'elle faisait était toujours étayé d'arguments et de longs débats durant lesquels elle pesait le pour et le contre. Dans la tradition des péripatéticiens, elle aimait marcher : cela l'aidait à réfléchir. Nous fîmes la route ensemble jusqu'aux grands boulevards, dans le neuvième arrondissement. Nous formions un curieux assemblage, vus de l'extérieur. Elle, les cheveux noir corbeau, élégante dans son tailleur rouge, ses petites lunettes rondes bien ajustées sur son nez, et moi, qui la dépassait d'une bonne tête, l'air d'un adolescent attardé, les cheveux en bataille, même si pour l'occasion j'avais fait l'effort d'enfiler un costume.

– À votre avis, professeur, pour quelle raison Louise Sorias a-t-elle mis en vente le codex si précipitamment ?

– Vous avez noté comme moi que, malgré la gravité des circonstances, elle trouve la force de s'occuper de cette vente ; comme si elle cherchait à s'en débarrasser. Elle a l'air affolé.

– A-t-elle peur qu'on le lui vole ?

– Non ! Soyez rationnel. Elle pourrait le mettre dans un coffre…

– Serait-ce pour en tirer de l'argent ?

– Les enchères débutent à 800 000 euros.

– Une belle somme !

– Je connais bien Louise. Elle n'est pas matérialiste. De plus, elle n'a pas besoin d'argent. Non, il y a autre chose. Et nous sommes là pour le découvrir.

Nous prîmes une petite rue qui débouchait sur l'hôtel Drouot, carrefour du marché de l'art. Tout autour, gravitait un véritable village de galeries, de cafés et de restaurants fréquentés par les habitués. Marchands, chineurs, décorateurs, acheteurs de province, étrangers, simples visiteurs se pressaient ce matin-là aux portes du grand immeuble où étaient exposés les objets.

Nous nous installâmes au fond de la salle. Le professeur Maarek voulait savoir qui s'intéressait à ce manuscrit. Elle procédait toujours ainsi : par observation et déduction.

– Louise Sorias n'est pas là, remarquai-je.

– C'est bien ce que je pensais, murmura-t-elle. Elle ne veut pas se montrer. Elle a peur.

À 14 heures précises, la vente débuta. Acheteurs,

bibliophiles, antiquaires, et même quelques journalistes avaient pris place sur les sièges ; ils avaient rejoint le public et les universitaires, les amateurs de livres anciens, un délégué du ministre de la Culture grec, ainsi qu'un homme d'une quarantaine d'années, très élégant dans son costume trois-pièces, la barbe de trois jours, les cheveux blonds savamment coiffés, dont le nom était Harry Bolt. Le professeur Maarek m'expliqua qui était ce courtier anglais très connu. Mais ce jour-là, personne ne savait pour le compte de qui il travaillait.

Les savoyards à col rouge circulaient dans la salle, transportaient les objets et s'appelaient par leur numéro. La représentation allait débuter. Chacun connaissait son rôle par cœur : le commissaire-priseur, les commissionnaires, les experts au téléphone avec leurs acheteurs qui ne pouvaient pas assister à la vente.

La salle était comble. La pression montait. Parmi les objets proposés – miniatures carolingiennes, documents tirés des archives des préfectures, mairies et hospices, dessins, plan des paroisses de Paris, recueil de reproductions en fac-similé des actes originaux des souverains carolingiens, atlas des mémoires militaires relatifs à la guerre de Succession d'Espagne sous Louis XIV, atlas des anciens plans de Paris –, il était là. Il reposait sur un pupitre, sous une cage de verre fermée à clef. Le fameux codex. Mangé par la moisissure, il faisait peine à voir, mais le commissaire-priseur était résolu à le vendre à sa juste valeur. Les téléphones étaient prêts. Les agents aussi. Tout le monde avait les yeux rivés sur le manuscrit.

– 800 000 ! annonça le commissaire-priseur.

La semaine précédente, un prêtre orthodoxe avait porté plainte devant le tribunal, au motif que le codex avait été volé dans un musée d'Istanbul. Même s'il n'avait pas obtenu gain de cause, il était présent dans la salle et le premier à lever la main. Les cheveux et la barbe poivre et sel, les yeux bleu délavé, vêtu d'une soutane, il semblait être dans une grande agitation.

Aussitôt, une main discrète se leva.

– 850 000 ! annonça le commissaire-priseur.

900 000 ! 950 000 ! Le million d'euros fut rapidement atteint. Harry Bolt annonça qu'il surenchérissait. Le prêtre orthodoxe répliqua, l'homme augmenta la mise. Les autres acquéreurs potentiels en restèrent là, alors que les deux parties continuaient de s'affronter : l'acheteur anonyme, par son intermédiaire, et le prêtre. 1 200 000 pour le prêtre. 1 400 000 pour Bolt. 1 600 000. 1 800 000. 1 900 000 pour le prêtre.

– D'où tient-il tout cet argent ? murmuraient les gens, surpris.

Deux millions. Le prêtre saisit son téléphone, pour tenter de collecter de l'argent afin d'arracher la vente. Le commissaire-priseur l'attendit. La salle s'impatientait. C'était trop tard. Il frappa la table de son marteau : le manuscrit était adjugé pour 2 millions d'euros à l'acheteur anonyme.

Aussitôt, la foule voulut connaître qui était le nouveau propriétaire du codex, mais Harry Bolt avait des instructions très précises : il ne devait révéler son nom sous aucun prétexte. On apprit seulement que ce citoyen français désirait tant obtenir le livre qu'il était prêt à lui dédier une fortune envers et contre tous. Lorsque je demandai au professeur Maarek ce qu'elle en pensait, elle hocha la tête. Elle paraissait soulagée. Je voulus savoir pour quelle raison elle prenait l'affaire tellement à cœur, et elle me répondit qu'elle était heureuse que le manuscrit restât en France. Ainsi, il serait sans doute possible de découvrir le contenu du palimpseste.

Mais qui était le mystérieux acquéreur ? Un milliardaire ? Un passionné ? Un bibliophile fou ?

Elsa Maarek eut un sourire ambigu :

– Ou peut-être, mon cher Joachim, quelqu'un de bien renseigné, qui connaît déjà le texte du palimpseste.

8

– Hola ! Señor Masquelier, dit Guillermo en ouvrant la porte au commissaire.

– Bonjour.

Le commissaire suivit la haute silhouette du majordome jusqu'au grand salon aux fauteuils noirs. Il mâchait des chewing-gums à la nicotine, dont il déchirait soigneusement les enveloppes avant de les déposer dans un cendrier, comme il l'aurait fait avec les cendres d'une cigarette. Il sortit son iPad ainsi que ses deux BlackBerrys, qu'il mit sur vibreur, et que le professeur Maarek considéra, d'un air réprobateur, tandis que Guillermo était en train de disposer tasses et soucoupes pour le thé.

– Alors, où en sommes-nous, commissaire ? demanda-t-elle. Avez-vous des éléments nouveaux ? Des suspects ?

– Nous avons interrogé Louise Sorias ainsi que son frère, Pierre Thomas. De tous les interrogatoires, il résulte que Robert Sorias menait une vie tranquille. Partout, c'est l'incompréhension.

« On a procédé aux analyses des boîtes mails de la victime, ainsi que de ses portables. La PTS a passé au crible tout le système informatique de Normale Sup, avec des logiciels de récupération de données, sans résultat. En revanche, elle a pu apporter quelques indices matériels.

– La PTS ? demanda le professeur Maarek.

– La Police Technique et Scientifique. J'ai l'impression d'être face à un esprit dont les références nous échappent. Professeur Maarek, l'Obélisque, qu'est-ce que ça évoque pour vous ?

– Un lieu hautement symbolique. Le monolithe de granit rose est haut d'une vingtaine de mètres, il vient du temple de Louxor, qui datait du XIIIe siècle avant notre ère. Son transport depuis l'Égypte, puis son érection en 1836, ont été une prouesse technique autant que son élaboration à l'époque des Pharaons et des esclaves… À votre avis, commissaire, comment le corps a-t-il pu être déposé à cet endroit qui est l'un des plus fréquentés de Paris ?

– L'Obélisque est en pleine réfection, il y a des échafaudages partout. Nous avons mis des bâches autour de la scène de crime pour la préserver. Ce qui est certain, c'est que celui qui l'a déplacé est fort, ou bien ils sont plusieurs. Les vêtements étaient déchirés. Nous cherchons toujours l'arme du crime, un couteau extrêmement tranchant.

– Quels sont les résultats de l'autopsie ?

– Les analyses toxicologiques ont relevé des traces de plusieurs psychotropes, Psychotria viridis et Bêta-Carbolines. Autrement dit, Sorias a été drogué. Le légiste a décelé aussi des carences. Comme s'il avait été privé de nourriture ou s'il avait jeûné.

– Il aurait été séquestré avant sa mort ?

– Sa femme assure que non. Mais elle a remarqué qu'il avait minci.

– Je l'avais remarqué aussi, dit le professeur Maarek, songeuse.

– Notre agent de la PTS a réussi à prélever quelques molécules d'un parfum particulier qui ressemble à de l'encens. Et aussi des traces de résine sur le corps…

– Quel genre ?

– Un arbre appartenant au genre Boswellia, de la famille des Burséracées, originaires d'Afrique, ou d'Asie, dit-il, en consultant son iPad. Ce n'est pas de l'encens de supermarché, mais une substance très pure. On a trouvé aussi de la sciure de bois très fine, du charbon de bois pilé, des plantes séchées réduites en poudre, dont l'armoise et la sauge, mélangées à du nitrate de potasse… en infime quantité, bien sûr.

– Le support combustible, probablement. Dans les cérémonies religieuses, l'encens a toujours participé aux rituels de purification.

– Pouvez-vous m'en dire plus, professeur ?

– Que voulez-vous savoir à ce sujet ?

– Tout. Je ne veux rien laisser au hasard.

– Purification de soi, du corps des victimes que l'on sacrifiait, de l'air. C'est aussi le symbole de la relation à la Divinité, car ses volutes montent vers les cieux. Il associe le fini à l'Infini, le mortel à l'immortel. L'encens était très utilisé dans l'Antiquité, pas seulement dans le monde grec. Les Égyptiens, les hindous, les juifs en faisaient grand usage. Dans la Bible, la fabrication du parfum sacré est largement évoquée, lorsque, par exemple, dans le Deutéronome, Dieu dit à Moïse de se procurer des substances odorantes, et d'y ajouter une quantité égale d'encens pur.

– Auriez-vous entendu parler du « sang de dragon » ?

– Non. Ça ne m'évoque rien.

– C'est une sorte de résine rouge provenant des écailles du fruit des palmiers grimpants des Indes orientales appartenant au genre Doemonorops, section des Piptospathées.

– Vous êtes féru de botanique, commissaire ?

– Non, c'est un rapport de la PTS. En un mot, c'est de l'encens en grain, qui a été brûlé sur des charbons ardents.

– Et cet encens, savez-vous où on peut se le procurer ?

– Nous avons fait toutes les boutiques de Paris. Et nous avons réussi à retrouver la bonne… Encens et Sens, dans le neuvième arrondissement. Voulez-vous que je vous envoie la fiche ?

– Pas du tout, dit le professeur Maarek, l'air offusqué. Je n'ai pas toujours mon portable à portée de main. Mais j'ai un cerveau.

– Quelque chose me dit que cette signature olfactive pourrait bien nous mener tout droit vers le meurtrier.

9

Le soir, comme tous les soirs ou presque, après le Pot, j'invitai Jérémie, Guillaume et Fabien à me rejoindre dans ma thurne. Ma chambre était plutôt bien rangée pour celle d'un normalien. Les boiseries un peu vétustes, les parquets et les murs décatis lui donnaient un air suranné qui n'était pas sans charme. Dans notre abbaye de Thélème, même si nous avions la chance d'avoir un personnel qui faisait le ménage, je préférais le faire moi-même. J'avais gardé de ma vie de khâgneux une obsession du rangement. Par le jeu du hasard et du nombre de thurnes que j'avais déjà prises sur le site d'Ulm – j'étais en quatrième et dernière année – j'avais obtenu une très belle pièce au couloir saumon, avec lit en mezzanine, et vue sur la cour intérieure, encadrée par les quatre murs imposants de l'École. Car à Normale Sup, chaque couloir était désigné par une couleur, certains étages ayant de plus belles chambres que les autres selon une hiérarchie opaque connue des seuls normaliens. Pour résoudre le problème de l'inégalité des chambres lors de la fusion de l'ENS Sèvres où étaient les filles et Ulm où étaient les garçons, les mathématiciens de l'école avaient inventé un ingénieux tirage au sort, avec un système de points accumulés en fonction du nombre d'années passées à l'École, si bien qu'un normalien qui avait choisi de ne pas loger à Ulm pendant trois ans avait plus de chances d'avoir une belle thurne que celui qui y avait déjà séjourné, ce qui rétablissait une relative égalité dans le jeu du hasard. Mais ceux qui participaient à la grand-messe de fin d'année du « thurnage », sur le deuxième site de l'École, boulevard Jourdan, et qui avaient l'audace de sous-louer leur thurne à d'autres normaliens, ou pire, à des gens qui n'étaient pas élèves de l'École, avaient droit à de sévères sanctions s'ils étaient pris, comme celle de ne plus obtenir de chambre à l'École.

Nous avions pris place dans les sièges inconfortables, autour d'une petite table de bois, sur laquelle j'avais disposé un plateau avec du thé et des biscuits. Comme nous étions tous de disciplines différentes, nous parlions rarement de ce que nous faisions. Par conséquent, nous discutions de l'École. Le directeur, la bibliothécaire, les menus du Pot, les clubs d'échecs, de cinéma, de rugby. Les élèves appelés les « tapirs », nom d'un animal à la chair fade mais nourrissante. Les Ulmiens qui faisaient parler d'eux, ceux qui étaient particulièrement brillants, les « caciques », les drôles, les bizarres, les politiques, les catholiques, le club « canulars ». On critiquait le COF, le bureau des élèves qui organisait les fêtes, on évoquait les potins du *Bocal*, le journal hebdomadaire consacré à l'actualité interne de l'École, le dernier thurnage, les thurnes du couloir saumon, celles du couloir vert ou rouge, la dernière « nuit de l'ENS », une sorte de gala où nous errions dans les couloirs en costume pour les garçons et en robe longue absurde pour les filles. J'avais loué un smoking pour l'occasion, et j'étais même allé chez le coiffeur. Le COF avait organisé des cours pour les normaliens : ce n'était pas du luxe, personne ne savait danser. Dans la salle, un karaoké avait diffusé des bandes-son ringardes, avec quelques élèves qui chantaient faux. Il ne nous restait plus qu'à boire deux ou trois coupes de champagne : à trop nous nourrir de livres, nous ne savions plus vivre.

Je pris un jeu de cartes, et je disposai devant moi la série de chiffres qui correspondait à celle qui avait été envoyée sur les comptes Twitter des mathématiciens : *56295*. Guillaume me regarda, l'air surpris.

– Tu cherches quoi ? dit-il, en dénouant sa cravate pour se mettre à l'aise.

Après avoir passé l'agrégation d'histoire en même temps que moi celle de philosophie, Guillaume faisait Sciences Po dans le but de préparer l'ENA, il rêvait d'une carrière politique. De taille moyenne, les cheveux courts et les yeux bleus, son visage montrait sa détermination, à peine atténuée par de fréquents sourires que ses camarades qualifiaient d'électoraux. Il sortait avec des jeunes femmes qu'il semblait recruter pour la plupart rue Saint-Guillaume, et qui se ressemblaient beaucoup : jolies, habillées de chemisiers et de jupes bon chic bon genre, avec lesquelles il déambulait dans les couloirs en riant. Parfois il emmenait l'une d'elles au Pot, et c'était l'attraction du déjeuner.

Jérémie me considéra sans dire un mot. Originaire de province comme moi, ce beau jeune homme, plutôt dandy pour un normalien, s'était vite mis en couple avec une biologiste de la même année que lui. Discrète et pâle, on ne la voyait jamais dans notre groupe exclusivement masculin. Quant à Fabien, avec ses cheveux longs et son air de débarquer de la lune, il n'en faisait pas moins une thèse en algèbre et était considéré comme l'un des élèves les plus brillants de sa promotion. J'aimais beaucoup Fabien. Même si nous n'avions pas grand-chose en commun – il était mathématicien, j'étais philosophe, il était en deuxième année, moi en dernière – nous étions devenus amis, sa thurne était à côté de la mienne. Souvent il mettait du rap, si fort qu'on l'entendait retentir dans tout le couloir : c'était bizarre, mais personne ne lui disait jamais rien. Il vivait à l'envers : il passait ses nuits à jouer à des jeux en ligne, et il dormait la journée. On le croisait souvent, en pyjama, à midi, hirsute. Sa maigreur frisait l'anorexie, il se nourrissait de chips et de sodas, et venait au Pot de temps en temps, lorsque ses amis lui rappelaient qu'il devait s'alimenter pour survivre.

– Tu étais abonné au compte Archimède ? lui demandai-je.

– Oui, depuis deux ans, comme beaucoup de mathématiciens. On recevait des infos sur l'actualité mathématique.

– Tu ne sais pas qui l'a créé ?

– On pensait que c'était un prof de l'École, mais on ne sait pas lequel. Qu'est-ce que tu fais avec ces chiffres ?

– J'essaye de leur trouver un sens, dis-je. Ils n'ont pas pu être choisis au hasard.

Je tentai d'abord de mélanger les cartes, de déplacer les nombres pour trouver une séquence, mais je n'y parvenais pas. Je mis alors les chiffres bout à bout et me concentrai pour tenter d'observer la récurrence d'un phénomène, mais non, il semblait ne pas y avoir le moindre lien logique entre eux. Alors j'essayai autre chose. Que se passerait-il si on transformait les chiffres en lettres ? On obtenait, notamment, la séquence suivante : EFBIE. Ce qui n'avait pas plus de sens, à moins que ce ne fût dans une autre langue, que je ne connaissais pas.

Jérémie me regardait, l'air pensif, alors que Guillaume était en train d'envoyer des sms sur son BlackBerry. Je remarquai que Fabien m'observait, l'air amusé, depuis un moment déjà. Il finit par lâcher :

– Si tu trouvais une séquence, tu mériterais la médaille Fields !

– Pourquoi ?

– Parce que depuis toujours les mathématiciens le plus chevronnés tentent de le faire, et n'y parviennent pas... Même Robert Sorias, dont c'était le domaine de recherches.

– Tu connais donc ces chiffres ?

– Ces chiffres, comme tu dis, correspondent aux premières décimales inversées du nombre Pi, sauf que les premiers chiffres n'apparaissent pas, dit-il en désignant les cartes.

– C'est-à-dire ?

– Les premières décimales de Pi sont : 3,14159265 et ainsi de suite, parce que ça continue ! Là on a les cinq derniers chiffres des 8 premières décimales. Tu me suis ?

– Oui mais... Peux-tu m'en dire davantage sur Pi ?

– Pi ! Je ne vais pas t'expliquer que Pi est le rapport entre la circonférence d'un cercle et son diamètre.

– Autrement dit, entre une droite et un cercle, dis-je.

– Si tu veux. On peut également le définir comme le rapport entre la superficie d'un cercle et le carré de son rayon. Sa valeur approchée arrondie est 3,141592654 en écriture décimale. Ce qui correspond à tes chiffres, pour peu qu'on les remette dans le bon ordre. Pi est l'une des constantes les plus importantes des mathématiques. C'est un nombre irrationnel, c'est-à-dire qu'on ne peut pas l'exprimer comme un rapport de deux nombres entiers ; en conséquence, son écriture décimale n'est ni finie, ni périodique.

– Peux-tu préciser ? demandai-je.

– L'énigme de Pi, c'est qu'il n'a ni fin ni logique. On peut l'écrire à l'infini, on ne trouvera jamais de série : tous les chiffres se suivent de façon parfaitement aléatoire. C'est pour cette raison que tu ne trouvais pas de lien entre tes cartes. On dit que c'est un nombre transcendant, c'est-à-dire qu'il n'existe pas de polynôme non nul à coefficients entiers dont Pi soit une racine. Pi permet de parler de la géométrie, de l'analyse, de l'arithmétique, de l'algèbre ainsi que de la logique des ordinateurs, de la construction des pyramides ! Mais impossible de le calculer ! Il résiste à l'intelligence humaine.

– Et on sait pourquoi ?

– Les mathématiciens n'ont pas cessé de se poser la question. Le fait que les décimales de Pi soient aléatoires et en même temps parfaitement déterminées est très intrigant. Est-ce que Pi contient un message ? Pourquoi Pi est-il imprédictible et pourquoi est-il si complexe ? On n'arrête pas de spéculer sur ces sujets. C'est le domaine de recherche de Robert Sorias et Jean Andrieux, mon directeur de thèse. Ils ont été très loin dans la tentative de comprendre ce qui fixait ce jeu étrange.

– Quelles sont leurs conclusions ? demandai-je, intrigué.

Fabien se passa une main dans les cheveux comme pour les discipliner, avala un biscuit, avant d'énoncer, l'air gêné :

– Difficile pour moi de t'expliquer. Cela requiert un niveau que tu ne sembles pas avoir…

– Essaye, dis-je.

– Sorias a fait des graphiques tridimensionnels en forme de surface avec les décimales de Pi. Le résultat donne le sentiment de quelque chose de systématique. Mais est-ce que c'est vraiment Pi, ou est-ce que c'est le cerveau qui organise des structures différentes de ce que produirait le simple hasard ? En tout cas, il semble y avoir moins de courbes que ce que l'on pourrait trouver si Pi était totalement aléatoire. Rien de clair n'a été prouvé pour l'instant, il faudrait aller plus loin. Et si Pi montrait un comportement systématique après 10 puissance 77 par exemple ? On n'en sait rien pour l'instant. On n'a pas réussi à calculer toutes les décimales. On ne sait même pas s'il est infini ou pas.

– Jusqu'à quelle décimale le connaît-on ?

– Le professeur Andrieux a calculé 6 442 450 000 décimales de Pi.

– Impressionnant !

– C'est lui que tu devrais voir, si tu as des questions à ce sujet. Je peux prendre un rendez-vous pour toi, je le vois demain.

– Bonne idée…

– Mais je te préviens, il est un peu spécial…

– Comme beaucoup de mathématiciens, non ?

– C'est vrai que les mathématiques, pratiquées à un certain niveau, rendent un peu fou, répondit Fabien avec un sourire.

– Bipolaire. Ou bien schizophrène, précisa Guillaume, qui avait toujours réponse à tout. Grigori Perelman refuse tous les prix qu'on lui décerne. Gödel, le père du théorème d'incomplétude, était paranoïaque, mais c'est grâce à sa folie qu'il a pu faire une recherche sur la raison et ses limites. John Forbes Nash, le type qui a inspiré le film *Un homme d'exception*, avec Russell Crowe, a passé beaucoup de temps en hôpital psychiatrique. À cause de sa paranoïa, il pensait être entouré d'espions et d'ennemis. Et Alan Turing, l'extraordinaire mathématicien, a fini par se suicider.

– Il y a aussi le trio russe Egorov-Luzin-Florensky, dit Fabien. Trois personnages bizarres, à la fois hyper-religieux et géniaux. Ils avaient une approche particulière des maths.

– Laquelle ?

– Ils étaient les adorateurs du Nom, une hérésie orthodoxe qui consiste à entrer en contact avec Dieu par une technique de prière, en répétant des centaines de fois les mêmes mots et en jouant sur les respirations. Alors, ajouta-t-il en ramassant et battant le paquet de cartes, qui est Dieu ce soir ?

10

J'accompagnai Fabien afin de rencontrer le professeur Andrieux dans son bureau, au Centre de cryptologie de l'École normale, situé au sous-sol du bâtiment adjacent au cloître. Lorsque je demandai à mon ami de me renseigner sur la cryptologie, en cheminant à travers le dédale d'escaliers et de couloirs, il me dit que c'était une science vieille comme l'art militaire, qui avait aujourd'hui des applications et des débouchés importants, dans l'informatique, les cartes à puce, en plus de l'industrie de défense et de sécurité. Le laboratoire de Normale Sup était à la pointe de ce domaine. Pourtant il y faisait sombre, et il n'y avait personne dans cet endroit vétuste qui paraissait presque désaffecté.

Enfin, nous sommes arrivés devant la porte du bureau du professeur Andrieux. Après avoir frappé, nous sommes entrés dans un antre rempli de papiers, de livres, d'ordinateurs anciens et nouveaux à travers des entrelacs inextricables de fils électriques et de câbles. Sur les murs, des affiches représentaient des fractales psychédéliques et multicolores.

Avec sa longue barbe, sa longue écharpe multicolore sous une sorte de curieux veston à motifs mexicains, le professeur Andrieux ressemblait à un devin ou un mage. Il ne portait ni chaussures ni chaussettes. Cela ne semblait pas étonner Fabien, qui m'avait expliqué qu'il était capable de donner de véritables shows pendant les cours, avec ses accoutrements excentriques. Il aimait faire des blagues, des canulars. Un jour, il était même arrivé déguisé en professeur anglais avec une toge académique et un accent oxfordien.

– I, Pi, Pi, pourra ! s'exclama le professeur Andrieux, lorsque je lui posai la question sur le dénombrement des décimales. Figurez-vous qu'en prenant les six premiers milliards, nous avons les quantités suivantes : à peu après autant de 0 que de 1, 2, 3, etc., autour de 600 000 environ. Une chose étrange, n'est-ce pas, jeune homme ?

– Comment avez-vous obtenu ce résultat, professeur ?

– Je me suis fondé sur le travail d'une équipe de chercheurs, celle de David Bailey, Peter Borwein et Simon Plouffe, qui a mis au jour la possibilité de calculer n'importe quelle décimale de Pi en base 2 sans avoir à calculer les chiffres qui précèdent. Leur travail a permis d'avancer considérablement dans la connaissance de Pi. On a pu remarquer aussi la présence de séquences répétées étonnantes : des 999999 entre les positions 762 et 767. On trouve aussi la séquence 123456789. Vous ne trouvez pas ça formidable ?

– Mais quel sens donner à cela ?

– La question du sens ne concerne pas le mathématicien mais le philosophe, dit le professeur Andrieux, qui enleva ses lunettes de presbyte, pour revêtir d'énormes lunettes rondes en écailles. Vous disiez, jeune homme ? Ah oui, la question du sens ! Bien sûr ! À travers Pi, on aborde les questions les plus profondes

des mathématiques et de la philosophie... Comme le hasard, par exemple... Savez-vous ce qu'est une suite de chiffres tirés au hasard ? me demanda-t-il.

– Non.

– Ce sont des suites où tout arrive : c'est-à-dire toute séquence possible apparaît, tôt ou tard. De telles suites sont appelées des suites-univers. Eh bien, croyez-le ou non, Pi fait partie de ces suites !

– Le professeur Andrieux veut dire que quelque part dans Pi, expliqua Fabien, il y a ta date de naissance, ton nom et ton adresse codés, ton numéro de Sécurité sociale, les codes numériques qui permettraient de faire le film de ta vie mais aussi des versions de ce film avec des variantes, des parties fausses, etc.

– Consultez le site sur Internet, appelé « PI-Day » : il propose de donner dans la séquence de Pi votre date de naissance ou les chiffres de votre vie. On dirait de la magie. Mais c'est vrai ! Les Américains ont inventé ce jour, P-Day, en l'honneur de Pi, et qui a lieu bien entendu le 14 mars...

« On peut ainsi considérer que ces décimales contiennent des milliards d'informations qui s'étendent à l'infini et qui pourraient même décrire toutes les combinaisons possibles de l'univers. Ainsi par exemple si on numérisait une symphonie de Beethoven avec un code qui utiliserait des chiffres de 0 à 9, quelque part dans la suite des décimales de Pi, la séquence chiffrée de cette symphonie existe.

– Vous voulez dire que le film de la vie de Descartes, Gandhi, et même Jésus, est numérisable dans Pi ? demandai-je.

– Oui, oui, certainement. La vie de Jésus... Une vie où il

n'aurait pas été le Messie. Et une autre où il aurait eu une mort différente…

– Professeur Andrieux, le meurtre du professeur Sorias peut-il être lié à vos recherches communes ?

– Beaucoup de mathématiciens ont été assassinés, répondit-il, d'un air soudain grave. Pythagore, tué par un complot. Archimède, mystérieusement assassiné par un soldat… Évariste Galois, lors d'un duel. Le plus génial de tous ! Heureusement, il a eu le temps d'écrire toutes ses théories la nuit qui a précédé sa mort. Mais ce n'est pas le cas de Robert Sorias. Nous ne saurons jamais quel aurait été le résultat de ses recherches. Cela rejoint votre question de tout à l'heure. La question du sens ! Foutue question ! Beaucoup plus compliquée que la question de la vérité !

– Que voulez-vous dire, professeur ?

– Eh bien ! Pi laisse peu de chances au hasard. C'est comme si le monde était… comment dire… organisé. La chose la plus dingue, c'est que c'est avec ce chiffre absurde !

– Ces séries improbables peuvent être des phénomènes isolés dont la probabilité n'est pas négligeable dans une suite tirée au hasard, objecta Fabien.

– Ah… Je reconnais bien là notre Tala invétéré ! Il ne veut pas reconnaître que Pi dépasse l'entendement. Et pourtant, seules les machines peuvent le calculer… Aucun cerveau humain ne peut l'appréhender !

– Un peu comme Dieu et la théologie négative, dis-je… On peut dire ce qu'il n'est pas, mais on ne peut pas dire ce qu'il est.

– Exact, jeune homme ! jeta le professeur Andrieux, en faisant la révérence, derrière son bureau.

– Nous devrions peut-être y aller, dit Fabien, soudain mal à l'aise. Le professeur Andrieux est très occupé.

– Oh non ! Pas du tout ! coupa Andrieux. Il a peur que je me mette à parler de théologie, ajouta-t-il avec un sourire malicieux.

– Pour quelle raison ? demandai-je.

– Cela concerne ce dont je viens de vous parler. Mes recherches sur Pi. J'ai découvert que les mathématiques n'obéissent pas à un principe mystique et que le monde est organisé d'une autre façon que celle que nous propose la religion. Je pense pouvoir mettre au jour le principe de cette organisation. C'est la raison pour laquelle j'ai quitté les Talas.

– Et ce principe, c'est ?

La sonnerie du téléphone l'interrompit. Andrieux nous fit signe de l'excuser, décrocha et se lança dans une conversation animée en anglais, qui menaçait de s'éterniser.

Fabien m'entraîna dehors. Je remerciai le professeur Andrieux d'un signe de tête, et m'éloignai avec mon ami à pas rapides dans les couloirs souterrains. Soudain, la lumière s'éteignit. Je cherchai l'interrupteur à tâtons, sans le trouver. Je commençai à paniquer – j'avais horreur du noir. Je cherchai Fabien, mais il n'était plus là. Mes yeux s'habituèrent à l'obscurité et j'avançai en longeant les murs. J'entendis des pas se rapprocher de moi. À nouveau, j'appelai Fabien, sans obtenir de réponse. Soudain, la lumière se fit et je vis apparaître avec soulagement le directeur de l'École, le professeur Tibrac.

– Cher Joachim, dit-il, vous vous êtes égaré dans les dédales de la cryptologie, à ce que je vois ?

– Oui, professeur. Je viens de voir le professeur Andrieux.

– J'ai justement rendez-vous avec lui aussi. Le professeur

Maarek m'a dit que vous tentiez d'aider le commissaire Masquelier, et je m'en réjouis. En revanche, ajouta-t-il, l'air gêné, le commissaire vient de m'annoncer que le créateur du compte Archimède avait été identifié.

– Et il s'agirait de qui ?

– Eh bien, dit Tibrac, l'air embarrassé. Il s'agit de votre condisciple, Fabien Delorme.

11

Dans la petite boutique du neuvième arrondissement de Paris, à la décoration psychédélique, j'étais au bord du malaise. Les vapeurs d'encens me tournaient la tête. Le professeur Maarek écoutait la musique indienne, une mélopée au rythme entêtant. Je m'arrêtai pendant un instant devant les livres sur les massages ayurvédiques, la relaxation, les médecines douces et les épices. Tout un monde qui m'était parfaitement étranger, moi qui ne m'étais jamais intéressé à mon corps, pas plus qu'au corps en général.

– Certains encens favorisent le sommeil, d'autres sont destinés aux cérémonies religieuses, certains éveillent le désir, nous expliquait la vendeuse, une jeune femme blonde à l'accent anglo-saxon. Le benjoin est bon pour la concentration, la myrrhe est aphrodisiaque, tandis que l'oliban est plus spirituel et donc, on l'utilise pour les cérémonies à caractère sacré.

Une femme asiatique était en train de disposer des bâtonnets d'encens sur l'une des étagères de la boutique. Le professeur Maarek s'approcha d'elle.

– Est-il possible d'effectuer des mélanges d'encens soi-même ? lui demanda-t-elle.

La jeune femme la regarda d'un air étonné, comme si elle ne comprenait pas sa question.

– Bien sûr, répondit à sa place la vendeuse. On peut le faire chez soi ou le préparer ici, en boutique.

– Et qui réalise ce genre de mélanges ? demanda le professeur Maarek.

– Les connaisseurs. Les amateurs apprécient de les élaborer eux-mêmes. Les congrégations religieuses également les utilisent pour la prière. Nous servons des bouddhistes tibétains, indiens, japonais et thaïlandais…

– Des juifs, des chrétiens, des musulmans ?

– Surtout des orthodoxes… Nous nous adaptons à chacun. L'encens destiné à une cérémonie religieuse ne conviendra pas vraiment pour une soirée à deux !

– Avez-vous eu des clients qui achetaient de l'encens à brûler sur des charbons ardents ?

– C'est très rare, dit la vendeuse avec une moue.

– Qui pourrait donc utiliser de l'encens en grains ? demandai-je.

– Comme le thé en feuilles : ce sont les vrais amateurs… On a créé l'encens en baguettes pour que ce soit plus facile. C'est aussi plus économique… Mais ce sont surtout les dieux que l'on honore avec l'encens. Pour les cérémonies, la résine d'encens est écrasée puis mélangée à un combustible.

– Je vous remercie pour tous ces renseignements, dit le professeur Maarek avec un sourire.

– Quel type d'encens désirez-vous ? demanda la vendeuse.

– Aucun, répondit Elsa Maarek, après un silence. Nous enquêtons sur le meurtre d'un des professeurs de l'École normale supérieure, et nous avons retrouvé des traces de ce genre d'encens près du cadavre.

– Oh ! le meurtre dont on a parlé à la télé, l'autre jour… ? demanda la vendeuse, avec appréhension. La police est déjà venue à ce sujet… Ils m'ont posé des questions.

– Auriez-vous reçu un client qui utiliserait de l'encens en grains ? demanda le professeur Maarek.

– Vous travaillez pour la police ?

– Non, nous sommes des amis de Robert Sorias, la personne qui a été assassinée.

– Ah, je vois.

– Vous deviez avoir vos raisons pour ne pas parler à la police, observa tout à coup le professeur Maarek.

– Que voulez-vous dire, madame ?

– Est-ce que votre employée est ici depuis longtemps ? ajouta-t-elle, un regard vers la femme asiatique.

– Deux mois. Pourquoi cette question ?

– Quelle langue parle-t-elle ?

– Le thaïlandais.

– Et l'anglais ?

– Oui.

– Pourrais-je l'interroger ?

– Je ne pense pas qu'elle vous réponde.

– N'ayez crainte, vous pouvez nous parler. Cela nous aiderait beaucoup dans nos recherches, nous voulons trouver la personne qui a commis ce crime atroce. Nous ne dirons rien au sujet de la clandestinité de votre employée.

Je notai qu'Elsa Maarek avait recours, comme avec ses élèves, à la méthode platonicienne de questionnement, la maïeutique, qui consiste à faire advenir la vérité par interrogation persistante. Socrate s'était s'inspiré du métier de sage-femme que sa mère exerçait pour fonder sa méthode philosophique. Il faisait accoucher les esprits comme sa mère faisait accoucher les corps, pour faire venir la vérité au grand jour. Pour lui, la raison étant partagée par tous, les réponses justes se nichaient à l'intérieur de chacun, et il suffisait qu'on guide les hommes pour que d'eux-mêmes, ils accomplissent le chemin vers la vérité. Faire accoucher l'esprit, comme elle l'expliquait à ses élèves, c'était faire découvrir à l'autre des vérités qu'il porte en lui mais auxquelles il n'avait pas encore accès : « L'accoucheur n'apporte, ne transmet rien à l'âme qu'il éveille. Il la laisse nue en face d'elle-même », ainsi parlait le grand Socrate. La prise de conscience ne pouvait venir que de la parole, dans le cadre du dialogue, guidé par la raison. Mais parfois, il était difficile de mettre au jour cette vérité, lorsque l'interlocuteur cherchait à la retenir. C'est pourquoi le professeur Maarek ne lâchait pas son interlocuteur avant d'avoir eu accès à ce qu'elle voulait obtenir de lui.

– Écoutez, murmura soudain la vendeuse, il y a quelques jours, un homme est venu. Une cinquantaine d'années, plutôt grand, les yeux bruns.

– Que voulait-il ?

– Ce qu'il me demandait était très spécifique, il a fallu que je fasse une commande… Attendez, je vais regarder sur mon ordinateur.

Elle disparut quelques minutes dans une pièce attenante, et réapparut avec une feuille imprimée à la main.

– Et voilà ! dit-elle en nous tendant le papier, c'était le 10 avril, il y a une quinzaine de jours.

– Juste avant le meurtre, murmura Elsa Maarek. Il ne vous a pas dit quel usage il comptait faire de l'encens ?

– Je ne me souviens plus très bien… je n'ai pas fait attention… Il avait l'air tout à fait normal. Plutôt détendu et heureux.

– Auriez-vous gardé son nom quelque part, sur un fichier de votre ordinateur ? demanda le professeur Maarek.

Sans répondre, la vendeuse posa l'index sur la feuille qu'elle venait d'imprimer.

Le professeur Maarek me tendit le papier.

Avec stupéfaction, j'y découvris le nom de Robert Sorias.

12

Lorsque je rentrai dans ma thurne, ce soir-là, tout ce qu'avait énoncé le professeur Maarek me revint en mémoire. Robert Sorias aurait-il pu préparer son propre suicide à l'aide d'un complice ? Mais dans ce cas, quel sens prenait une telle mise en scène ?

Le jeûne, les psychotropes et l'achat d'encens montraient clairement que Robert Sorias était au courant de ce qui allait se dérouler, ou du moins qu'il s'y préparait. Il aurait été tué, ou il se serait laissé tuer, mais pour quelle raison ? Un rituel avait certainement eu lieu, une cérémonie macabre, mais dans quel but ? Ces pensées m'inquiétaient. Comme je ne parvenais pas à me concentrer sur l'écriture de ma thèse, je finis par fermer mon ordinateur et aller me coucher.

Vers 2 heures du matin, je me réveillai en sursaut : mon voisin avait mis du rap. Je fus à la fois rassuré de savoir qu'il était là, et effrayé par sa présence si près de moi. Et si c'était lui, le coupable ? Je passai une nuit agitée, remplie de cauchemars entrecoupés de brusques réveils, sur les paroles de Stomy Bugsy, « *C'est la merde et tu le sais…* ». J'aurais bien aimé lui dire de baisser le son mais j'étais trop épuisé pour me relever.

Au matin, des coups violents frappés contre ma porte me firent sursauter. Je me levai pour aller ouvrir. Fabien se tenait sur le seuil, livide, tremblant de peur, le visage secoué de tics. Il entra et se laissa choir sur une chaise, alors que je lui servais un verre d'eau.

Du drame, nous basculâmes dans l'effroi, de l'effroi dans la terreur. Celle que l'on ressent devant une force incontrôlable, devant ce qui nous dépasse et que l'on ne peut ni envisager ni comprendre, ni même imaginer. Quelque chose qui nous fait sortir du réel et nous projette dans une dimension fictive. Le Mal vient introduire cette dualité-là en nous. La rupture. La brèche au sein du quotidien. Le Bien est toujours prévisible : il ne nous surprend pas. Il nous réjouit, nous réconforte, nous rassure mais ne nous paraît jamais incroyable. Nous pouvons l'appréhender, le rationaliser, l'anticiper, et le contempler. Le Mal, lui, n'a pas de visage. *Le Mal, c'est ce que l'on n'aurait jamais pu envisager.*

On avait découvert le corps du professeur Jean Andrieux, dans les mêmes circonstances que Robert Sorias. Dans le sous-sol d'une galerie marchande de l'avenue des Champs-Élysées. La tête tournée vers le ciel. Les cuisses brûlées, le foie et les viscères sortis du ventre. Comme pour Robert Sorias, des chiffres avaient été envoyés depuis le même compte Twitter, le fameux compte Archimède.

LIVRE II

1

Pendant un moment, je restai près de Fabien, qui semblait complètement hagard.

– Comment l'as-tu appris ? lui demandai-je.

Je ne pouvais m'empêcher de penser à ce que le professeur Tibrac m'avait révélé : le compte Archimède était celui de Fabien. Il me montra son téléphone.

– Quelqu'un a piraté mon fil Twitter, murmura-t-il.

Puis, comme pris d'un accès de rage il lança son portable par terre avec une telle force, que la vitre de l'appareil explosa. Je le vis s'affaler sur le sofa, le teint livide, le souffle court.

Je consultai mon téléphone, j'avais reçu de nombreux tweets sur l'événement, dont celui du compte Archimède. Il affichait : *Andrieux 141.*

J'errai, déboussolé, dans les couloirs. Comme s'il fallait faire entrer dans ma conscience ce que je continuais de refuser. Mes pas me guidèrent vers la salle de cours du professeur Maarek. Je vis alors la nouvelle se répandre. Un élève reçut un message, qu'il transféra aussitôt aux autres. Un étrange frisson parcourut la salle. Le professeur Maarek nous observa un moment, puis elle ferma le livre qu'elle était en train de commenter. Les étudiants étaient figés dans l'attente de sa réaction, dans l'espoir insensé que tout était faux et que quelqu'un allait se dresser pour clamer que ce n'était pas vrai, que c'était un horrible canular.

Le professeur Maarek restait silencieuse. Elle scrutait chaque visage, chaque expression, comme pour lire la réponse à sa question : le coupable est-il parmi nous ?

Au bout d'un long silence, après ce moment qui parut durer une éternité, Elsa Maarek prit enfin la parole d'une voix altérée. En marchant, elle se mit à évoquer les thèmes de la mort, l'âme, l'union de l'âme et du corps. Nous étions comme saisis, à la fois étrangers et concernés. Pour la première fois, nous comprenions ces concepts que nous fréquentions assidûment, la mort, le corps, l'âme, l'origine, l'existence et l'essence. C'était comme si toutes ces notions s'agençaient pour former le tableau de la Vérité, cette *theoria* dont parlait Platon et qui est le but de la philosophie, son origine et sa fin.

Je remontai vers ma thurne, Fabien était toujours couché. Je le réveillai à grand-peine pour lui expliquer qu'il fallait qu'il mange, pour tenir le coup. Il accepta de me suivre au Pot, où régnait une ambiance électrique. Nous avons rejoint les autres élèves, au hasard de la disposition des tables. Lorsque nous nous sommes assis, les têtes se sont tournées vers nous.

– Tu es secoué par la nouvelle, hein mon vieux ? lui glissa Guillaume, avec une petite tape sur l'épaule.

– Ça va aller ? renchérit Jérémie. Si tu veux, je peux te donner un truc de ma composition. Très efficace en cas de coups durs.

– Il faisait partie de l'équipe des « Groupes finis », répondit Fabien, comme si cela devait nous dire quelque chose.

Les mathématiciens se mirent alors à évoquer les cours du professeur Andrieux.

– Un génie mathématique, dit l'un d'eux. Il aurait dû recevoir la médaille Fields.

– Il cherchait le code, murmura Fabien.

Je remarquai qu'il ne mangeait pas, gardant les yeux dans le vague.

Il vacilla sur sa chaise.

– Ça va ? lui dis-je, inquiet.

Jérémie prit son pouls.

– Il a quelque chose. Je ne sais pas quoi… mais regarde ! Ses pupilles sont dilatées… Tu as pris quoi mon pote ? ajouta-t-il en secouant Fabien qui le regardait d'un air absent. Faut me dire ce que tu as avalé !

– C'est ma faute, j'aurais dû le laisser dormir, lançai-je. Fabien, réponds !

– Ça va, dit-il. Ça va…

– Non, ça ne va pas ! s'exclama Jérémie. Je sais ce qu'il a. Il est complètement shooté !

2

Jérémie, Guillaume et moi, nous avons ramené Fabien dans ma thurne. Il était très pâle. Jérémie m'expliqua qu'il était « en descente », nous devions impérativement rester avec lui.

– En descente ? murmurai-je, alors que Fabien s'étendait sur mon lit. Je ne peux pas croire qu'il prenne de la drogue !

– Tu es naïf, mon pote ! me répondit-il, ironique. Je peux te dire qu'il est chargé, et pas de la meilleure !

Je préparai du thé, quatre verres, que je posai à côté du jeu de cartes sur la table basse.

Jérémie gardait un œil sur Fabien, qui haletait, couvert de sueur. Guillaume avait tombé la veste, bien décidé à faire avancer les choses. Fatalement, la conversation tourna à nouveau autour des meurtres. Chacun avait son point de vue sur la question.

– Reprenons tout depuis le début, dit-il, toujours très méthodique dans son approche. Un événement a forcément conduit au passage à l'acte. Un facteur déclencheur qui a tout fait basculer. Parce que tout le monde a des fantasmes de meurtre, c'est à la fois très archaïque et commun à tous les individus.

– Non ! pas tout le monde, l'interrompis-je. Tu en as, toi ?

– Bien sûr que oui, répliqua-t-il en me regardant d'un air bizarre. Et toi comme les autres, même si tu le refoules.

Il y eut un silence. Nous étions tendus, les soupçons semblaient peser sur chacun d'entre nous, de façon diffuse.

– Si je te suis, insistai-je, le facteur déclencheur se serait répété. Nous avons deux meurtres.

– Pas nécessairement. La première occurrence a suffi pour inaugurer la série des meurtres.

Je ne pus retenir un frisson.

– Un serial killer en somme ?

– Oui. Qui s'en prend aux mathématiciens selon un rite qui reste à identifier.

– Donc un acte rationnel, pensé, calculé, dis-je. Quelqu'un qui pense pouvoir tout faire…

– On en revient à la psychose, dit Guillaume. Il ne veut pas être pris, mais en même temps il souhaite se confronter à la loi, et donc se rendre visible.

– Psychose ou perversion ? dis je.

– En tout cas, il y a perte de contact avec la réalité, commenta Guillaume.

– Sorias aussi était drogué, rappelai-je. Selon Masquelier, il s'agit de Psychotria viridis et de Bêta-Carbolines, si ma mémoire est bonne. Mais gardez ça pour vous.

– La Psychotria viridis provient de plantes tropicales, elle contient l'alcaloïde N, N-diméthyltryptamine, qui provoque des hallucinations, expliqua Jérémie. Quant aux Bêta-Carbolines, on les retrouve dans certaines plantes psychotropes, comme l'ayahuasca. Les Bêta-Carbolines peuvent avoir des effets anxiogènes et convulsivants. Ce sont des substances utilisées dans les cérémonies chamaniques. Elles provoquent des effets visuels, apparitions d'images, de symboles. Pour les chamanes, c'est un vrai voyage initiatique grâce à l'état de conscience modifiée qu'elles induisent.

– Pas d'effets secondaires ?

– Même si certains pensent le contraire, répondit Jérémie, on n'a jamais démontré qu'elles pouvaient déclencher une schizophrénie ou une paranoïa. En revanche, les scientifiques étudient l'action de ces substances dans le traitement de certaines maladies mentales.

– Quelle est la frontière entre la folie et la normalité…, murmurai-je.

– De quelle normalité parles-tu ? dit Jérémie. Celle qui nous garde dans ce que nous appelons la réalité ? Celle que tu vois en ce moment, ou ce à quoi tu as accès en prenant des psychotropes ? Parce que c'est un autre type de réalité. Peut-être même que c'est *la* réalité ! Notre réalité profonde, notre part irrationnelle, là où on se retrouve face à son être, brutalement. Soit animal et bestial, soit rempli d'amour universel. Ou peut-être les deux à la fois. C'est très instructif. Tu devrais essayer.

Je considérai Jérémie, en me disant qu'il avait l'air de parler d'expérience.

– Tu en as déjà pris ?

– Un peu d'ayahuasca, avec un chamane en Amazonie. Et des champignons aussi, à Amsterdam.

Jérémie se tut, comme s'il craignait d'en avoir trop dit. Là encore les regards convergèrent vers lui.

– Et ça t'a apporté quoi ?

– Un voyage. Le plus puissant qui existe, celui que l'on effectue à l'intérieur de soi. Quelque chose te fait franchir tes propres frontières et te permet de comprendre que le réel n'est qu'une toute petite portion de la réalité…

– De quoi parles-tu ? demanda tout à coup Fabien, en s'asseyant péniblement.

À ce moment précis, on frappa à la porte de ma thurne.

Le commissaire Masquelier se tenait sur le seuil, ses portables dépassaient de la pochette de sa veste.

Il nous salua. Puis il fit un pas dans la pièce, et avisa Fabien sur le lit, qui se tenait la tête.

– Bonjour, jeune homme, dit-il en s'avançant vers lui. Voudriez-vous me suivre ? Nous avons à parler.

3

Quelques jours après l'autopsie, une messe était célébrée à la mémoire de Jean Andrieux à l'aumônerie de l'École, par le prêtre archicube, Luc Delbos.

Cette fois, la petite pièce voûtée qui, en sous-sol, abritait les réunions des Talas, était pleine. Les amis de Jean Andrieux étaient présents, Louise Sorias également. Tous étaient profondément choqués par le drame. Élèves et professeurs arrivèrent en silence jusque dans la cave. Après son entretien avec le commissaire Masquelier, Fabien était rentré à Ulm. De lourds soupçons pesaient sur lui, à cause du compte Twitter Archimède, bien que la PTS ait confirmé que le compte avait été piraté depuis le serveur d'Ulm.

À quelques rangs du professeur Maarek, Éric Tibrac me fit un signe amical. Je l'observai un moment : il ne semblait pas à l'aise pendant cette messe. Son athéisme était bien connu de tous, comme ses joutes oratoires contre le père Delbos, lors des réunions. Il n'était pas favorable à ce qu'il appelait la prolifération des conférences catholiques. Et dans ses cours, il ne se privait pas de critiquer le christianisme qui, selon lui, était hanté par une pulsion de mort et une négation de l'humain au profit de l'irrationnel de la foi. Il adoptait volontiers une attitude nietzschéenne ou post-moderne, et se targuait de vouloir lutter contre toutes les religions, quelles qu'elles fussent.

Le père Delbos contempla l'assistance, avant de prendre la parole.

– Jean Andrieux, dit-il, a fait partie de notre groupe dès son entrée à Ulm. Il n'a jamais cessé de pratiquer et d'affirmer sa foi. Toujours présent à nos côtés, il était plus qu'un membre actif, un pilier sur lequel nous avons bâti notre édifice. Je pense que l'on peut comparer sa trajectoire à celle du grand philosophe suédois Swedenborg : le génie mathématique qui a la révélation de l'amour, et qui, par des rêves ou des visions, se consacre autant à l'observation des étoiles qu'à l'élaboration d'une discipline de l'esprit, afin d'atteindre ce qui seulement compte à ses yeux, l'absolu de l'amour divin, et la foi dans le mystère de la Trinité. Car c'est sur la Trinité que repose notre foi catholique. Le Père, le Fils et le Saint-Esprit est le principe qui organise l'Univers. C'est notre dogme central, quiconque le renierait, renierait la foi chrétienne, et serait non seulement dans l'erreur, mais dans l'errance. Il existe un seul Dieu, mais le Fils s'est incarné en lui par l'intermédiaire du Saint-Esprit, ce qui fait trois.

– C'est étrange, murmurai-je à Fabien. Le père Delbos fait comme s'il ne s'était rien passé entre eux.

– Il ne veut pas qu'on sache qu'Andrieux a quitté les Talas, répondit-il.

– Pourquoi ?

– Il serait obligé de l'expliquer. Et ça le gênerait beaucoup, se contenta de répondre mon condisciple, sans donner plus d'explication.

Le professeur Maarek, assise à côté de nous, connaissait bien le père Delbos, figure de l'École depuis de nombreuses années. Ils ne s'étaient jamais appréciés : pour les Talas, les hellénistes étaient des païens qui sacrifiaient à d'autres dieux que le leur. Il avait pris de nombreux élèves philosophes sous son aile pour leur enseigner les principes de la foi. Maarek et Delbos s'accusaient mutuellement de prosélytisme. Le prêtre s'était donné pour mission de former les jeunes élites françaises à la connaissance du christianisme, parallèlement aux autres disciplines. Il orchestrait toutes les activités catholiques de l'École. Nommé au poste d'aumônier par l'archevêque de Paris, il enseignait à la Sorbonne et participait à de nombreux colloques. Très actif dans les mouvements de jeunesse, il était aussi l'aumônier de plusieurs internats catholiques. À l'inverse des années de prépas surchargées de travail, le temps passé à l'École était un moment favorable pour enseigner et convertir les élèves. Agrégé de philosophie dans la même promotion que le professeur Maarek, il était aussi diplômé des Hautes Études et avait soutenu une thèse sur saint Augustin.

– Tout le monde, poursuivait-il, connaissait le professeur Andrieux pour son originalité et ses méthodes peu orthodoxes. Ses recherches sur le nombre Pi l'avaient rendu célèbre dans le monde entier, mais peu savaient à quel point il était impliqué dans la foi catholique.

« *Au nom du Père, du Fils et du Saint-Esprit.* » Après son sermon, le père Delbos proposa la communion, et une file recueillie se forma devant lui, en attente de l'offrande de l'hostie.

Elsa Maarek se leva, le père l'observa, la regarda passer

devant lui, suivie par ses élèves. Il me questionna du regard, mais je m'éloignai sans communier, tout comme Éric Tibrac. Fabien, lui, s'arrêta devant le père Delbos. Des larmes coulaient sur ses joues, qu'il essuya d'un revers de manche. Le père lui adressa un petit signe amical, et je vis mon ami hésiter, avant de se signer, puis de communier.

– C'est bizarre, dit Fabien en sortant de la cave tala. Je ne suis pas sûr qu'il aurait voulu être enterré religieusement.

– Qu'est-ce qui vous fait dire cela ? demanda le professeur Maarek.

– Eh bien… une certaine découverte mathématique l'aurait incité à remettre sa foi en question.

Le professeur Maarek s'immobilisa, le regard fixe.

– Quelle sorte de découverte ? Le domaine de la foi n'a rien à voir avec la raison !

– Dans une certaine mesure seulement, répondit Fabien, l'air sombre. Si on vous apportait la preuve mathématique de la non-existence de Dieu, est-ce que vous croiriez encore ?

4

Cette nuit-là, je me réveillai plusieurs fois en sursaut, au milieu d'un cauchemar. Je me tournai et me retournai dans mon lit, sans parvenir à me rendormir, déstabilisé par les paroles du père Delbos. Pourquoi ce mensonge, aux yeux de tous ? Pour moi qui avais connu l'aumônier en d'autres circonstances, je pouvais affirmer qu'il l'avait fait sciemment. Il ne voulait pas révéler qu'Andrieux avait quitté les Talas. Et Fabien, que savait-il exactement ?

En tendant l'oreille, j'entendis du bruit dans sa chambre. De temps à autre, un cri fusait : il devait être en train de jouer en ligne. Je me levai, en pyjama, et m'en allai frapper à sa porte. Il m'accueillit, tout habillé : il semblait parfaitement en forme, comme si nous étions en plein jour. Ses volets étaient ouverts, et une minuscule lampe de bureau dessinait un rai de lumière. Il m'invita à prendre un verre de Coca et des vieilles chips. Je m'installai sur son lit ; mes yeux s'habituèrent à l'obscurité.

– Tu n'arrives pas à dormir ? lui demandai-je, un peu inquiet.

– Je n'arrête pas de penser à Andrieux.

– Moi aussi.

– Il était en train de faire une découverte capitale.

– Laquelle ?

– À chaque époque, de nouvelles données surgissent, qui remettent en question toutes les théories précédentes. Des portes derrière les portes, et ainsi de suite, jusqu'à l'infini.

Il y eut un silence.

– La réalité est d'ordre mathématique… La philosophie ne peut être utilisée que comme outil d'élucidation spirituelle.

– Comment peux-tu faire la différence ? répondis-je. Tout vient de la philosophie. Et les mathématiques les premières. L'invention de la démocratie, par exemple. La politique, la philosophie, l'histoire, l'art et la science : ce qui constitue l'héritage fondateur de la civilisation occidentale.

– Mais qu'est-ce que la démocratie sinon une invention mathématique ? lança Fabien. C'est la politique par le calcul de la majorité.

– C'est de la philosophie que sont nées l'arithmétique et la géométrie. Pythagore était un mystique avant d'être un mathématicien. L'âme humaine existe, elle s'exprime par les arts, et à cela, les mathématiques ne comprennent rien, répondis-je.

– Erreur ! rétorqua-t-il. Même la musique s'écrit en langage mathématique. Tu as déjà écouté du Bach, n'est-ce pas ? Le nombre d'or guide les mathématiciens, les physiciens, les scientifiques, les botanistes, les architectes, et aussi les artistes ! Et si c'était vrai, ce qu'a dit Andrieux ?…, ajouta-t-il en me regardant intensément.

Ses yeux rouges semblaient exorbités, il tremblait un peu. Je me dis qu'il n'était pas dans son état normal. Et s'il se droguait, comme le pensait Jérémie ? Il se leva. Son corps frêle se balança, comme s'il allait soudain basculer.

– Et si la nature avait un code secret ? Un code accessible à la compréhension de l'esprit humain ?

– Explique-toi.

Fabien me regarda, muet tout à coup. Je compris qu'il était en train de me dire quelque chose d'important.

– Regarde le ciel, ajouta-t-il en désignant la fenêtre, à travers laquelle on pouvait apercevoir une demi-lune et des étoiles. On y voit l'expansion du monde, depuis l'apparition d'éléments microscopiques jusqu'aux galaxies, en passant par les hommes. C'est beau, n'est-ce pas ? Eh bien, les mathématiques connaissent cette beauté. Rien à voir avec la beauté d'un tableau. Elle s'apparente plutôt à la musique. Une harmonie, des formes parfaites, des objets de pensée pure… Et si tout cela était organisé selon un même principe ?

– Tu veux dire, un nombre, c'est bien cela ?

Fabien posa son paquet de chips sur la table. En suivant son geste, mon regard fut retenu par un détail que je n'avais pas remarqué dans la pénombre. Mon cœur fit un bond dans ma poitrine. Sur sa table, un petit paquet portait le nom et le logo de la boutique d'encens où nous étions allés : Encens et sens.

5

Le lendemain matin, après le Pot, dit « le petit Pot », je m'assis sur un banc dans la cour aux Ernests, pour attendre le professeur Maarek qui m'y avait donné rendez-vous, toujours stupéfait de ce que j'avais vu chez Fabien. Quel jeu, quel rôle jouait-il dans cette affaire ? Je tentais bien de me détendre, de mettre de l'ordre dans mes idées, de calmer l'agitation qui m'avait saisi, mais je n'y parvenais pas…

Je regardai autour de moi le cloître romantique de la rue d'Ulm, avec sa cour carrée ombragée par des arbres centenaires. Il faisait beau, un vent printanier faisait bruisser les feuillages. À Caen, il pleuvait souvent. Cela ne me dérangeait pas. J'aimais me promener dans la nature. J'ai découvert ma région avec les œuvres de Jules Barbey d'Aurevilly, qui évoquaient la campagne normande avec ses ensorcellements et ses mystères.

Je lisais la plupart du temps. La lecture était mon refuge, mon château intérieur, mon rempart contre le monde. Les livres m'ont tout apporté : la passion, l'amitié, la fantaisie, l'aventure. La joie de partager, le temps d'une journée, d'une semaine ou d'un mois, une destinée et la faire sienne. À travers eux, je me reconstruisais un univers qui n'appartenait qu'à moi.

Un monde fantasmatique qui peuplait mon imaginaire, et sans que je ne m'en rende compte, forgeait les arcanes de mon esprit. Tomber amoureux à travers un personnage me paraissait plus exaltant que vivre l'amour. Par l'intermédiaire des yeux de Frédéric Moreau, Julien Sorel, ou Solal, ce n'était pas seulement l'amour que j'embrassais. Mais l'amour était né pour moi avec eux et il ne saurait plus jamais être différent.

Et j'avais fini par rêver d'un autre ciel que ce gris fané de la Normandie et ce froid humide qui glaçait les os. À l'inverse de la Bretagne tourmentée et romantique, les côtes normandes offraient un calme distant. Sur les longues plages, je contemplais l'horizon en rêvant à mon avenir. J'ai voulu fuir la Normandie et sa mer glacée, et ne plus jamais y revenir.

Mais aujourd'hui, c'était ici que je frissonnais. Qui aurait pu penser que dans ce paisible cloître était ourdie une machination, sous l'œil même de ces sages vénérables, dont les bustes de pierre semblaient observer placidement la comédie humaine ? Les poissons nageaient tranquillement dans l'eau trouble, sans se préoccuper de ces autres poissons dans leur aquarium. On aurait pu être en 1880, ou au début du siècle. Ou encore dans les années trente, peut-être, au temps de Jean-Paul Sartre, Merleau-Ponty et Raymond Aron. Ici, rien n'avait changé.

Le professeur Maarek ne tarda pas à me rejoindre. Elle me salua d'un air formel, et m'informa que j'allais l'accompagner au rendez-vous que le directeur lui avait accordé.

La porte s'ouvrit sur cet homme de belle prestance, qui paraissait moins que son âge, n'était-ce son visage, marqué comme ceux des grands penseurs. Je me demandai une fois de plus s'il était vraiment chauve ou s'il se rasait le crâne. Son sourire et son regard direct derrière ses fines lunettes lui donnaient un certain charisme. Je savais que le professeur Maarek avait le plus grand respect pour lui. Elle entretenait avec Éric Tibrac le même genre de rapports que j'avais avec elle. Ainsi va la chaîne de la transmission. On a tous besoin d'un maître, disait-elle : un passeur qui nous prend la main pour nous faire sortir de la caverne. Cet original s'était acheté un phare en Bretagne, où il s'isolait parfois pour écrire. On ne lui connaissait ni famille ni enfant. Comme ils étaient tous deux célibataires, des bruits circulaient : on se demandait si le professeur Maarek n'était pas la maîtresse du directeur.

– Bonjour, Joachim, bonjour, Elsa, dit Éric Tibrac en nous tendant la main. Je suis heureux de vous voir, même si j'aurais préféré que ce soit en d'autres circonstances.

Le professeur Maarek s'assit sur le siège qui faisait face au bureau, derrière lequel le directeur prit place. C'était un grand meuble en acajou, où trônaient un ordinateur grand écran, une imprimante, un scanner, ainsi que divers composants électroniques. À côté, une étagère ployait sous les livres et les piles de photocopies.

– Je vous ai demandé de venir, pour vous parler de cette mission, officieuse mais importante, et peut-être même vitale, que le commissaire Masquelier vous a confiée. Je suis absolument d'accord que vous meniez, parallèlement à la police, une enquête au sujet des meurtres qui ont frappé notre École, en toute discrétion bien sûr. Mais je voudrais vous recommander la plus grande prudence. Le meurtrier se révèle extrêmement dangereux et incontrôlable. Et je ne voudrais pas qu'il vous arrive quoi que ce soit. Je pense à vous, Elsa, et aussi à la responsabilité que nous avons vis-à-vis de nos élèves.

– Lorsque je vous en ai parlé, Éric, répondit le professeur Maarek, vous m'avez encouragée à faire appel à un assistant, qui puisse m'aider et me renseigner au sujet des élèves. C'est la raison pour laquelle j'ai pensé à Joachim.

– Et ce choix me semble des plus judicieux en effet. Joachim fait partie de nos élèves les plus aptes et les plus brillants. Et nous avons affaire ici à une intelligence supérieure, qui semble nous défier, nous proposer un jeu de piste… Je ne vous cache pas que la police me semble un peu dépassée. Le sens de ces étranges rituels lui échappe. Qui mieux que vous connaît ces choses-là ? Et qui mieux que vous peut les aider ?

Le professeur Maarek eut un sourire, visiblement flattée par le compliment. C'était la première fois que je la voyais dans un rôle de séduction, elle qui n'était influencée par personne. Et je me demandai si les fameuses rumeurs sur leur liaison n'étaient pas fondées.

– Nous avons déjà commencé à enquêter, dit le professeur Maarek. Ce qui se passe est suffisamment terrifiant pour que nous apportions notre concours à la police. En ce moment, j'avoue que j'ai du mal à penser à autre chose.

– Et vous, Joachim ?

Surpris par la question, j'acquiesçai.

– Bien sûr, dis-je. Nous essayons d'être efficaces et prudents à la fois.

– La première piste à laquelle la police a pensé, dit le directeur, est celle d'un élève déséquilibré, un mathématicien qui aurait décidé d'exécuter ses enseignants…

Je n'osai pas parler du paquet aperçu sur la table de Fabien.

J'avais peur que les soupçons se portent sur lui. Mais s'il était coupable, que fallait-il faire ? Prendre le risque que d'autres personnes soient tuées ? Avait-on le droit de mettre une personne en danger pour en sauver d'autres, au risque de porter contre lui de fausses accusations ?

Il y eut un silence, que je rompis d'un murmure :

– Mais nous ignorons le mobile de ces meurtres… Les deux victimes ont le même profil : professeurs, normaliens, mathématiciens dont les travaux ont trait au nombre Pi.

– Exact, acquiesça le professeur Tibrac. Vous êtes ami avec l'élève d'Andrieux, Fabien Delorme, n'est-ce pas ?

– Je le connais, en effet.

– Essayez donc de l'interroger… Il peut savoir certaines choses que nous ne connaissons pas. Andrieux était un collègue et un ami, ajouta-t-il, comme si un poids venait de lui tomber sur les épaules. Je compte sur vous pour faire progresser l'enquête de l'intérieur. Si la police a vu juste, nous sommes les mieux placés pour ouvrir l'œil, avant une nouvelle catastrophe.

Après l'entrevue avec le professeur Tibrac, le professeur Maarek et moi avons marché jusqu'au commissariat du cinquième, où nous attendait le commissaire Masquelier. J'avais le vertige, l'impression d'avoir mis les pieds dans un engrenage infernal qui allait m'entraîner vers l'inconnu. Quelque chose de terrible se tramait dans les couloirs de l'École et même au-dehors : le danger me semblait proche, prêt à fondre sur nous du plus profond du temps et de l'espace. La peur me faisait avancer. Cette peur archaïque qui nous garde et nous préserve. C'est elle qui fait désirer. Sans elle, il n'y aurait pas de société, puisque les hommes s'assemblent pour échapper à la peur qu'engendre l'état de guerre de tous contre tous. La peur est le sentiment premier, le plus originel. Lorsque l'enfant naît, il a déjà peur : ses poings crispés témoignent de sa réaction de défense. Par la peur, les hommes ont appris à se défendre, ils ont construit des abris, des villes, ils ont cultivé la terre et inventé l'écriture. Peur et désir sont intimement liés. La peur, forme quotidienne de l'angoisse, celle qui nous taraude tous, celle qui fait de nous des hommes : l'angoisse de la mort.

Le commissaire Masquelier nous reçut dans un bureau sans aucun papier, mais saturé d'ordinateurs et d'objets technologiques. Un cendrier en métal débordait de cadavres de chewing-gums à la nicotine. Vêtu d'un costume noir, avec sa barbe de trois jours et ses yeux cernés, le policier semblait épuisé. Il posa un iPad sur la table, à côté de ses deux portables.

– J'ai skypé avec le directeur de l'École ce matin, dit-il, en faisant surgir l'un de ses chewing-gums de sa poche. Je ne sais pas ce qui se trame chez vous mais… En vingt ans de carrière, j'ai rarement vu autant de… barbarie. Même nos profileurs sont perplexes.

Le professeur Maarek hocha la tête, avec compréhension.

– Je crois qu'il nous faut aller au-delà du mobile, dit-elle, et chercher l'essence, la cause profonde de ces actes. Seule cette piste nous conduira vers le meurtrier.

– Notre approche est scientifique, professeur Maarek. La criminologie, en tant que science, n'a rien à voir avec la philosophie morale, ou la métaphysique. Nous nous efforçons de faire parler les faits, par le biais de la sociologie, de la psychologie, des neurosciences et de la biologie pour retrouver le meurtrier. Et je vous garantis que nous allons y arriver. Quelle que soit son intelligence, elle ne résistera pas à notre méthode.

– Commissaire, je ne remets en cause ni votre approche ni vos méthodes, mais il me semble que dans ce cas, la métaphysique, comme vous dites, devient indispensable pour décrypter les faits.

– La métaphysique ! Alors que tout indique un trouble grave de la personnalité, avec passage à l'acte, qui vise à mettre fin à un état de tension psychique extrême et en ce sens, cette notion me paraît judicieuse pour profiler le meurtrier qui est face à une excessive fragilité du moi, une intolérance à la frustration, et à la volonté d'être confronté à la loi, afin de se rendre visible. Nous recherchons bien ici un psychotique.

– Et si c'était un acte rationnel, pensé, calculé ? l'acte de quelqu'un qui pense pouvoir tout se permettre, sans être pris ?

– La psychose ! souligna le commissaire. Conclusion : nous recherchons actuellement une personnalité instable, impulsive et angoissée. L'angoisse de perte d'objet l'a plongée dans l'insécurité.

Le professeur Maarek eut une moue sceptique.

– La piste du pathologique ne nous mènera pas au meurtrier. Cette approche est trop simpliste devant la sophistication du meurtre. Si nous avons affaire à un esprit malade, quelque chose d'autre se cache derrière. Le crime pose en lui-même des questions métaphysiques.

– Ce que je recherche, ce sont les traces qui vont me permettre de croiser les données avec nos statistiques.

– Et vous avez des données significatives, commissaire ?

– Non, fut-il obligé de reconnaître. Mais nous allons bientôt en avoir. L'égocentrisme, la labilité, l'agressivité et l'indifférence affective constituent le noyau central de la personnalité criminelle.

– Je connais beaucoup de personnes chez qui ces traits sont exacerbés et qui n'en sont pas pour autant des serial killers, fit observer le professeur Maarek. Commissaire Masquelier, pourriez-vous nous donner les détails sur la nouvelle scène de crime ? Cela nous aiderait.

Le commissaire prit l'iPad, l'alluma, et le tourna vers nous après avoir lancé un diaporama qui ressemblait en tous points à celui que nous avions vu la première fois. Je m'étais presque habitué à ces visions d'horreur, que le professeur Maarek regardait sans ciller, sans manifester la moindre émotion.

– J'ai pensé à quelque chose, murmura-t-elle en considérant les photos. Quelque chose qui vous intéressera sans doute, commissaire.

– Dites-moi ?

– Dans la Grèce classique, on sacrifiait des animaux pour les offrir aux dieux.

– Mais là, il s'agit d'hommes…

– Cela pouvait aussi être un homme, ou un enfant, dans certaines sociétés antiques. Rappelez-vous le sacrifice d'Iphigénie. Aujourd'hui, avec les attentats-suicides, on assiste au retour du sacrifice, y compris du sacrifice d'enfants, alors que l'humanité y avait mis fin depuis longtemps.

– Un sacrifice humain, murmura le commissaire. Vous voulez dire, comme dans l'Antiquité ?

– En effet, dit le professeur Maarek. Sorias avait acheté de l'encens. Or l'encens était utilisé pour les sacrifices.

– Un sacrifice, répéta-t-il, songeur.

Il se pencha un peu plus vers nous

– Vous pouvez m'en dire davantage ?

– C'est une question complexe, répondit-elle. Les qualités de la victime devaient être la pureté, la perfection et l'intégrité, tant au niveau du corps, que de l'âme.

– Les Grecs se livraient donc à des sacrifices humains ?

– Une grande polémique existe à ce sujet : c'est un problème très sensible qui a longtemps été évité par les spécialistes du monde grec… Un sujet tabou. Certains disent que oui, d'autres non.

« Même si dans le discours mythologique, le sacrifice humain est très présent, les Grecs l'ont toujours considéré comme un acte sauvage et cruel, barbare, incompatible avec la culture supérieure des Anciens. Comment imaginer un Grec, le couteau à la main, en train d'égorger un être humain ?

– Mais dans l'*Iliade*, au moment des funérailles grandioses de Patrocle, on sacrifie douze jeunes Troyens, faits prisonniers par Achille, remarquai-je.

– Ce n'est qu'une exception qui confirmerait la règle de la pureté grecque en contradiction avec les sauvages cannibales… Ce qui est du domaine du sacrifice humain n'appartient qu'à un passé lointain, préhellénique…

– Et si ça existait de nos jours ? intervint Masquelier.

– Eh bien… la victime humaine devrait être traitée comme la victime animale. On la parerait, on l'amènerait à l'autel, on la mettrait rituellement à mort, en lui tranchant la gorge avec un couteau ou une épée, voire en la brûlant entièrement.

Masquelier mâchait nerveusement son chewing-gum.

– Et comment choisit-on les victimes ? lança-t-il.

– Cela dépend… Parfois, elles se choisissent elles-mêmes. Une personne peut s'offrir pour sauver une ville, un pays, une terre-patrie, d'une menace qui pèse sur la communauté – qu'il s'agisse d'une guerre, d'une famine ou d'une épidémie. Dans certains cas le destin de tout un peuple en dépend.

– Le refus n'est pas possible ?

– Si c'est exigé par les dieux, non. On ne peut pas refuser. En temps néfastes, quand les humains sont frappés par des fléaux, les dieux peuvent exiger un sacrifice humain.

– Pourriez-vous me décrire les rituels de sacrifice sous l'Antiquité, professeur ? demanda Masquelier.

– C'était avant tout un acte collectif, en présence des prêtres et des hiérophantes, qui devaient être en état de pureté. On choisissait un animal sans défaut. Durant la cérémonie, on disposait le vase destiné à recueillir le sang, et on préparait le couteau. Une prière était dite, on demandait l'accord de la victime, et la mise à mort commençait : on égorgeait la bête, le sang recueilli était versé sur l'autel. Puis on procédait à son éventrement, afin de retirer les entrailles, les *splanchna* : poumons, cœur, rate et foie.

Le commissaire s'était levé, il marchait dans la pièce, le pas raide.

– Le sacrifice était une occasion de réunir la communauté, continuait le professeur. On faisait des sacrifices pour célébrer la conclusion d'un traité, des fêtes religieuses ou familiales, le succès d'une entreprise. Et aussi…

– Quoi d'autre ?

– À votre avis, commissaire ?

– On les mangeait ?

– En partie seulement.

– Que faisait-on du corps, demanda le commissaire Masquelier, si on ne le mangeait pas ?

– On le brûlait, répondit le professeur Maarek.

– Comme les jambes de Sorias et d'Andrieux, murmura Masquelier. Et pourquoi les brûlait-on ?

– C'était la part maudite. Quelque chose que la société possède en excédent, une notion d'excès, mais sans laquelle elle ne peut se fonder. À quoi servent le luxe, les guerres, les cultes, les monuments, les obélisques ? Les jeux, les spectacles, les arts, ou même l'activité sexuelle lorsqu'elle n'est pas tournée vers la reproduction ?

– Je ne sais pas…

– À rien de productif, rien de rationnel… mais l'ordre symbolique qui est en jeu à travers ces activités est capital. C'est la clef du monde, qui réunit et explique à la fois l'économie, l'histoire, la biologie… mais aussi l'art et la littérature. C'est pourquoi le sacrifice était si important. Aujourd'hui, qu'est-ce qui remplace le sacrifice, à votre avis ?

– Dans la société de consommation, on n'arrête pas de consumer…, dis-je.

– Et en particulier, quand ?

– À Noël ! dit le commissaire Masquelier. Les gens se saignent…

– Ne trouvez-vous pas ça absurde ?

– Mais c'est obligé !

– Obligé, comme vous dites. La pression sociale est si forte qu'elle vous y conduit tout naturellement. C'est pourquoi la fête de Noël est si importante, elle remplace les dons et contredons, le potlatch des sociétés primitives ! Elle est la forme moderne des sacrifices, dans le sens où l'on dépense de façon excessive ce que l'on a gagné, et même parfois ce que l'on n'a pas gagné ! D'ailleurs, l'expression que vous avez employée le montre bien : *on se saigne…*

Le professeur Maarek s'était levée à son tour, la canne comme vivante tendue devant elle.

– Et c'est bien du sang qui a coulé des victimes, dit-elle… Cependant, il manque quelque chose d'essentiel, concernant le sacrifice grec. Ce que vous voyez sur ces photos, ajouta-t-elle, ce sont les *splanchna*… le foie, les parties nobles… Pourquoi les séparer du corps ?

– Pour les exposer comme preuves, avança le commissaire.

– Mais pourquoi les exposer ? Et comme preuves de quoi ?

– C'est la partie intime, vitale, centrale, réfléchit Masquelier.

– À quoi cela peut-il servir d'exhiber cette partie ?

– Si ce n'est pas pour la faire voir… ce doit être alors pour la voir, dit Masquelier.

– Vous êtes sur la bonne voie, dit le professeur Maarek.

– Mais oui, dit-il. La divination !

– Exact, dit le professeur Maarek, satisfaite d'avoir fait accoucher son esprit. On examinait les parties internes des animaux, les viscères, dont l'aspect, la couleur, la forme et la consistance fournissaient autant de signes susceptibles de révéler la volonté divine. Puis on faisait brûler les membres de la victime enveloppés de graisse odorante, avec de l'encens pour masquer les odeurs. Ce que l'on appelle l'hiéroscopie : l'examen divinatoire des entrailles d'un animal sacrifié.

Le commissaire Masquelier fit face au professeur Maarek, le visage sérieux.

– Professeur, depuis combien de temps avez-vous compris cela ?

– Eh bien, l'idée me trottait dans la tête, mais c'est le second meurtre qui m'a guidée.

Il la regarda, sans un mot. Puis :

– Et vous pensez que c'est ce qui s'est passé ici ?

– Il faudrait que je puisse examiner les organes pour vous répondre avec certitude.

– Vous êtes sûre de vouloir faire ça ?

– Oui, absolument sûre, commissaire.

– Bien, dit-il, en saisissant l'un de ses téléphones. On va voir avec le médecin légiste. Mais je vous préviens, il faudra vous accrocher.

6

Le professeur Maarek et moi-même apprîmes par Louise Sorias que le mystérieux acheteur du palimpseste, qui refusait toujours de dévoiler son nom, avait confié le codex au département des Manuscrits de la Bibliothèque nationale de France, sur le site de Tolbiac, dans le treizième arrondissement de Paris, afin de le faire examiner et d'en assurer la restauration dans les meilleures conditions possibles, sous la direction du paléographe Ambroise Flamant.

L'instinct de chercheuse du professeur Maarek avait été réveillé par l'examen du livre ancien. Je voyais bien qu'elle aurait voulu en savoir davantage. Durant le laps de temps où elle l'avait eu entre les mains, elle avait réussi à prendre quelques notes sur son contenu : l'histoire du croisé, qu'elle avait commencé à déchiffrer lorsque Louise le lui avait apporté.

Ambroise Flamant jouissait d'une réputation internationale en matière de restauration médiévale. Il avait travaillé sur les plus célèbres manuscrits du monde, tels que le *Livre d'heures de Jeanne d'Évreux*, chef-d'œuvre du Moyen Âge. C'était lui qui avait la tâche de faire revivre le codex. Pour cela, une véritable opération chirurgicale s'imposait, à l'aide d'outils technologiques ultra-modernes.

Mais lorsque le paléographe avait demandé des fonds au directeur du département des Manuscrits de la Bibliothèque nationale, celui-ci lui avait répondu qu'il n'y avait pas de budget. Il se retrouvait donc devant le codex, dont il ne pouvait découvrir ni la provenance, ni le contenu, ce qui était terriblement frustrant pour le chercheur qu'il était. En désespoir de cause, il eut donc l'idée de faire appel à l'acheteur : le possesseur du manuscrit. Pour cela, il contacta le courtier, Harry Bolt, puisqu'il ne connaissait pas l'identité du mystérieux propriétaire du codex. Or, à sa grande surprise, quelques jours plus tard, celui-ci informa le restaurateur que l'acheteur était prêt à financer toute la réfection du manuscrit. Il lui suffirait d'établir un devis, et la somme serait virée sans délai.

Le professeur Maarek n'avait pas fait part au commissaire Masquelier des détails concernant l'existence du codex vendu peu après la mort de Robert Sorias. Lorsque je lui en demandai la raison, elle me répondit qu'elle n'avançait rien qu'elle ne pût prouver. Elle désirait mener son enquête, avant de lui présenter des faits qui pourraient prêter à confusion. Eleazar Sorias, le père de Robert, avait une boutique d'antiquités qu'il avait ouverte avant la guerre. Comment le codex était-il arrivé dans la famille ? se demandait le professeur.

Un après-midi, après un cours traitant du *kairos* – le moment opportun –, Elsa Maarek invita Louise Sorias chez elle, dans le but de lui poser les questions qui lui brûlaient les lèvres. Guillermo lui ouvrit la porte, en la gratifiant d'une courbette. « Señora Louise » entra, vêtue d'un tailleur marine, les cheveux lissés, le teint légèrement hâlé : elle revenait d'un voyage en

Égypte. J'observai à nouveau cet air de fragilité sur ses traits, sans pouvoir m'expliquer pourquoi. Elle portait une bague ancienne et étrange, en forme de scarabée bleu, qu'elle avait dû acheter là-bas.

– Je sais que tu as été entendue par la police, dit Elsa Maarek en lui servant le thé, mais quel est ton sentiment, concernant ce nouveau meurtre ?

– Je ne connaissais d'ennemi ni à Robert, ni au professeur Andrieux. Mon mari était un homme sans histoire, tu le sais, un génie des mathématiques. Il était un peu lunaire, distrait, toujours absorbé par ses recherches. Extrêmement intelligent aussi, d'une vivacité incroyable : probablement la personne la plus brillante que j'aie rencontrée.

– La police n'a rien relevé de suspect dans la période qui précède le meurtre ?

– Non, rien de spécial. À part son amaigrissement dans les dernières semaines.

– Et l'encens ? demandai-je. Quel usage en faisait-il ?

Il y eut un silence. Louise Sorias regarda le professeur Maarek d'un air bizarre, sans répondre à ma question. Je compris qu'elle ne voulait pas révéler que c'était son mari qui avait acheté l'encens.

– Joachim voulait dire que la mise en scène ne lui semblait pas évoquer un crime crapuleux. Et toi, Louise, qu'en penses-tu ?

– Je ne suis pas policier, mais la mise en scène montre clairement qu'il y a eu préméditation.

– Le meurtrier a en effet voulu donner du sens à son acte, c'est bien ce que tu veux dire ?

– Cela me semble évident.

– Je le pense aussi. Et cette mise en scène te fait penser à quoi ?

– Je ne m'y connais pas en scènes de crime… Tout cela est si loin de mon travail…

– Tu ne songerais pas à quelque chose d'ordre rituel, symbolique ?

– Oui, c'est cela ! Un sacrifice !

– Moi aussi, murmura Elsa Maarek. Pourquoi avoir donné le sens d'un sacrifice à ces meurtres ? Qu'est-ce que cela signifie ?

Louise secoua ses cheveux blonds.

– Je l'ignore…

– Louise, tu m'as dit que ton père t'avait confié le codex, mais comment se l'est-il procuré ?

– Je suis un peu fatiguée, dit-elle en se levant. Cette période n'est pas facile pour moi. Je n'arrête pas de répondre à des questions. Je ne sais plus que penser, moi-même, de tout cela. Je ne comprends rien… J'ai peur, je suis lasse, j'essaye tant bien que mal de tenir le coup, mais j'ai du mal à trouver le sommeil…

– C'est pour te venir en aide, Louise… Trouver le meurtrier de ton mari, et d'Andrieux. C'est bien ce que tu souhaites, n'est-ce pas ?

Louise la regarda, ses yeux semblaient vides de toute expression, de toute vie.

– Pourquoi ton père t'a-t-il remis le codex à toi et pas à ton frère ? Ou aux deux ?

– C'était un cadeau sentimental.

– Étant bibliophile, on peut considérer qu'il avait une idée de la valeur de cet ouvrage.

– Sans doute, oui.

– Ton frère, Pierre Thomas, est-il au courant de la vente du codex ?

– Non, je ne lui ai rien dit.

– Pourquoi ?

– Je ne voulais pas faire entrer la famille dans cette histoire.

– Est-ce la véritable raison ? Tu en as obtenu un bon prix, il me semble.

– Et tu penses que je ne voulais pas qu'il sache combien nous l'avons vendu ? Eh bien, c'est vrai. Les gens sont jaloux.

– Et tu serais obligée de donner la moitié à Pierre, s'il savait ?

– Non, le livre m'appartenait. Mon père m'avait dit de le garder et d'en prendre grand soin. C'est ce que nous avons fait, jusqu'au moment où j'ai préféré le vendre. C'était mon droit, non ?

– Puisque ton père te l'a donné, et non à son fils, il était un peu à Robert aussi, n'est-ce pas ?

– En effet, il s'y est intéressé. Il aimait les vieilles reliures. Son père était antiquaire. Comment dire ? Robert était la fierté de la famille. Son père était parti de rien, et il était arrivé à s'en sortir. Lorsque les nazis ont envahi Paris, Eleazar avait réussi à se sauver, ainsi que sa femme et ses enfants.

– Comment ?

– Il a d'abord intégré la Résistance, et, lorsqu'il a compris que le danger guettait ses enfants, il est reparti vers sa ville natale, Istanbul.

– Et c'est d'Istanbul, n'est-ce pas, qu'il avait rapporté le codex ?

– Comment ? demanda Louise, interloquée. Pourquoi dis-tu cela ?

– Le père de Robert était amateur de livres anciens, une passion qu'il partageait avec le tien, Louise. Le livre était à Eleazar. n'est-ce pas ?

Louise regarda le professeur d'un air bizarre. Celle-ci ne put retenir un sourire de satisfaction. Du dialogue vient la vérité, pensai-je.

– Eleazar, le père de Robert, résidait en Turquie, dans sa jeunesse, commença Louise, péniblement. Il y avait fait l'acquisition de plusieurs manuscrits, dont un codex, particulier, pas très grand, mais qui semblait très ancien. Un vieux bibliothécaire le lui avait cédé, en lui faisant promettre d'en prendre le plus grand soin. Ce livre lui venait de son père, qui le tenait de son père, bibliothécaires depuis des générations dans la ville turque. Il lui confia pour mission d'en faire don à une bibliothèque ou à un musée, où il serait préservé des dangers de la guerre civile et du temps qui passe.

– Il l'a donc trahi ?

– Tiens-tu vraiment à lever le voile ? répondit soudain Louise d'une voix tranchante.

Je compris tout à coup qu'entre les deux femmes existait une connivence, quelque chose qui m'échappait. *Quelque chose que je ne devais pas savoir.*

– Poursuis ! ordonna le professeur Maarek.

– Tout ceci était très secret mais… dans les années 30, Eleazar a émigré en France, avec le codex. En 1940, les Allemands entrent dans Paris. Eleazar voit Hitler parader dans la capitale. Il comprend que tous les juifs vont être déportés. Il se cache dans la ville, il réussit à sauver le livre, qui est de petite taille.

Lors de la rafle du Vél d'Hiv, deux ans plus tard, il doit lutter pour sa survie. Il a besoin d'argent, et tout ce qu'il possède, c'est ce manuscrit. Comme il ne peut pas le vendre lui-même, il demande à un ami bibliophile s'il ne souhaite pas l'acheter. Le livre est devenu son passeport pour la liberté. Grâce à cet ami, lui et sa famille ont pu s'enfuir et échapper à la mort.

– Et cet ami, c'était ton père, Jacques Thomas.

– Exact. C'est grâce à lui que les Sorias ont pu s'échapper.

– Le problème, c'est qu'après la guerre, il n'a pas voulu lui rendre le manuscrit. Il l'a gardé, n'est-ce pas ?

– C'était son droit… il l'avait acheté.

– Oui, mais ce n'était pas moral. Et vous avez dû attendre le décès d'Eleazar pour le ressortir ? Vous aviez peur qu'il le réclame. Dans ce cas, le codex vous aurait échappé, n'est-ce pas ?

Louise lui jeta un regard inquiet. Je compris qu'avec sa méthode infaillible, elle l'avait *torpillée*, selon la célèbre méthode socratique.

– Que s'est-il passé après la mort d'Eleazar ?

– Robert a sorti le livre. Il l'a montré à Andrieux. Et puis, ensemble, ils se sont mis à chercher…

– Quoi donc ?

– Eleazar lui avait parlé de la légende qui entoure ce livre. Celle qu'il tenait du bibliothécaire, à Istanbul. Ce livre contiendrait un secret. Et pas n'importe lequel. Celui d'un code. *Le code qui régit le monde.*

7

Ce soir-là, le professeur Maarek m'avait donné rendez-vous devant le 45, rue d'Ulm. Nous avons marché jusqu'au pont d'Austerlitz, à l'Institut médico-légal où nous avions rendez-vous avec le commissaire Masquelier et le médecin légiste. Sur le chemin, nous avons évoqué le mensonge de Louise Sorias concernant l'origine du codex, et les raisons pour lesquelles elle avait voulu le vendre, après le décès de son mari. J'avais cherché le nom de Louise sur Google. À ma grande surprise, il était associé à des séminaires de développement personnel et de tantrisme. Elle animait toutes les semaines des rencontres dans un centre à Paris. Des stages qui étaient, selon les annonces, des préparations à l'union sacrée, la « hiérogamie », à travers l'extase sexuelle. Tout en marchant, je fis part du résultat de mes recherches au professeur Maarek. Elle me gratifia d'un sourire, et me félicita pour mon enquête, sans s'attarder sur le sujet.

– Saviez-vous qu'elle participait à ce genre de séminaires, professeur ? insistai-je.

– En effet. Derrière son apparence de femme rangée, Louise présente de multiples facettes, comme nous tous, n'est-ce pas, Joachim ?

– Que pouvez-vous me dire sur la hiérogamie, professeur ?

– La hiérogamie, le « Mariage sacré », est une cérémonie religieuse particulière qui se pratiquait à Sumer, en Mésopotamie et en Égypte, et qui consiste dans la représentation de l'union sexuelle des divinités. Comme le dit Mircea Eliade : on ne peut vénérer un dieu que si l'on est dieu soi-même, ce qui équivaut à réveiller les forces divines qui sommeillent en l'homme. Et à l'époque, ces forces étaient figurées par l'énergie sexuelle, la force créatrice par excellence.

Nous descendîmes sous le pont, où était installé le grand bâtiment de briques rouges et blanches, dont nous franchîmes le seuil. Il régnait là une atmosphère très particulière. L'entêtante odeur de formol, le froid, le silence, évoquaient un temple : le repaire sacré de la Mort. Le commissaire Masquelier nous attendait, avec un homme d'une quarantaine d'années, à l'air solennel et aux tempes grisonnantes. C'était le légiste, qui nous guida aussitôt vers la morgue. Dans la grande salle froide, des néons rectangulaires projetaient une lumière blafarde sur les tables alignées. Sur l'une d'elles, gisait un corps recouvert d'un drap. C'était la première fois que j'approchais un cadavre. Un corps que j'avais connu vivant.

Le légiste souleva le drap, et je reconnus Jean Andrieux. J'en eus le souffle coupé. Le visage livide était comme figé par l'effroi. Un haut-le-cœur me secoua devant la large cicatrice qui ouvrait son cou. Pris d'un vertige incontrôlable, je crus que j'allais m'évanouir. Je ne reconnaissais plus rien, je n'avais jamais étudié l'anatomie, j'avais même fait l'impasse sur la biologie en terminale. Voilà un corps humain, pensai-je, voilà ce que nous sommes. Du sang, de la chair, de la peau et des organes. Voilà la base, l'essentiel, le début et la fin. La mort, quand il n'y a plus d'esprit. Quand il ne reste que la chair. Était-ce pour cette raison que Platon parlait du corps comme d'un tombeau ? J'avais envie de m'enfuir, à toutes jambes, loin d'ici, de cet endroit irrespirable dans lequel j'étouffais. La panique me prit, avec ses palpitations, ses sueurs, ses tremblements. Et l'impression que ce que je voyais n'était pas la réalité. Que je rêvais, en plein cauchemar. Je ne pouvais l'accepter, je le refusais de tout mon être.

Je sentis qu'on me saisissait fermement le bras. Le professeur Maarek me rappelait à la maîtrise de moi-même. Je compris que je devais me montrer fort. Que cela faisait partie de l'épreuve qu'elle m'imposait, de l'enseignement qu'elle voulait me dispenser.

– Nous ne sommes jamais aussi vivants que lorsque nous allons au cimetière. N'est-ce pas, Joachim ?

– Oui. Mais comment y faire face ?

– Il ne s'agit pas tant de faire face à la mort, que de faire face à la vie, murmura-t-elle. C'est en contemplant la mort que l'on se trouve confronté au sentiment de l'existence.

Le médecin légiste découvrit le cadavre.

– On constate une plaie cervicale avec une section nette de la trachée, de l'œsophage et des vaisseaux carotidiens externes, témoignant d'une blessure à l'arme blanche, comme le montrent les bords francs des sections des vaisseaux du cou. La mort est consécutive à une anoxie cérébrale aiguë ainsi qu'à un désamorçage de la pompe cardiaque. Cet homme a été égorgé, dit-il, par une lame extrêmement affûtée. Une arme qui ressemblerait à un sabre, qui a occasionné une très large entaille.

– Il a en quelque sorte été… saigné ? demanda le professeur Maarek.

Il désigna la blessure de l'abdomen.

– On peut dire cela. Mais ce n'est pas tout. Il existe aussi une plaie de la région sus-ombilicale jusqu'à l'appendice xyphoïde, extrêmement profonde. À ce niveau, les pédicules hépatique et splénique ont été arrachés avec une désinsertion du foie et de la rate des attaches splanchniques. La plaie diaphragmatique gauche révèle un meurtrier droitier. Cette plaie a permis l'accès à la cavité thoracique. Il existe une plaie transfixiante au niveau du péricarde sans effraction des ventricules ni des oreillettes. En revanche, au niveau thoracique, on constate l'arrachement des veines pulmonaires ainsi que l'arrachement de la crosse aortique et des troncs supra-ortiques.

Le langage technique me rasséréna ; il mettait la mort à distance, jetait un voile pudique sur l'innommable. Le concept ne permettait pas d'appréhender le réel, au contraire, il l'éloignait autant que possible. Sans doute le médecin légiste pensait-il être dans le vrai. En fait, il était dans son vrai à lui, à l'intérieur de son système, dont il ne faisait jamais que tester la cohérence. Nous avions la mort devant nous : et nous ne pouvions l'appréhender. Comme le disait Wittgenstein, « ce dont on ne peut parler, il faut le taire ». Les choses sont liées par des relations. Nous essayons de décrire ces relations et nous les explorons, grâce au langage. Mais les problèmes fondamentaux nous mettent face à la limite du langage : Dieu, la mort, le sens de la vie font partie de cet indicible.

– Regardez, Joachim, dit le professeur Maarek lorsqu'elle vit que je détournais les yeux.

– Je réfléchissais, répondis-je.

– Si vous souhaitez devenir un vrai métaphysicien, c'est ici que cela se joue.

Le professeur Maarek suivait la démonstration du médecin. Lorsqu'il ouvrit le petit réfrigérateur pour en sortir une bassine qui contenait les organes, j'eus un irrépressible haut-le-cœur. Le médecin me tendit un baquet dans lequel je vomis, alors que le professeur Maarek me considérait, l'air mi-soucieux, mi-agacé.

– Puis-je les examiner ? demanda-t-elle, comme si c'était la chose la plus naturelle du monde.

Le médecin légiste lui tendit des gants.

– Je vous en prie, professeur.

Elle prit le bac et, à l'aide de la spatule qu'il lui tendait, elle souleva l'un des organes sanguinolents.

– C'est le foie ? demanda-t-elle.

– C'est exact.

– Est-il intact ?

– Oui, dit le médecin légiste.

– Le foie est comme un miroir à l'intérieur du corps humain, dit-elle en l'examinant. Sa surface lisse et brillante comporte un reflet sur lequel les visions se matérialisent. Il renvoie les images des dieux, ces *phantasmata* que les devins devaient interpréter. Approchez-vous, Joachim. Nous sommes en train de faire de l'hépatoscopie. C'est-à-dire l'examen du foie. Platon dans le *Timée* explique les rêves comme des apparitions sur cet organe brillant qui reflète les images.

– Quels signes cherchons-nous ? demandai-je, le cœur au bord des lèvres.

– La prospérité, le pouvoir, ou au contraire, la mort.

– Qu'y voyez-vous ? dis-je, inquiet.

– Le caput ou la tête du foie semble inscrire en elle le destin d'un homme… Vous m'avez l'air distrait, je me trompe ?

– Dans son ouvrage *De Divinatio*, Cicéron s'inscrit en faux contre ces pratiques, bredouillai-je.

– Je suis d'accord, dit le professeur Maarek. Mais pour le meurtrier, qui prétend lire dans les entrailles, ce signe annonce la mort… et autre chose…, ajouta-t-elle en déplaçant le viscère à l'aide de la spatule.

– De quoi s'agit-il ? demanda Masquelier.

– Regardez, dit-elle, en me montrant la surface lisse, sur laquelle j'aperçus soudain un signe, ou plutôt un sigle, comme gravé au couteau.

– En effet, dit le légiste, en approchant une loupe. Une scarification a été faite sur le foie, ou alors, il s'agirait d'une lésion antérieure à la mort ?

– C'est curieux, dit le professeur Maarek. Cela ressemble à…

Avec stupéfaction, je m'aperçus que c'était la lettre Pi.

À ce moment précis, je perdis connaissance.

8

Après la visite au légiste, le professeur Maarek et moi avons marché au hasard, pour évacuer l'angoisse qui m'avait saisi.

J'étais encore sous le choc de la vision qu'elle m'avait imposée, sans pitié aucune. Certaines blessures ne se referment jamais. On ne peut pas revenir sur les faits, qui restent là, enfouis, à vous hanter tels des fantômes et qui resurgissent la nuit, au moment où l'on s'y attend le moins. Si nous venait la réelle conscience de l'inscription temporelle du mal, de son irréversibilité, peut-être ne le commettrions-nous pas ? En ce sens, Socrate a raison de dire que nul n'est méchant volontairement. J'aurais voulu rester en suspens, là, entre le ciel et la terre, où elle était le guide que j'espérais. J'aurais voulu déambuler avec elle toute la nuit dans Paris, à la recherche des secrets cachés aux yeux de tous. Mais ce n'était pas possible. Dans la vie adulte, tout est toujours en déclin. Platon a raison de voir le monde sur le modèle de la chute. Nous sommes tous, un jour ou l'autre, chassés du paradis. Et le pire, c'est que nous n'avons pas besoin de Dieu pour cela : nous nous en chassons nous-mêmes.

Je revois à présent l'image surranée d'un professeur avec son élève, seuls au milieu de la ville, en train de décrypter des secrets. Quelque chose de singulier. Un peu comme lorsque l'on découvre que ce qui est le plus commun et le plus quotidien, est aussi le plus inconnu. Cette capacité que l'on a de s'étonner, comme le dit Aristote, et qui préside au raisonnement philosophique, pour nous faire avancer sur la voie de la vérité, «*Aletheia*», le dévoilement. Et elle disait, citant Heidegger : *l'essence de la parole, c'est la parole de l'essence.* Et ses paroles touchaient à l'essence des êtres et des choses.

Il n'y avait presque plus de voitures. Nous étions seuls dans la ville. Tout était sombre et mystérieux. Nous avons marché, côte à côte, sans plus rien dire. La Concorde, immense, avec ses fontaines, ses statues, ses lampadaires rétro et ses colonnes, s'étendait, majestueuse, entre les Champs-Élysées, les Tuileries, la Madeleine, et le pont qui permettait d'accéder au Palais-Bourbon. La place paraissait d'autant plus gigantesque qu'elle était déserte. La Concorde est le cœur de la ville. Le nom évoquait la réconciliation des Français après la Terreur. C'était l'ancienne place de la Révolution, théâtre des exécutions à la guillotine, parmi lesquelles celles du roi Louis XVI et de la reine Marie-Antoinette.

Le professeur Maarek et moi parvînmes enfin à l'endroit fatidique. L'Obélisque. Elle s'arrêta devant le monument, le contempla derrière ses petites lunettes rondes. Nous nous glissâmes à travers les échafaudages.

– C'est certainement en se cachant là que le meurtrier a déposé le corps, dit-elle.

Vue d'en bas, la colonne paraissait gigantesque. Le contraste était saisissant entre l'architecture moderne de cette place et cet édifice qui datait de l'époque des Pharaons.

– Un monument religieux égyptien en pleine ville occidentale, qu'est-ce que cela peut bien signifier ? murmurai-je.

– Par sa verticalité, l'Obélisque symbolise le lien entre ciel et terre, entre ici-bas et l'Infini. Pour les Égyptiens, le sommet de l'Obélisque, le pyramidion, était recouvert d'or car il représentait la montagne cosmique, le premier rayon de soleil d'où provient la parole. Pour Pythagore, le point unique du haut du triangle est l'unité qui représente l'origine. La base est l'univers. C'est la raison pour laquelle les empereurs ou monarques firent construire des obélisques dans leur ville, pour montrer leur puissance.

Je regardai le fût qui se rétrécissait au sommet, sous la forme d'une pyramide. J'avais vu des images du temple de Louxor, sur Internet. Le soir, l'entrée, bordée par l'immense route des Sphinx, était saisissante de beauté. De loin, on pouvait apercevoir les colonnes illuminées. Œuvre de deux pharaons, Aménophis III et Ramsès II, le temple avait été érigé à la gloire du dieu Amon, le roi des dieux, l'unificateur de l'Égypte, qui fut plus tard associé à Zeus. C'était maintenant lui, Amon, l'Éternel, le créateur de ce qui existe, qui semblait régner sur Paris. *Le Roi du Monde*.

– Remarquez-le, Joachim : l'Obélisque se situe exactement sur la ligne qui passe par les Tuileries, l'avenue des Champs-Élysées, l'Arc de Triomphe, jusqu'à l'Arche de la Défense. Autrement dit, il ponctue et organise toute la ville. La perspective, parfaitement rectiligne, capte la force solaire, qu'il projette sur les douze avenues qui convergent vers l'Arc de Triomphe.

Elle me tendit des petites jumelles en argent pour que j'examine les hiéroglyphes, sur lesquels je n'eus pas de mal à reconnaître les divinités de l'Égypte antique : Osiris, Isis la grande magicienne, et une troisième divinité à tête de faucon.

– Horus, le fils d'Isis et Osiris, affronte son oncle, Seth, qui a tué son père, dans une lutte sanglante, dit le professeur Maarek en me fixant étrangement. Horus émascule Seth pour qu'il ne puisse plus avoir de descendance, et Seth arrache l'œil d'Horus. Pour empêcher Horus de tuer Seth, Isis lui demande de l'épargner, mais fou de rage, il tranche la tête de sa mère ! C'est ainsi qu'il conquiert le trône d'Égypte, d'où son surnom « Vengeur du père ».

– Quelle histoire… !

– Avoir choisi un tel emplacement pour placer le corps de Robert Sorias n'est certes pas anodin, ajouta-t-elle. Mais qu'est-ce que cela signifie ?

Nous fîmes quelques pas autour de la vaste place. Nous passâmes devant le Crillon, puis l'imposante ambassade des États-Unis, et la majestueuse avenue Gabriel. Sur la droite, se trouvait l'avenue Matignon et le palais de l'Élysée. Nos pas nous emmenèrent jusqu'aux Champs-Élysées. La plus belle avenue du monde s'étendait, dans toute sa grandeur, avec ses boutiques, ses restaurants, ses bureaux, ses galeries marchandes, ses cinémas, ses banques. Le flot de voitures s'était tari pour quelques heures. Je fus saisi par la perspective de l'Arc de Triomphe, et derrière, la grande Arche de la Défense : encore une fois, une droite, parfaitement rectiligne.

Au petit matin, nous avons longé les magasins fermés, les restaurants désertés, et sommes parvenus devant la galerie, à l'intérieur de laquelle avait été trouvé le corps de Jean Andrieux. Pourquoi avoir choisi cet endroit ? Sans doute parce qu'il était plus facile de déposer un cadavre dans un sous-sol. Bien entendu, ce n'était pas un hasard si les corps avaient été abandonnés en ces deux points de Paris, sur le même axe. Qu'est-ce que le meurtrier avait bien voulu dire lorsqu'il avait tracé cette carte mystérieuse ? Plus que jamais, ce matin-là, nous voulions comprendre.

Soudain, le professeur Maarek s'appuya sur sa canne, comme si tout se mettait à tourner autour d'elle. Puis elle prit place sur un banc, et tenta de calmer l'agitation qui venait de la saisir.

– L'Obélisque, les Champs-Élysées, murmura-t-elle, vous ne voyez pas, Joachim ?

– Non ?

– Qu'est-ce qui réunit ces lieux ?

– Le monde gréco-égyptien… Paris a été construit sur ce modèle, quand les dernières traces chrétiennes et médiévales ont disparu, excepté quelques vestiges et monuments, dont Notre-Dame…

– Oui, et dans le monde grec, que représentent les Champs-Élysées ? L'Au-delà où les héros séjournaient après leur mort. Le paradis orphique, où les héros se reposaient dans des prairies luxuriantes. Aujourd'hui encore, les boutiques de luxe, les boîtes de nuit, les restaurants y cohabitent avec les cabinets des avocats, financiers, hommes d'affaires ou producteurs les plus fortunés. Les dieux de notre société se promènent dans l'allée majestueuse dédiée aux héros !

– Aux héros, et à Hadès, le dieu des Enfers, dis-je, en frissonnant.

9

Le lendemain, je fus réveillé vers midi par des coups frappés à la porte de ma thurne. J'avais dormi d'un sommeil de plomb. C'était Fabien. Il voulait savoir si je venais au Pot avec lui. Pendant un moment, je me demandai où j'étais. J'avais l'impression de m'être réveillé à Caen, dans ma chambre d'enfant. L'appartement de mes parents, dans mes rêves, était généralement associé à la frayeur. C'était toujours le même scénario. En général, j'y étais poursuivi par des assaillants, ou bien des gens cherchaient à s'y introduire pour me tuer. L'épreuve de la veille avait réveillé des peurs enfouies dans mon inconscient, sans que je sache lesquelles.

À la demande du professeur Maarek, je devais me rendre à la Bibliothèque nationale de France, où les spécialistes examinaient le codex. Elle avait arrangé un rendez-vous avec le conservateur, Ambroise Flamant, sans s'y rendre elle-même, afin de ne pas éveiller ses soupçons. Elle m'avait expliqué qu'il me fallait gagner sa confiance, et pour obtenir les renseignements que nous souhaitions, elle m'avait fait passer pour un étudiant en codicologie.

Je pris un vélo que je laissai au bas des marches de la BNF. Je retins mon souffle avant de gravir les escaliers qui me menèrent jusqu'à une plate-forme sur laquelle s'étendaient les énormes bâtiments en forme de livres ouverts. C'était toujours impressionnant de sentir le vent s'y engouffrer, comme dans un vortex. La perspective rectiligne des bâtiments gris, avec le sol de la même couleur, donnait une impression de décor de science-fiction, en contraste avec les salles antiques dans lesquelles j'avais l'habitude de travailler. Dans ce lieu d'étude et de recherche, étaient abritées les collections royales constituées depuis la fin du Moyen Âge : 12 000 incunables, 250 000 manuscrits, dont des manuscrits enluminés médiévaux ainsi que des cartes, des estampes, photographies, partitions, monnaies, médailles, documents sonores, vidéos, multimédias, objets d'art, décors et costumes. Un temple du passé, en somme, qui à chaque visite me laissait rêveur.

Je parvins sur l'esplanade encadrée de ses tours angulaires qui représentaient la tour du Temps, la tour des Lois, la tour des Nombres et la tour des Lettres. Je frissonnai. La place était déserte. Un peu plus loin, sur la gauche, se trouvaient les salles de cinéma et quelques magasins. Derrière s'étalait le morne treizième arrondissement, en bordure de Seine.

J'empruntai l'escalator qui menait à l'entrée de la tour du Temps, où j'avais rendez-vous avec le directeur du service des Manuscrits anciens. Je pris l'ascenseur jusqu'au trentième étage. Là, m'accueillit une secrétaire à l'air sévère, qui m'entraîna vers la salle de restauration des manuscrits.

C'était une grande pièce lumineuse, au centre de laquelle se dressait une table immense. Le codex reposait là, sous un éclairage ultra-puissant, comme au bloc opératoire. Deux personnes masquées de blanc penchées sur lui se livraient à une véritable opération chirurgicale.

Je m'immobilisai, le regard fixé sur le document. Il avait dû accomplir un très long périple avant d'arriver là. Un rescapé de l'Antiquité dans un état critique.

– Nous sommes en train de le dépecer, dit une voix grave derrière moi.

Je me retournai et reconnus le visage que j'avais repéré sur Internet, celui du conservateur Ambroise Flamant. Un homme grand, d'une cinquantaine d'années, aux cheveux bouclés et aux yeux verts derrière ses lunettes rondes. Il était vêtu avec élégance d'un costume noir sur une chemise blanche avec un nœud papillon. Il me scrutait d'un œil inquisiteur. Son visage fin était parcouru de tics, comme s'il prenait des neuroleptiques.

– Ainsi, dit-il en me serrant la main, vous êtes recommandé par le professeur Maarek ?

– En effet, répondis-je, vous la connaissez ?

– Pas personnellement... mais nous avons des amis communs. Vous êtes son élève, m'a-t-elle dit. Et vous faites une thèse en codicologie ?

– C'est exact, dis-je en sentant mes joues s'enflammer.

– Vous vous y connaissez un peu en nouvelles technologies ?

– Oui, bien sûr. Beaucoup plus.

– Plus ?

– Je veux dire... plus qu'avant.

– C'est vrai, dit-il, qu'on ne peut faire ce métier aujourd'hui si l'on n'est pas un peu geek... Nous sommes des archivo-geeks ! lança-t-il avec fierté. Vous croyez que nous aurions accès à cela, ajouta-t-il en me montrant le palimpseste, sans la technologie moderne ?

– Vous avez pu le décrypter ?

– Vous allez vite en besogne, jeune homme ! Comme je vous

le disais, il va d'abord falloir le dépecer, le couper en morceaux, le dépiauter, ajouta-t-il en haussant les sourcils d'un air inquiétant. Une dure épreuve pour un collectionneur comme moi.

À l'aide d'un scalpel, l'une des jeunes femmes masquées aux mains gantées était en train de détacher un folio, avec mille précautions. Elle avait visiblement ôté la reliure, pour laisser apparaître le parchemin nu, sans couverture. Ses yeux bleus nous fixèrent pendant un instant.

– Merci, Maud, dit le conservateur. Vous pouvez voir que le dos du livre est couvert de colle. Une pratique post-médiévale qui permet de solidifier la structure du codex, mais qui pose de gros problèmes pour sa réhabilitation. Les mots sont pris dans une sorte de glu. Les moisissures ont digéré des pans entiers du parchemin. Certaines feuilles semblent être prêtes à s'effriter. Voilà ce que c'est que de laisser longtemps un codex chez un particulier. Un désastre !

Ambroise Flamant m'expliqua que l'équipe avait répertorié les défaillances, les déchirures, les gouttes de cire, les moisissures et autres traces de rouille et de mastic. Puis ils avaient photographié le manuscrit, page à page, nettoyé la gouttière et le dos du parchemin avec un mélange d'isopropanol et d'eau. Enfin, ils avaient appliqué un calque sur les côtés des bifolios, pour faire apparaître les zones endommagées et obscurcies par la peinture et la colle. Il convenait aussi de gratter la peinture pourpre. Un travail d'orfèvre, qui demandait du temps, et nécessitait de faire appel aux meilleurs spécialistes des diverses disciplines.

– Lorsque je l'ai vu, j'ai tout de suite su qu'il s'agissait de quelque chose d'unique, m'affirma-t-il. J'ai la certitude que sous le latin, nous trouverons du grec…

Il s'approcha de moi et murmura à mon oreille :

– Vous saisissez l'importance… il est vital de ne pas perdre ce que la Grèce a eu à transmettre, et qui a été saccagé par les invasions barbares, puis par le christianisme… Les moines copistes nous ont transmis beaucoup de documents, mais ils en ont effacé encore plus ! Si vous êtes un élève du professeur Maarek, vous devez me comprendre…

Il me regarda, avec un air d'étrange connivence. Quel message voulait-il me faire passer ?

– Le professeur Maarek vous a sans doute expliqué que j'étais le président d'une société grecque qui a des ramifications dans toute l'Europe.

Il me tendit une carte, sur laquelle je lus : « *Éleusis, société en faveur de la défense et du développement de la Grèce antique.* »

– Non, je l'ignorais.

– Il faut prendre le train en marche, jeune homme ! Grâce aux nouvelles technologies, nous pouvons enfin retrouver les textes effacés par des générations de moines obscurantistes ! Nous avons accès à des possibilités de mise au jour de manuscrits presque totalement grattés à la pierre ponce. Cette nouvelle pratique est en train de s'affirmer. Nous sommes à un tournant de notre métier. Une petite révolution pour notre profession. Et sans doute pour notre vision du monde. Nous voilà sur le point de redécouvrir les trésors saccagés par les moines… Rendez-vous compte ! Nous allons réparer l'irréparable !… Venez avec moi, je vais vous montrer, ajouta-t-il en m'entraînant vers une pièce attenante à la salle des manuscrits.

Là, sur une longue table en acier, deux bifolios reposaient, soigneusement séparés et protégés par des plastiques.

– Le processus de numérisation a déjà été lancé, dans des conditions d'extrême précaution. Il s'agit de rendre visible l'invisible, dit Ambroise Flamant. Il faut à peu près quinze jours pour détacher un folio du palimpseste. Après l'avoir séparé, on le place sur des supports pour le numériser. Les images sont créées grâce aux lampes à ultraviolets : les photons de ces lampes ont un effet remarquable sur le parchemin. Pendant que le parchemin émet des photons visibles, l'encre du parchemin les obscurcit. Vous comprenez ?

– Oui, à peu près… C'est une technique récente ?

– Depuis longtemps on utilise la lumière fluorescente des ultraviolets pour déchiffrer les palimpsestes. En prenant des photos, on obtient des résultats bien meilleurs que ceux obtenus par l'œil humain à la lumière du jour. Mais grâce aux nouvelles techniques numériques, l'imagerie permet de révéler ces textes que l'on croyait perdus. Une fois photographié selon une longueur d'onde spécifique, le texte surgit, grâce à l'imagerie multispectrale. Avec la bande spectrale des ultraviolets, il devient possible de faire apparaître le texte inscrit sous le texte nouveau. Et c'est ce que nous sommes en train de faire, avec le palimpseste !

– D'après vous, que se cache-t-il derrière ce texte ? demandai-je.

– C'est ce que nous allons bientôt savoir, dit Ambroise Flamant. Enfin… Si nous avons les moyens nécessaires. Mais une chose est sûre : ce n'est pas au département des Manuscrits que nous l'obtiendrons.

– Pourquoi ?

– Pas de budget ! Heureusement, nous avons le mystérieux Monsieur X. Le propriétaire du manuscrit.

– Vous l'avez rencontré ?

– Personne au département des Manuscrits ne l'a rencontré. Chaque fois qu'il y a une question à poser, un financement à demander, le directeur du département ou moi-même nous nous adressons à l'intermédiaire, le courtier anglais. La réponse ne se fait pas attendre.

– Pourquoi se cache-t-il, à votre avis ?

– Nous avons déjà eu affaire à des bibliophiles qui désirent rester anonymes lorsqu'ils acquièrent un livre. Pour ne pas attirer l'attention sur leur fortune, je suppose. Ils ne veulent pas être cités dans la presse, voyez-vous. Et puis, on parle beaucoup de l'assassinat de Robert Sorias, qui possédait le manuscrit. Il est compréhensible que ce Monsieur X. ait préféré rester dans l'anonymat…

– Et ce texte lisible ? De quoi parle-t-il ?

– Une histoire étrange en vérité. Voulez-vous l'entendre ?

10

– Nous sommes au XIIIe siècle, annonça Ambroise Flamant alors que nous étions confortablement installés dans son bureau. Il s'agit d'un jeune homme : un croisé parti pour conquérir Jérusalem. Après l'effondrement de l'Empire romain, le pays s'était replié sur lui-même. Le jeune homme avait vécu toute son enfance dans son petit village, avec pour seul horizon le clocher et le donjon du château.

« Ils étaient trois frères et deux sœurs, d'une famille qui possédait des terres. Lorsque leur père décéda, les frères se disputèrent son héritage et deux d'entre eux se lièrent pour tuer le troisième. Pour fuir leur crime et échapper à la mort, Cosmas et Eudes – c est leurs noms – s'enrôlèrent dans la croisade, en route vers la Terre sainte.

« Il s'agissait de la IVe croisade, initiée par le pape Innocent III. Le chef de l'expédition, Boniface de Montferrat, en avait fait une aventure princière et chevaleresque, en compagnie de hauts barons et d'hommes de cour. Le chemin vers Jérusalem était long et hasardeux, à cette époque. Les croisés avaient plus de chance d'y arriver s'ils y allaient par la mer. C'est la raison pour laquelle un marché fut conclu avec les Vénitiens, selon lequel ces derniers acceptaient de s'engager, aux côtés des croisés, pour le service de Dieu et de la Chrétienté, à fournir des vaisseaux capables de transporter chevaliers, écuyers et hommes de pied, ainsi que des galères armées : une flotte formidable, avec des bateaux solides. En échange de son aide, le doge de Venise réclamait 85 000 marcs d'argent et la moitié de toutes les conquêtes des croisés.

« Sur le Grand Canal, toute la flotte vénitienne était prête à partir : avec hommes, armes et bagages, sur cinquante nefs, une centaine d'huissiers, des bateaux légers à fond plat pour les chevaux et les écuyers, ainsi que cinquante galères de guerre rapides, qui emmenaient des combattants, des sapeurs poseurs de mines, des charpentiers, des ingénieurs, tous mus par l'appât du gain.

« Les croisés, quant à eux, étaient moins nombreux que prévu. De plus, il leur manquait 34 000 marcs : plus du tiers de la somme promise aux Vénitiens. C'est alors qu'ils dévièrent leur route, et passèrent par la ville dont la réputation s'étendait par-delà les frontières, car on disait que l'or et les diamants y circulaient à profusion : la ville qui était devenue le centre du monde… Constantinople. Là, ils pourraient s'emparer des vivres et de l'argent qui leur manquaient.

« Cosmas et Eudes n'eurent pas le choix : la cité impure, pleine de luxure, de débauche et de vices, la scandaleuse n'était-elle pas une proie de choix ? Pour les barons, c'était le pouvoir et l'or. Aux évêques, les saintes reliques. Pour justifier leur sombre projet, ils prétendirent qu'un usurpateur occupait le trône de Constantinople. En effet, Isaac II Ange avait été détrôné et aveuglé par son propre frère, l'empereur Alexis III, qui avait pris sa place. Le fils d'Isaac, un autre Alexis, était l'empereur légitime. Ne fallait-il pas l'aider à retrouver son trône, puisqu'il promettait en échange d'aider la croisade ? N'était-il pas temps d'unifier les chrétiens d'Orient et d'Occident, séparés par le schisme qui avait scindé la Chrétienté en deux ?

« Les heaumes lacés, l'armure au poing, Cosmas et son frère débarquèrent dans la ville par voie de terre. Ils campèrent au nord-ouest, dans la section des Blachernes, alors que les Vénitiens arrivaient par la mer. Ils voulaient prendre la ville pour eux. Mené par le vieux doge Enrico Dandolo sous l'étendard du Lion de Venise, le siège dura un jour. Les défenses de Constantinople cédèrent. Les Grecs s'enfuirent devant la ruée des croisés en armure.

« Cosmas et Eudes, avec les chevaliers, assaillirent les murailles par voie de terre, alors que des échelles étaient lancées depuis les bateaux. Cosmas demeura stupéfait devant la splendeur de Constantinople : il n'avait jamais vu autant de beauté. Ébloui, il regardait les statues sur les places et les jardins, les colonnes, les palais, sans parvenir à croire ce qu'il voyait. Constantinople s'était développée au point de devenir une civilisation. Les empereurs grecs étaient de grands bâtisseurs : Constantin, qui fit construire la première Sainte-Sophie, Justinien II à l'origine des deux palais sur les rives du Bosphore, Constantin IX Monomaque et son épouse, qui avaient fait ériger de somptueux édifices, l'avaient rendue si belle qu'on l'appelait : « la Ville des villes ». Entre ses monastères, ses églises, ses hôpitaux, ses bains publics, ses places et ses portiques, Constantinople n'avait pas d'égale. À l'intérieur de ses hautes murailles, elle brillait de mille feux. Ses coupoles et ses toits étincelaient de feuilles d'or et de pierreries, ses habitants étaient vêtus de soie et de broderies.

« Cosmas entra dans Sainte-Sophie : un palais aux quatre cours, qui mesuraient chacune plusieurs dizaines de mètres de long et de large. Il retint son souffle. Dans la cour de l'Est, un grand bassin creusé dans le marbre était surmonté d'une coupole d'argent que supportaient douze hautes colonnes, au sommet orné de statues d'animaux. Près de cette coupole, dans cette cour, une citerne remplie de dix mille amphores de vin blanc et mille de miel blanc. Des statues, le vin coulait à flots pour remplir le bassin à leurs pieds, l'offrant à qui le voulait. À l'intérieur de l'église, les colonnes, les chandeliers, la vaisselle d'or et d'argent étaient en si grande quantité qu'on ne pouvait les dénombrer.

« Trois portes de fer donnaient accès au palais sacré. La première s'ouvrait sur un long vestibule, avec des estrades recouvertes de tapis de brocart, de matelas et de coussins. Des vigiles armés de boucliers et de lances rehaussés d'or semblaient être les gardiens de ce temple. Par une autre entrée, on pénétrait dans un corridor pavé de marbre, où se trouvaient les Khazars, avec leurs armes. La porte de la mer, quant à elle, donnait sur une cour dallée de carreaux rouges. Gardée par les Turcs, elle s'ouvrait sur une esplanade de marbre vert. Les murs étaient ornés de mosaïques et de peintures aux vives couleurs. À droite, se trouvait le Trésor impérial, et la statue d'un cavalier aux yeux incrustés de deux rubis. À gauche, était une longue salle agrémentée de meubles d'or, d'ivoire et d'argent.

« Voilà donc Constantinople ! poursuivit le conservateur qui semblait revivre la scène, comme s'il y avait assisté. La ville était à la hauteur de sa réputation : sans égale par la richesse, l'architecture, le mode de vie, elle avait hérité de la Rome antique ses larges rues, ses places et ses statues, ses grandes voies pavées, avec de hauts portiques où passaient les processions des empereurs, les cortèges et surtout les courses de chevaux : quatre le matin et quatre le soir. Absorbé par la contemplation de ces merveilles, Cosmas ne remarqua pas les croisés et les Vénitiens derrière lui. Andrea Dandolo, le doge de Venise, et les princes de la IVe croisade venaient de prendre possession du palais : ils avaient donné quartier libre aux soldats pendant trois jours pour faire le sac de Constantinople.

« Pendant une semaine entière, ce ne fut que dévastation. Les croisés et les Vénitiens arrachaient ou saccageaient ce qu'ils voyaient. Comme pris de furie, ils entraient dans les maisons, assassinaient, pillaient, détruisaient tout, se ruaient dans les monastères, dans les églises, violaient les nonnes, s'accaparaient des objets sacrés, incendiaient les palais et massacraient leurs occupants. Églises, bibliothèques, rien ne fut épargné.

« Ce fut un spectacle d'une désolation et d'une violence insoutenables pour Cosmas le pénitent. Impuissant, le jeune homme assista à ce terrifiant carnage, sans pouvoir rien dire, rien faire. Il tentait de soigner les femmes et les enfants qui gisaient à terre, au milieu des palais détruits. Tout autour de lui, les blessés mouraient dans les rues alors que les soldats du Christ, indifférents, enjambaient les cadavres, les bras chargés de richesses.

« Ils emportaient même les fausses reliques : la quenouille et la robe de la Vierge, les épines du Christ, les morceaux de la Croix, les dents de lait du Christ ou le bâton de Moïse, les langes du Christ, les cadeaux des Rois Mages, les dalles du Saint-Sépulcre, les outils qui avaient servi à fabriquer la Croix, les chaussures de Jésus, sa chemise, sa ceinture, un reste de la vigne de Noé, le rameau d'olivier rapporté par la colombe, une trompette de Jéricho... Pris de folie, ils démolirent les statues de Pâris, Aphrodite, Junon et Hercule pour les fondre dans le bronze. Dans la basilique Sainte-Sophie, les croisés pillèrent ce qu'ils trouvaient, y compris les douze colonnes du chœur en argent. Ils arrachèrent le voile d'argent broché d'or qui tombait de la voûte, se partagèrent la table d'autel, ouvrirent les tombeaux des empereurs pour prendre les couronnes, pillèrent même les calices, les candélabres, les croix et les encensoirs. Avec leurs chevaux et leurs mots obscènes, ils souillèrent à jamais le christianisme de leur barbarie sanglante.

« Les flammes s'étendirent sur une bonne moitié de la ville. À Sainte-Sophie, les soldats brûlèrent les draperies de soie et les livres. Ils s'abreuvèrent à l'autel où coulait le vin. Le Trésor de la grande église fut distribué aux soldats. Des ânes emportèrent le butin alors qu'une prostituée chantait une chanson paillarde, sur le trône patriarcal d'Hagia Sophia. Ils profanèrent tous les lieux saints. Les mosaïques, les colonnes de marbre et de porphyre, les pierres précieuses, tout fut détruit ou volé. Ils fracassèrent les icônes, réduisant à néant Constantinople la sainte, l'opulente, la Ville des villes. Dans une ivresse d'or et de sang, certains traînèrent les habitants sur les autels des églises pour leur trancher la tête. Jusqu'à ce que de la vaste cité il ne demeure plus rien ni personne. Tout ce qui restait de la Grèce antique avait été définitivement effacé.

« Cosmas voulut retenir son frère, mais Eudes semblait pris de folie comme les autres. Cosmas tenta de le raisonner, de lui rappeler qu'ils étaient là pour servir le Christ et pour s'amender, non pour massacrer et piller. Protéger les débris du royaume de Jérusalem et non saccager Constantinople ! Des croisés, des chrétiens, étaient en train de faire la guerre à d'autres chrétiens. Comment cela pouvait-il se concevoir ?

« Cosmas entra dans la Bibliothèque de la basilique Sainte-Sophie. À travers la fin d'une ville, se tramait la fin d'une civilisation. Là, un bibliothécaire, un très vieil homme aux épaules voûtées et au regard presque aveugle, semblait venir de l'Antiquité. Il tenait un livre, un vieux codex, serré contre sa poitrine, comme si c'était la chose la plus précieuse du monde. Tout autour de lui, les parchemins se consumaient dans les bûchers, répandant une épaisse fumée noire à l'odeur de peau brûlée. Un croisé arriva les bras chargés de manuscrits, il s'apprêtait à en alimenter le feu, lorsqu'il aperçut le moine avec son livre. Il le bouscula, pour lui prendre le manuscrit. Le moine, comme devenu fou, se précipita sur le croisé qui sortit son arme. Alors il se tourna vers Cosmas, l'air désespéré.

« – Sauvez-le ! dit-il en lui tendant le codex. Je vous en supplie… Sauvez le manuscrit…

« Il n'eut pas le temps de finir sa phrase. Le croisé l'avait transpercé d'un coup d'épée. Cosmas se précipita alors pour saisir le livre que l'homme tenait encore contre son cœur, mais l'autre pointa sa lame vers lui.

« – Donne-le-moi ! rugit-il.

« Cosmas sortit son épée, et une lutte terrible s'engagea, parmi les ouvrages incandescents et les cadavres, reflets de la folie humaine. Il finit par repousser son adversaire jusqu'au milieu des flammes où il l'acheva d'un coup d'épée.

« Cosmas resta là, figé. Tombé devant le feu où brûlaient les autres manuscrits, le codex semblait le regarder. Près de lui, gisait le corps ensanglanté du moine. Alors Cosmas se baissa et prit le vieux livre. Il le rangea en hâte dans sa besace, avant de prendre la fuite.

« Quelques semaines plus tard, un bateau emportait le codex vers la Terre sainte. »

11

Le récit d'Ambroise Flamant m'avait fortement impressionné. Il avait raconté l'histoire avec enthousiasme, comme s'il avait été sur place et rapportait ce qu'il avait vu. Visiblement passionné par son métier, il aurait pu passer des heures à parler du codex, qui constituait la recherche la plus importante et la plus passionnante de sa carrière. L'histoire se terminait en Terre sainte : après avoir erré pendant deux ans, Cosmas entendit parler du monastère de Saint-Sabas, une forteresse troglodyte construite sur le flanc d'une montagne rocheuse, au beau milieu du désert de Judée. C'est là qu'il se réfugia, avec le fameux codex sauvé des flammes de la basilique Sainte-Sophie et du terrible sac de Constantinople.

Je me demandais s'il existait un moyen de savoir ce qui s'était passé au monastère de Saint-Sabas, lorsque Cosmas y avait apporté le codex, et pour quelle raison il s'était à nouveau enfui puisque l'on retrouvait le codex à Istanbul, des centaines d'années plus tard, lorsque Eleazar Sorias l'avait acheté au bibliothécaire.

À la fin de la journée, je traversai à nouveau la grande allée déserte, entre les livres immenses qui s'ouvraient devant moi comme pour m'engloutir. Je pris un vélo et rentrai à Normale Sup, en longeant les quais. Je dînai rapidement d'un carton de pâtes acheté sur la route. Je n'avais pas envie d'aller au Pot du soir. J'étais hanté par ce que j'avais vu et entendu. Ainsi donc le manuscrit avait été sauvé de l'autodafé par un croisé pénitent. Celui-ci l'avait emporté jusqu'en Terre sainte, où il s'était enfermé dans l'un des monastères les plus retirés de la terre. Pourquoi ? Que contenait-il donc de si important ?

Je feuilletai plusieurs ouvrages, empruntés à la bibliothèque, traitant de codicologie, et pendant une bonne partie de la nuit, il me fut impossible de dormir. J'avais l'impression d'entendre des voix et d'être épié, comme si je n'étais pas seul dans la chambre. Les questions n'arrêtaient pas de tourner dans ma tête. Qui était le véritable acquéreur du manuscrit ? Quel secret le codex allait-il donc délivrer ? Et surtout, comment faire progresser l'enquête ?

Soudain, j'entendis des éclats de voix dans la chambre de Fabien. Cette fois, c'était sûr. C'était une dispute. Je tendis l'oreille. La paroi du mur était mince. Fabien, que je n'avais jamais vu en colère, était en train de crier. Je collai l'oreille contre la paroi. J'entendis alors une voix grave : celle du père Delbos. Je l'aurais reconnue entre mille. Il était question du professeur Andrieux. Il lui demandait pour quelle raison il voulait quitter les Talas, si c'était à cause d'Andrieux. Le nom revenait plusieurs fois. Fabien s'énervait, disait que ce n'était pas à cause de lui, qu'il était assez grand pour prendre ses décisions seul. Je me déplaçai, cherchai le meilleur endroit d'écoute, et les voix me parvinrent distinctement.

– Et alors ? s'écria Fabien. Si c'était lui qui avait raison ?

– Il vous a parlé ? Il vous a dit quelque chose ?

– La même chose qu'à vous. Que tout cela ne tient pas, face à la raison mathématique.

– Mais de quelle raison vous me parlez, alors que je vous parle de foi !

– La foi ? La foi en qui ? La foi en quoi ? cria Fabien. Ne voyez-vous pas ce qui est en train de se passer, là, devant vos yeux ? Vous êtes finis ! Terminés ! Nous sommes tous finis ! Nous nous sommes trompés !

– Nous ne nous sommes pas trompés, Fabien, c'est vous qui êtes dans l'erreur. Et cette erreur a déjà coûté la vie à Andrieux.

– Vous me menacez ? s'exclama Fabien. Vous me menacez parce que vous savez que j'ai raison ? Vous saviez au fond de vous-même qu'il avait raison !

– Non ! C'est le contraire ! Vous avez quitté la voie de la vérité, et lui aussi !

– Je peux commettre une erreur et le professeur Andrieux aussi, dit Fabien, mais les chiffres, eux, ne mentent jamais !

– Ainsi, vous croyez vous débarrasser du Père, du Fils et du Saint-Esprit, dit le père Delbos, mais Dieu, lui, ne vous laissera pas !

– Vous ne comprenez donc pas ce qui est en train de se produire ? Les mathématiques nous ouvrent le chemin.

– De quel chemin parlez-vous ?

– Celui de l'Infini !

12

Lorsque je revis Fabien dans les couloirs, le lendemain après-midi, il me salua. Il me proposa de prendre un thé chez lui, avec Jérémie et Guillaume, qui ne tardèrent pas à nous rejoindre. Comme nous, ils avaient du mal à se concentrer sur autre chose que sur les meurtres. Nous étions stressés. Finalement, Fabien proposa de jouer aux cartes. Cela permettait, disait-il, d'évacuer le stress et de penser à autre chose. Je l'observai, pour tenter de déceler un signe de déséquilibre, mais il semblait parfaitement calme, égal à lui-même, juste un peu fatigué.

Quelques jours plus tard, je me décidai à pousser la porte du Centre tantrique, dans le treizième arrondissement à Paris. Je n'avais pas dit au professeur Maarek que j'avais poursuivi mes recherches sur Louise Sorias. Je brûlais d'en savoir davantage sur ses activités dans le domaine du tantrisme, au sujet duquel j'avais lu quelques brochures : cette philosophie indienne qui mettait en relation le corps et l'esprit, se rapprochait d'une forme de yoga, et pensait le rapport homme-femme comme une dynamique dont le but était l'extase à travers la maîtrise de la sexualité. Cela avait changé la vision que j'avais d'elle. Ce que je prenais pour de la fragilité était sans doute une forme de timidité, voire de personnalité traumatique, qu'elle avait soignée grâce aux stages de développement personnel, avant de se mettre à enseigner dans ce domaine. J'avais appelé le centre et je m'étais renseigné sur les horaires des cours. Le séminaire, ouvert à tous, consistait à « renaître à soi par l'apprentissage de la sexualité ».

Évidemment, cet intitulé m'avait beaucoup troublé, moi qui n'avais aucune expérience en ce domaine. J'en concevais une sorte de honte qui ne rendait pas simples mes relations avec les filles. À plus de vingt-trois ans, je me rendais bien compte que ce n'était pas « normal ». Heureusement, à Ulm, le sexe n'était pas le sujet de nos discussions quotidiennes, et mon savoir théorique en la matière, à travers les ouvrages que j'avais lus, faisait très bien l'affaire. J'étais capable de faire illusion, et de cacher ma honte de n'avoir jamais connu de femme, au sens biblique du mot.

J'entrai alors dans une salle à demi obscure, éclairée par des bougies, où flottait une forte odeur d'encens. Une musique indienne scandait un rythme lancinant. Une statue de la déesse Shiva, dans un coin de la salle, reflétait les petites bougies posées devant elle. Je me déchaussai. Une vingtaine de personnes étaient là, assises en tailleur, dans une atmosphère de silence et de recueillement. Certaines étaient couchées, d'autres en position du lotus, ou les jambes allongées. Je me glissai vers un coin de la salle, où je pris place, en toute discrétion. Enfin je la vis : Louise Sorias était vêtue d'une tunique sombre sur un pantalon ample. Je fus stupéfait de constater qu'elle n'était pas seule : Guillermo, le serviteur du professeur Maarek, l'accompagnait. Que faisait-il ici, et qui était-il en réalité ? Elle s'assit en tailleur, et prit une inspiration avant de se lancer dans un discours sur l'initiation au tantrisme, d'une voix douce et posée, qui me berçait. Guillermo s'était assis à côté d'elle, dans la même position.

– Nous ne sommes pas nombreux à pratiquer cette discipline, dit-elle. Pourtant, je puis vous assurer qu'elle va se développer, à l'avenir. Nous sommes arrivés au bout de la sexualité pornographique. Nous avons besoin de retrouver l'humanité de la caresse. Il s'agit simplement d'aller à la rencontre de soi-même. Lorsque nous vivons la joie au quotidien, nous pouvons alors œuvrer au développement de la conscience et de l'amour du monde. Dans ce cadre, la sexualité est à la base de l'énergie vitale. Le tantrisme, tel que nous allons le pratiquer, va vous permettre d'accéder à la partie divine de vous-même, à travers la relation sexuelle. Je vous demanderai donc, dès à présent, de former des couples, soit avec la personne qui vous accompagne, soit avec quelqu'un d'autre, présent dans la salle.

Je ne comprenais ni le sens exact de ce discours, ni où elle voulait en venir, jusqu'au moment où elle nous demanda d'accomplir les exercices qui allaient nous guider dans la voie de la félicité sacrée et de l'extase.

Une jeune femme d'une trentaine d'années s'approcha, et me sourit. Elle s'allongea devant moi. De plus en plus mal à l'aise, je ne savais quels gestes elle attendait, ni si j'allais comprendre ce qu'il fallait faire.

– Le Hiéros Gamos, l'Union sacrée ou Mariage divin, est l'union du masculin et du féminin, par la relation sexuelle qui devient sacrée, poursuivit Louise Sorias. Ce rite nous vient de pratiques consacrées à la déesse Isis. Ce mariage est cosmologique. De lui dépend la destinée de l'univers et le bonheur des hommes. L'amour est fort comme la Mort, inflexible comme l'Enfer, dit le Cantique des Cantiques, qui est inspiré des chants d'amour des tablettes cunéiformes que l'on a retrouvées à Sumer.

« Le premier principe, c'est qu'il n'y a pas de séparation entre le corps et l'esprit. Connaître l'amour, c'est vivre l'amour. Vivre l'amour, c'est aimer. C'est la raison pour laquelle nous allons tenter ici de nous rapprocher de notre être essentiel, de notre base physique et métaphysique, de rassembler le corps et l'esprit qui sont un. Il n'y a pas de différence entre le monde minéral, végétal, animal et humain. La Création est une. Dans le monde, tout est lié. Tout obéit à une même loi qui est la loi du monde. La Vérité est une.

Je suivis ses indications, et commençai à masser ma partenaire sur le ventre, en effectuant des gestes circulaires. J'étais maladroit, horriblement gêné de me trouver dans cette situation avec une inconnue. Je n'aurais jamais pensé vivre un jour une initiation sexuelle dans un cours magistral... J'avais peur que les autres me regardent, et surtout que Louise Sorias me reconnaisse. Lorsqu'elle nous demanda de poursuivre le massage sur les seins, qui représentaient selon elle la féminité et la fécondité, je manquai de défaillir.

– La Vierge, dit Louise Sorias, est souvent représentée en train d'allaiter. Pourquoi à votre avis, Jésus, enfant, est-il si souvent figuré en train de prendre le lait de sa mère ? La Vierge Marie est en fait une figure de la déesse Isis. Car c'était Isis qui, dans l'Antiquité, était représentée en train d'allaiter son fils Horus.

J'aurais voulu m'enfuir. Mais je me serais fait remarquer. Elle se douterait alors que je n'étais pas là par hasard.

Notre instructrice se leva et commença à passer doucement entre les couples. Elle arriva près de nous, et soudain, elle me vit. Son regard, d'abord surpris, se figea. Elle se dirigea vers Guillermo et lui murmura quelque chose à l'oreille. Aussitôt, celui-ci se leva et vint vers moi.

– Señor Joachim, murmura-t-il, je vais vous raccompagner à la porte.

Devant sa carrure, je compris qu'il n'était pas question de lui dire non.

Je le considérai un instant, il avait l'air soucieux. Je lui fis un signe de tête, me levai et quittai la salle, en m'interrogeant sur les liens qui existaient entre Louise Sorias et le professeur Maarek, et quel rôle jouait l'étrange Guillermo.

13

J'étais venu chercher le professeur Maarek à son domicile. Je voulais lui parler de mon excursion au Centre tantrique, avant que Louise le fît. J'avais promis de l'accompagner dans sa marche quotidienne.

Elle ne tarda pas à descendre, et nous entreprîmes de déambuler dans les avenues du Champ-de-Mars. Entre l'avenue Gustave-Eiffel qui sépare le parc de la tour Eiffel au nord, et l'avenue de La Motte-Picquet qui le borde au sud, le Champ-de-Mars s'étendait en longueur, comme un vaste quadrilatère à partir duquel la célèbre tour prenait son envol vers le ciel. Il y avait là toute une vie, qui témoignait d'une atmosphère paisible. Les parents et les nourrices y emmenaient les enfants après l'école. Les touristes s'y promenaient avant d'aller visiter la tour Eiffel. En été, les gens y pique-niquaient. Mais le professeur Maarek avait l'air tendu. Je lui parlai de Fabien, de la conversation que j'avais surprise la veille, dans ma thurne. Lorsque je lui révélai que j'avais vu de l'encens chez lui, je la vis se troubler.

Par gêne ou par honte, je ne parvins pas à lui raconter mon intrusion au Centre tantrique, ni à lui demander si elle savait pourquoi Guillermo y officiait avec Louise. Je lui fis un rapport sur le codex, ce que j'en avais vu, et le soin avec lequel il était couvé afin de parvenir à sa restauration et son décryptage. Je lui racontai également l'épopée de Cosmas, la façon dont il avait sauvé le codex de la destruction, jusqu'à son arrivée à Saint-Sabas.

– C'est Cosmas qui a écrit son histoire ? me demanda-t-elle.

– Oui.

– C'est lui qui a effacé le texte originel, celui qui nous intéresse… ! Il faudrait savoir pour quelle raison il l'a fait.

Je me mordis les lèvres. J'avais omis de le demander à Ambroise Flamant. Mais comment réparer cette erreur ? J'avais eu la chance de rencontrer le conservateur, je ne pouvais pas retourner là-bas tous les jours, sous prétexte que je faisais une vague thèse sur les codex, sujet sur lequel je ne connaissais rien, par ailleurs.

Après plusieurs tours du grand jardin, le professeur Maarek m'invita chez elle. Nous sonnâmes à la porte, et Guillermo nous ouvrit. Il m'accueillit d'un « Señor Joachim » très neutre, prit ma veste et la rangea. Chaque fois que je lui rendais visite, il était là. Pendant un instant, je me demandai s'il ne vivait pas chez elle.

Le professeur Maarek s'assit à son bureau, sur lequel l'attendait une épaisse pile de copies. Elle me conseilla de relire le texte que nous devions commenter ensemble :

Rentre en toi-même et examine-toi. Si tu n'y trouves pas encore la beauté, fais comme l'artiste qui retranche, enlève, polit, épure, jusqu'à ce qu'il ait orné sa statue de tous les traits de la beauté. Retranche ainsi de ton âme tout ce qui est superflu, redresse ce qui n'est point droit, purifie et illumine ce qui est ténébreux, et ne cesse pas de perfectionner ta statue jusqu'à ce que la vertu brille à tes yeux de sa divine lumière, jusqu'à ce que tu voies la tempérance assise en ton sein dans sa sainte pureté.

Mon esprit vagabonda, sans que je parvienne à me concentrer sur le texte. Dans le chapitre 8 de la *Vie de Plotin*, Porphyre décrivait la façon de travailler qu'appliquait son maître : Plotin ne se relisait jamais. Il examinait le sujet « dans son âme », et écrivait ce qui était déjà inscrit en lui. Sa concentration intellectuelle était due sans doute à sa présence à lui-même et aux autres. C'était tout ce qui me manquait, en ce moment où j'étais préoccupé par cette étrange affaire. Je repensais à la séance de tantrisme, à ce qu'avait dit Louise Sorias concernant la hiérogamie. La sexualité était-elle sacrée ? Était-ce pour cette raison que je ne m'y risquais pas ? Que se serait-il passé si elle ne m'avait pas vu ? Jusqu'où serions-nous allés ?

– Vous n'êtes pas concentré, Joachim. Vous pensez à la même chose que moi, dit le professeur Maarek. Le codex.

– Puis je tenter quelque chose ? demandai-je au professeur Maarek en désignant son ordinateur.

Elle me fit signe que oui. J'ouvris une fenêtre pour me connecter sur Internet. Dans la fenêtre Google, je tapai : *Ambroise Flamant, conservateur*. Plusieurs pages s'affichèrent. Ambroise Flamant était sur Eureka, site réservé aux paléographes, qui donnait des informations sur des sujets spécialisés concernant les manuscrits anciens. Dans l'une des notes affichées sur son profil, je retrouvai ce que j'avais aperçu auparavant, au cours de mes recherches sur lui. Il était « ami » avec la jeune paléographe stagiaire qui travaillait avec lui et dont j'avais aperçu le visage masqué à la BNF : Maud Simon.

– Ce doit être l'une des jeunes femmes qui s'occupaient du codex à la BNF. C'est avec elle qu'il faut entrer en relation, dis-je. Il sera beaucoup plus facile de lui parler.

– Comment ?

– Par Facebook. Il suffit de créer un profil pour vous.

– Avec mon nom ? Ma photo ? Cela va lui paraître étrange…

– Vous avez raison, dis-je. On va utiliser le mien.

Dans la fenêtre de mon profil, j'inscrivis le nom de la stagiaire : Maud Simon. Quelques secondes plus tard, la page de l'intéressée apparut, avec sa photo, ainsi que des informations sur sa formation à l'École des Chartes, ses travaux récents, ses centres d'intérêt, ses hobbies, ses photos de vacances, ses dernières sorties, ce qu'elle aimait et ce qu'elle avait détesté.

Maud Simon avait des goûts raffinés et plutôt pointus. Elle aimait Maria Callas, Mahler, Chet Baker, et Muse. Ses films préférés étaient *Moulin Rouge* et *Two Lovers*. Ses livres de référence, *Belle du Seigneur* et *Lettres à Nelson Algren*, de Simone de Beauvoir. Elle était auditrice d'Arte Philosophie et France Culture, amie de beaucoup d'organisations culturelles, tels la Biennale de Venise, la Triennale de Milan, le Collège international de Philosophie, la Fondation Cartier pour l'art contemporain, la Galerie Emmanuel-Perrotin. Elle aimait Akira Kurosawa, Gilles Deleuze, Jacques Derrida, Yves Bonnefoy, Alice Ferney, dont elle citait le dernier livre, *Cherchez la femme*. Sur son mur, elle affichait des peintures, des sculptures, des photos de villes, de films en noir et blanc, des photos d'Anouk Aimée et de Sophia Loren, des réflexions sur le silence, des extraits de films d'Antonioni, qu'elle adorait, et des citations que j'aimais, comme celle du poète William Blake :

Voir le monde dans un grain de sable
Et le paradis dans une fleur sauvage
Tenir l'Infini dans le creux de sa main
Et l'éternité dans une heure.

Elle participait à des séminaires tels que « Émotion et connaissance : l'esthétique de Wittgenstein », ou « Pasolini et le fascisme des sociétés de consommation ». Les remarques qu'elle notait sur son mur avaient trait exclusivement à des discussions sur des peintres, des expositions, des photographes et aussi sur le jazz, dont elle semblait une véritable spécialiste. Elle-même jouait du piano, et s'exprimait d'une façon élégante et recherchée. Elle était également passionnée de nutrition, comme en témoignaient les liens qu'elle affichait régulièrement au sujet des dangers des céréales, des toxines, des glucides. En remontant plus haut sur ses publications anciennes, je tombai sur des photos d'elle déguisée, ou dans des soirées tristes de l'École des Chartes qui n'avaient rien à envier à celles que nous organisions à Ulm. Il y avait des images d'elle devant des monuments, des villes d'Europe, telles que Budapest, Rome ou Berlin, des chutes d'eau, et puis des photos d'elle jouant au billard, ou à Londres, à la campagne, avec des chèvres.

Derrière son masque, je n'avais pu voir son visage. Elle était jolie avec ses cheveux châtains, ses grands yeux bleus et son sourire charmant. Son air rêveur de chercheur-conservateur perdu dans ses manuscrits. Je la demandai en amie, puis lui envoyai un message dans lequel je déclinai mes titres, et lui demandai si c'était bien elle qui s'occupait du fameux codex.

– À présent, êtes-vous prêt à revenir à notre cher Plotin ? demanda le professeur Maarek.

Quelques heures de travail plus tard, lorsque je me reconnectai à Facebook, je vis apparaître la réponse de Maud Simon. Elle était disposée à échanger avec moi.

- J'aurais voulu avoir un renseignement au sujet du codex sur lequel vous êtes en train de travailler avec le conservateur Ambroise Flamant, répondis-je aussitôt.

La réponse ne tarda pas :

- Oui, en effet, je me souviens de vous… Que voulez-vous savoir au juste ?

- Savez-vous quand a été écrit le manuscrit et comment ?

- Nous avons expertisé le premier folio en l'examinant à la lampe à ultraviolets, et nous avons pu décrypter une date au bas de la première page.

- Un colophon ? me suggéra d'écrire Elsa Maarek.

- Exactement. Il indiquait le 12 avril 6737.

- Selon le calendrier orthodoxe, ai-je tapé, sous la dictée d'Elsa Maarek. Au XIIIe siècle, on datait encore depuis l'origine du monde. Il faut donc soustraire 5508 ans…

- Ce qui correspond au 12 avril 1229. Le scribe a dû écrire sur le codex, à cette date.

– Le 12 avril, murmura Elsa Maarek, c'est la date du meurtre de Robert Sorias.

- Et vous avez trouvé un nom sur le colophon ?

- Oui. Cosmas.

– Le croisé qui s'est retiré au monastère de Saint-Sabas, dans le désert de Judée, près de Jérusalem ?

– En effet, celui qui raconte son histoire.

– Voilà qui est étrange ! Sauver un manuscrit des flammes, l'apporter en Terre sainte, se retirer dans un monastère, tout ça pour l'effacer ensuite...

– C'est curieux, en effet.

Les liens étaient faciles à établir sur Internet. Le contact en deux clics. C'était déconcertant. Derrière un écran, les gens se sentaient en sécurité, et donc beaucoup plus enclins à faire des confidences ou à nouer des liens qui semblaient impossibles dans la vie. Plotin avait déjà entrevu la force de la présence immatérielle, à laquelle aspire la présence des corps. Plusieurs corps particuliers dans une nature immatérielle : voilà ce que proposait le monde virtuel, monde plotinien par essence, puisqu'il permettait aux âmes de converser, et de faire abstraction de leur enveloppe corporelle, afin de se préoccuper uniquement d'elles-mêmes. Bref, l'écran opérait comme une purification ou une conversion qui donne accès à l'essence. Internet représentait en soi une expérience philosophique qui permettait de faire converger les regards. Ou était-ce un pur mensonge ?

– Y a-t-il un moyen de savoir pour quelle raison Cosmas a effacé le manuscrit ? demandai-je.

– La seule façon de le savoir, c'est de consulter les Archives du monastère, répondit Maud Simon.

– Qui se trouvent où ?

– Au monastère de Saint-Sabas, précisément !

14

L'École était désertée, depuis l'annonce du deuxième meurtre. Mes parents m'avaient appelé à deux reprises pour me demander de venir à Caen, le temps que la police fasse son enquête, mais j'avais refusé. Je n'avais aucune envie de quitter l'École, et encore moins d'habiter chez eux. Je croisai Guillaume et Jérémie dans le couloir. Ils avaient fait des courses pour dîner dans leur chambre. Ils n'avaient pas le cœur à partager les discussions du Pot sur les meurtres.

Je ne m'étais jamais senti autant chez moi que dans cette enceinte, à cet endroit, dans cette thurne. J'eus tôt fait de me connecter à Facebook pour poursuivre la conversation entreprise avec la jeune stagiaire en codicologie. J'appris alors que Maud Simon était très heureuse d'avoir décroché ce stage de fin d'études auprès de la sommité qu'était Ambroise Flamant. Je me pris à regarder ses photos, que j'affichai en grand sur mon écran. Elle était vraiment ravissante avec ses yeux clairs, sa bouche charnue et ses cheveux coupés au carré avec une frange.

Nous parlâmes de codex, d'Écoles, de latin et de grec, et peu à peu, l'air de rien, je l'amenai sur le terrain qui nous intéressait, à savoir : le décryptage du fameux codex. Elle m'expliqua que pour le palimpseste, à cause des moisissures et de la modification de la composition chimique, l'opération s'avérait plus compliquée que prévu.

– Avez-vous pu commencer à lire le texte originel ? demandai-je.

– Nous avançons à petits pas, avec beaucoup de précautions. Heure après heure, jour après jour, j'imagine le bord du codex brûlé, comme léché par les flammes, et les folios parsemés de gouttelettes de cire, tombées au moment de la prière que les moines récitent à la lueur des chandelles... C'est très violent.

– Violent ?

– Pour une paléographe, c'est presque insoutenable de déchiffrer un texte, en se disant qu'il a été effacé, qu'on a gratté le manuscrit pour récrire dessus. Ambroise Flamant est très angoissé. Imaginez, c'est un collectionneur, un amateur de manuscrits anciens. Ce moine copiste, Cosmas, est un vrai meurtrier !

Je frissonnai devant l'emploi métaphorique qui avait pris soudain une consistance matérielle pour moi.

– Je conçois que ce peut être difficile pour vous, en effet.

– Oh, ça va, je m'en remettrai. J'ai déjà vu pire. J'ai eu récemment à transcrire un livre d'heures du XVe siècle, en latin et en français, dans un très mauvais état. Il était calligraphié et enluminé sur vélin mais il manquait des folios. Des miniatures avaient été grattées, ou même arrachées. Le rognage des pages était ancien, on voyait des coupes sur les enluminures. Bref, un vrai crève-cœur ! Là, on ne sait pas encore. Rien ne dit que le texte au-dessous soit important.

- Quand le saurons-nous ?

- Quand l'équipe multispectrale aura fini son travail.

- L'équipe multispectrale ! On se croirait dans *Star Trek*.

- On n'en est pas loin. Nous sommes le Star Trek qui voyage dans le temps.

- Puis-je vous poser une petite question ?

- Je vous en prie, cher collègue normalien.

- La photo sur la page d'accueil, est-elle fidèle à ce que vous êtes ?

- Les photos ne sont que des simulacres de vérité, vous le savez bien. Mais pourquoi cette question ?

- Juste pour savoir de quoi vous avez l'air. Cela me permet de vous imaginer, au fond de ma caverne.

Je ne pus m'empêcher de sourire, avant de lui envoyer d'autres questions sur ce ton qui me plaisait autant qu'il me mettait mal à l'aise. Ainsi j'appris que Maud vivait dans un appartement de la rue Gay-Lussac, mitoyenne à la rue d'Ulm, qu'elle partageait avec trois autres chartistes. Elle allait nager à la piscine Jean-Taris, et bien qu'elle fût parisienne, elle rêvait de l'air de la campagne, de l'ambiance de paix et de tranquillité qui manquait à la grande ville. Elle avait du mal à supporter le bruit des voitures, les embouteillages, la pollution. En se réfugiant dans les bibliothèques et les manuscrits, elle avait l'impression de s'évader de ce réel qui l'oppressait. Elle aimait l'art contemporain, allait souvent dans des expositions, et bien entendu passait beaucoup de temps chez les bouquinistes, pour tenter de découvrir l'édition originale, la perle rare, perdue au milieu d'une bibliothèque rachetée par le libraire.

En consultant les profils des amis de Maud Simon, je m'aperçus que la plupart étaient des élèves de l'École des Chartes. Certains étaient professeurs de français, latin et grec. D'autres archivistes, paléographes, conservateurs dans les musées nationaux. La grande École française qui faisait partie des bâtiments de la Sorbonne, dans le Quartier latin, délivrait des diplômes en sciences auxiliaires de l'histoire. Les élèves, comme à Ulm, recrutés par un concours sélectif qui portait essentiellement sur les langues anciennes, préparaient leur thèse à l'École. Mais je ne connaissais personne parmi ses amis. Il existait peu de liens entre les chartistes et les normaliens. Bien que les deux écoles de l'État ne fussent pas éloignées géographiquement l'une de l'autre, les élèves ne se fréquentaient pas. Les normaliens se destinaient plutôt à l'enseignement, la recherche ou le haut fonctionnariat, les chartistes à la paléographie et la conservation des musées. Les Ulmiens méprisaient un peu les chartistes, tout comme ils regardaient de haut les normaliens fontenaisiens, car le concours le plus difficile, celui qui exigeait autant d'intelligence que de connaissances, était bien sûr celui de l'entrée à Ulm. Pour les Ulmiens, l'École des Chartes sélectionnait d'excellents traducteurs de grec et de latin. Quant à Fontenay-Saint-Cloud, c'était bon pour ceux qui n'étaient pas capables d'avoir Ulm. C'est pourquoi je profitais de l'admiration et du prestige que ma qualité de normalien de la rue d'Ulm revêtait aux yeux de la jeune paléographe. C'était sans doute pour cette raison, pensai-je, qu'elle me parlait aussi librement du travail qu'elle effectuait sur le codex. C'est ainsi que l'on commet les plus grandes erreurs : par vanité.

– Nous avons pu identifier un signe, toutefois, dit Maud. Quelque chose qui revient souvent dans ce mystérieux texte originel.

– Lequel ?

– En fait, il est facile à décrypter car il s'agit d'un nombre.

– Laissez-moi deviner ? Il s'agit de 3,14.

– Exactement.

– Qui à l'époque ne s'appelait pas encore Pi.

15

Je regardai devant moi le Grand Palais aux contours arrondis, majestueusement posé en bas des Champs-Elysées. Si le professeur Maarek avait choisi cet endroit pour me donner rendez-vous, c'était bien entendu par discrétion, elle avait un message à me transmettre. Le Palais de la Découverte appartenait à un vaste programme mis en place pour l'Exposition Universelle de 1900. L'idée d'en faire un palais des sciences avait été conçue plus tard, afin de « rendre manifeste la part déterminante que la Science a prise dans la création de notre civilisation ». À présent, ce bâtiment abritait une partie relative à l'astronomie, aux sciences de la vie, aux mathématiques, une salle d'exposition, et une autre plus petite, au premier étage, dite salle du Pi, dans laquelle le professeur Maarck m'avait donné rendez-vous. Sur les murs de cette salle circulaire, était gravée en grand une longue, très longue, série de décimales qui composaient Pi.

J'étais en avance. J'observai pendant un moment les 704 décimales peintes sur le mur. Je jetai un coup d'œil aux panneaux qui se proposaient de donner quelques points de repère sur l'aventure de Pi, depuis Babylone jusqu'aux derniers records de calcul du nombre.

«*L'aventure mathématique*, pouvais-je lire, *a commencé il y a au moins quatre mille ans et se poursuit encore aujourd'hui. Depuis l'Antiquité, les mathématiciens ont été convaincus qu'il existait un rapport constant entre le périmètre du cercle et son diamètre, ainsi qu'entre l'aire du disque et le carré du rayon. Des tablettes babyloniennes datant de 2 000 ans av. J.-C. et découvertes en 1936 présentent des calculs d'aire conduisant à une valeur approchée de Pi. Découvert en 1855, le papyrus de Rhind contient le texte, recopié vers l'an 1650 avant notre ère par le scribe égyptien Ahmès, d'un manuel de problèmes pédagogiques plus ancien encore. On y trouve une méthode pour évaluer l'aire d'un disque en prenant le carré dont le côté est égal au diamètre du disque diminué d'un neuvième. Cette méthode conduit à une évaluation de Pi de* $^{256}/_{81}$.»

Je m'intéressai au passage concernant la mémorisation du mystérieux nombre, qui était pour certains comme un sport de haut niveau. Je vis avec stupéfaction que, partout dans le monde, des mathématiciens s'efforçaient de réciter le maximum de décimales qui le composaient. Savoir par cœur le nombre record de décimales de Pi était même une obsession pour certains. On aurait dit une religion, avec des adeptes, des aficionados, et même des officiants et des prêtres. À Oxford, un jeune autiste Asperger, Daniel Tammet, avait récité 22 514 décimales en 5 heures, 9 minutes et 24 secondes. Un ingénieur japonais retraité avait réussi à énoncer 100 000 décimales de Pi en 16 heures. Mais le record de mémorisation reconnu par le Guinness des records était de 67 890 chiffres, détenu par Lu

Chao, un jeune diplômé chinois, à qui il fallut 24 heures et 4 minutes pour réciter les 67 890 premières décimales de Pi sans erreur. Il existait aussi plusieurs méthodes mnémotechniques, parmi lesquelles on trouvait des chansons ou des poèmes sur divers thèmes. Le nombre de lettres de chaque mot correspondait à une décimale, les mots de dix lettres représentant un 0.

Je m'approchai d'un panneau où était affiché :

Que j'aime à faire apprendre un nombre utile aux sages !
Immortel Archimède, artiste, ingénieur,
Qui de ton jugement peut priser la valeur ?
Pour moi ton problème eut de pareils avantages.
Jadis, mystérieux, un problème bloquait
Tout l'admirable procédé, l'œuvre grandiose
Que Pythagore découvrit aux anciens Grecs.
Ô quadrature ! Vieux tourment du philosophe
Insoluble rondeur, trop longtemps vous avez
Défié Pythagore et ses imitateurs.
Comment intégrer l'espace plan circulaire ?
Former un triangle auquel il équivaudra ?
Nouvelle invention : Archimède inscrira
Dedans un hexagone ; appréciera son aire
Fonction du rayon. Pas trop ne s'y tiendra :
Dédoublera chaque élément antérieur ;
Toujours de l'orbe calculée approchera ;
Définira limite ; enfin, l'arc, le limiteur
De cet inquiétant cercle, ennemi trop rebelle
Professeur, enseignez son problème avec zèle.

– Vous aimez ce poème ? dit une voix grave et mélodieuse, derrière moi.

Le professeur Maarek était là, le regard aiguisé derrière ses lunettes. Habillée comme à son habitude avec élégance, d'un tailleur noir ravivé par l'éclat d'une pochette rouge, elle observa la salle où étaient affichées toutes les décimales du nombre sacré.

– Nous avons rendez-vous avec le commissaire Masquelier, dit-elle.

– Où en sommes-nous ?

– Comment voulez-vous qu'ils comprennent quelque chose à ces meurtres rituels, dont chaque élément renvoie à un mystère ? Au fur et à mesure que l'enquête progresse, le mystère s'épaissit.

– Vous lui avez fait part de nos dernières conclusions ?

– Je lui ai dit que les meurtres étaient sans aucun doute liés à la mise au jour d'un vieux codex, que Sorias et Andrieux auraient eu entre les mains. Tenez, justement, le voilà !

Le commissaire Masquelier arriva, l'air soucieux.

– Pourquoi ici, professeur ? demanda-t-il, après nous avoir salués. Je suis venu ici plusieurs fois, c'est sympathique, mais…

Il sortit de sa veste l'un de ses portables dont il neutralisa la sonnerie.

– Pour ne pas nous retrouver dans l'enceinte de l'École, où tout se sait, répondit le professeur Maarek. L'efficacité de notre enquête tiendra aussi à notre parfaite discrétion qui va permettre de recueillir des informations auprès de tous, sans soulever de méfiance. Et puis, en réfléchissant au problème de Pi, l'autre soir, il m'est venu une petite idée. … Vous les voyez, autour de vous, ces chiffres, commissaire ?

– Oui ?

– Ce ne sont pas simplement des chiffres. Ils représentent

quelque chose que l'esprit humain a beaucoup de mal à appréhender. Pour dire les choses de manière simple, il s'agit de la relation entre la droite et le cercle. Les Grecs ont pressenti l'existence de ce mystère à l'abri duquel le monde existe. Et cette idée a remis en cause leur polythéisme. Dès qu'ils ont commencé à y penser, ils se sont mis à rechercher… l'Un. Comme Platon, comme Plotin…

– L'Un ? demanda le commissaire, en haussant les sourcils.

– L'Un : le principe unique, celui qui gouverne le monde. Celui qui préside à tout. L'Un qui est un chiffre. « Que nul n'entre ici s'il n'est géomètre », disait Platon pour signifier l'importance de la géométrie dans sa métaphysique.

– L'Un, ou la relation entre la droite et le cercle ? demanda Masquelier.

– C'est là que réside le secret de l'univers. Le nombre Pi exprime la relation entre le rayon et la circonférence. On sait que cette relation est réelle et qu'elle existe, qu'elle est le secret des formes du monde, mais on ne peut pas la chiffrer, c'est un innommable. Or Pi, puisqu'il s'agit de lui, jusqu'à preuve du contraire est un nombre Univers, c'est-à-dire que ses décimales s'étendent de façon aléatoire jusqu'à l'Infini.

– Je vous suis, dit le commissaire. Les scientifiques s'amusent à calculer les décimales avec l'aide de nouveaux logiciels.

– Cette course vers l'Infini est seulement limitée par la capacité de notre technologie à calculer toujours plus.

– Ainsi la course aux décimales de Pi serait une course vers l'Infini ? dit le commissaire, en considérant la succession des chiffres tracés sur le mur, tout autour de nous.

– Oui ! dit-elle avec un petit sourire. Une preuve de l'existence de l'Infini. L'Infini : le concept est si puissant, si bizarre, si contraire à l'intuition humaine qu'il a été source de peine, de folie et peut-être même de meurtres. Les conséquences de cette découverte ont eu les effets les plus profonds sur la science, les mathématiques et surtout la religion.

– Moi je ne crois ni en Jésus, ni en Pi, affirma le commissaire.

Le professeur Maarek le regarda, l'air amusé. Il n'en fallait pas plus pour réveiller la torpille.

– Vous croyez ? dit-elle.

– J'ai été baptisé mais c'est tout.

– Donc vous croyez, commissaire. Vous croyez que vous ne croyez pas.

– En effet ! dit-il, l'œil sombre. Bien… nous avons mis en place un profiling de victime. Ainsi qu'un dispositif de surveillance de tous les profs de Normale Sup…

– Et les élèves ?

– Nous ne pouvons pas tous les surveiller, professeur Maarek. Nous parlons ici d'une centaine d'étudiants en maths à Ulm, dont une vingtaine en algèbre, qui semble être la discipline concernée.

– Alors il va falloir faire évacuer l'école. C'est désormais une question de vie ou de mort. J'ai la conviction que le meurtrier ira jusqu'au bout de son idée. Je persiste à penser qu'il procède d'une façon systématique, rationnelle, et calculée avec une précision infernale. Je peux même vous dire que la prochaine victime portera ce numéro, ajouta-t-elle en désignant le chiffre tracé en grand sur le mur, au-dessus de nos têtes. *Le chiffre 3.*

16

Du Palais de la découverte, le professeur Maarek et moi avons marché ensemble jusque chez elle. J'aimais ces longues promenades durant lesquelles elle me parlait d'égal à égal. Devant elle, je ne me sentais pas mal à l'aise.

Les pensées répondent aux lieux, les idées ne sont pas de pures abstractions : elles sont toujours incarnées, par une saveur, une odeur, ou une situation bien particulière. Sur le pont Alexandre-III, je demandai au professeur Maarek qui était le Roi du Monde et pourquoi on retrouvait ce nom dans toutes les religions pour désigner Dieu : que ce soit Zeus, Jésus, Mithra, ou le Dieu des juifs au nom imprononçable. Elle me répondit qu'en effet, ce nom était rattaché depuis toujours au Principe divin. Devant la tour Eiffel, elle me parla du roi Melkitsedeq, désigné dans la tradition judéo-chrétienne comme le Roi du Monde. On dit qu'il était sans père ni mère, que sa vie n'avait ni commencement ni fin, mais qu'il réunissait le pouvoir royal et le pouvoir sacerdotal, il était le Législateur primordial et universel, qui régnait sur tout. Ainsi le Roi du Monde n'était-il pas une personne humaine mais un principe, une Intelligence qui gouverne le monde. Le *Nous*, comme le disaient les Grecs. C'est la raison pour laquelle il existait dans tous les lieux, toutes les époques. Il régissait les peuples et bâtissait les villes.

– Cela correspond tout à fait à l'idée que l'on se fait de Pi ! remarquai-je. Et si Pi était le dieu que tous recherchent, sans parvenir à le trouver ?

Devant l'esplanade des Invalides, elle me répondit que Pi était à la fois prêtre et roi, comme Melkitsedeq :

– Si l'on reprend l'idée de Pi, celui-ci règne sur tout, c'est-à-dire que l'on ne peut pas éviter de se soumettre à sa loi, celle qui définit le rapport entre le cercle et la droite. De plus, il est prêtre, car il indique aussi ce qui doit être, c'est-à-dire qu'il est le législateur universel et primordial. C'est la fonction ordonnatrice du Roi du Monde, ajouta-t-elle, relative à l'immutabilité du Principe suprême.

– Et le christianisme dans tout cela ? demandai-je.

– La religion qui occupait la place centrale dans tout le bassin méditerranéen, à l'époque de Jésus, était le culte de la déesse égyptienne Isis. C'est pourquoi, à l'origine, le christianisme avait un caractère initiatique. Le christianisme a beaucoup emprunté à l'isisme : la résurrection, le culte marial viennent directement de là. On pourrait tout à fait le rapprocher des religions à mystères. Il en reste des traces, d'ailleurs, comme la communion. Le pain, le vin sont des éléments qui évoquent les libations. Dans les premiers temps, le christianisme était réservé à une élite mystique de hiérophantes, dont Jésus était l'initiateur, le maître de cérémonie de la Cène, si vous voulez. Ce n'est que bien plus tard qu'il a été divinisé et que le christianisme a été détourné par l'Église, ce que le Concile de Nicée n'a fait qu'entériner. Les mystères sont devenus des dogmes… La Vierge a remplacé Isis qui représente la femme amoureuse, la mère qui allaite son enfant. Elle représente aussi la sexualité, l'amour et le plaisir, mais aussi la nature, et la sagesse.

– C'est si vaste !

– Non… Cela pourrait se résumer en un seul mot : la féminité.

– Pourquoi la religion d'Isis a-t-elle décliné ?

– Le christianisme a combattu cette religion trop féminine, et féministe, qui mettait de plus le sexe au cœur du Divin, avec la pratique probable de la Hiérogamie héritée des Sumériens. Dans l'histoire d'Isis, la résurrection est une métaphore de l'érection.

– Incroyable pour une religion…

– Mais vous le savez, Joachim, la sexualité reste une des valeurs essentielles de l'existence humaine.

Elle s'arrêta un instant, se reposa sur sa canne, et me considéra d'un air bizarre, au point que je me demandai si elle avait deviné mon inexpérience dans ce domaine.

– C'est dans l'âme que le désir trouve sa vraie place, par exemple, lorsque l'on tombe amoureux, on est transporté bien au-delà d'une simple inclination physique. Vous comprenez ce que j'entends par là ?

– Oui…, dis-je, même si je n'y entendais rien.

– Je parle de la dissolution du moi, dans la relation érotique, la volupté où il s'abolit. Ou encore de la caresse, poursuivit Elsa Maarek. Est-ce la chair ou l'esprit ? Est-ce que je me fais chair pour fasciner Autrui, comme le dit Sartre ? « Laisser couler sa main le long de son corps, la réduire à un doux frôlement presque dénué de sens », l'épanouissement des chairs l'une contre l'autre pour s'incarner l'un dans l'autre ? Ou au contraire, la caresse transcende-t-elle le sensible ? Une faim qui se creuse, comme si la caresse se nourrissait de sa propre faim. La caresse qui, comme le dit Lévinas, ne se saisit de rien, entre l'être et le ne-pas-être-encore. En ce sens, la caresse ne sait pas ce qu'elle cherche, et ce qui la définit, le pas-encore, la ramène à la féminité. Un jour, peut-être, vous comprendrez. C'est ainsi, l'enseignement, ajouta-t-elle d'un air léger, on sème… et parfois on ne récolte que plus tard.

Ce message me rappela la séance de tantrisme avec Louise Sorias. Le professeur Maarek savait-elle que j'y avais participé ? À cette idée, je me sentis rougir comme un enfant.

Lorsque nous arrivâmes enfin chez elle, troublé par ses propos, je m'installai dans son salon, mon ordinateur sur les genoux pour prendre des notes, pendant qu'elle parlait.

Guillermo nous servit du thé et des gâteaux croquants aux amandes, qu'il confectionnait lui-même, selon une recette ancestrale, disait le professeur Maarek.

– Ne croyez pas que la nourriture terrestre soit sans importance, dit-elle. Il existe deux façons totalement opposées d'envisager la vie humaine et, par suite, de l'organiser. La première est d'aller de l'esprit vers le corps, c'est-à-dire de choisir l'idée que l'on va matérialiser, ce que proposent la plupart des religions, comme le christianisme, avec l'incarnation. Dans ce cadre, ce sera le corps, d'une façon ou d'une autre, qui se pliera aux exigences de l'Idée. La seconde est d'aller du corps vers l'esprit : c'est-à-dire, par la pratique matérielle de la vie spirituelle, trouver le chemin qui conduit à l'idée, sans quitter le corps, mais par son truchement. Entre les deux, la question du sommeil et de la nourriture joue un rôle discriminant.

« Au fait, Joachim, ajouta-t-elle d'un air malicieux, en dehors de la mise au jour du motif de Pi, Maud Simon a-t-elle avancé sur le manuscrit du scribe Cosmas ?

– Oui, nous avons établi une correspondance, dans laquelle elle me livre les dernières nouvelles du codex. L'équipe d'imagerie multispectrale travaille jour et nuit pour tenter de séparer les deux textes du palimpseste, et d'extraire le texte originel. Ils avancent avec prudence, dans une grande tension, chaque faux pas menace l'intégrité du texte, car nous risquons de perdre une lettre ou un mot à tout jamais.

– Ce qui a survécu jusqu'ici est maintenant entre leurs mains, dit-elle.

– Nous en savons davantage sur l'histoire du manuscrit. Cosmas est donc arrivé à Saint-Sabas en 1205, une vingtaine d'années avant d'avoir effacé le codex. Le monastère a été bâti en 483, à même la roche, à quelques kilomètres au sud de Jérusalem. Il l'a quitté en 1229, et il est décédé à Jérusalem en 1230.

– Qu'est-ce qui a précipité son départ ?

– Comme l'a dit Maud Simon, ce n'est pas à Paris que nous aurons la réponse à cette question. Toutes les sources sont à Saint-Sabas. J'ai tenté d'appeler là-bas. Personne ne répond jamais. Ils n'ont évidemment ni site Internet ni bibliothèque en ligne.

– Il serait bon d'en apprendre davantage sur ce Cosmas, et sur ce qui s'est réellement passé au monastère de Saint-Sabas, murmura le professeur Maarek. Peut-être saurons-nous ce que dit cette légende qui circule au sujet du codex. C'est bien dans le désert de Judée, près de Jérusalem ?

17

Dans l'avion de la compagnie El Al qui me menait à Tel Aviv, j'étais tendu. Je n'étais jamais allé en Israël. Mais j'étais heureux de m'éloigner de la rue d'Ulm, et de la terreur qui commençait à me gagner. Le commissaire Masquelier avait conseillé à tous les élèves de rentrer chez eux, ou de partir en vacances, dans la mesure du possible.

Je n'avais pas beaucoup voyagé, dans mon enfance. J'avais passé mes premières vacances de normalien avec Guillaume, à Tübingen, en Allemagne, où Hölderlin avait composé ses poésies, et où Hegel était entré au séminaire lorsqu'il se destinait à la théologie. C'est là qu'il avait étudié la philologie, l'histoire, mais aussi la physique et les mathématiques, qui l'avaient passionné. Il se demandait alors comment parler du sacré, s'il était possible de le faire, ou s'il fallait le taire, comme le dirait plus tard Wittgenstein. Les véritables initiés parlent du sacré d'une façon métaphorique ou philosophique. Il me revint en mémoire ce poème intitulé « Éleusis », qu'il avait adressé à Hölderlin, dans lequel il avait écrit : « Celui qui voudrait en parler à d'autres, même s'il parlait la langue des anges, sentirait la pauvreté des paroles. Il frissonne d'avoir conçu si petitement la chose sacrée, de l'avoir faite si infime, de sorte qu'en parler lui semble un péché et que, vivant, il se ferme la bouche. »

Guillaume et moi nous logions chez l'habitant, nous dînions dans des restaurants aux grandes tablées et fantasmions sur les discussions au Séminaire entre Hölderlin, Schelling et Hegel, qui avaient tous une passion pour la Grèce antique. Le soir, nous écoutions des concerts de musique classique. Entre Guillaume et moi, c'était plus une camaraderie qu'une véritable amitié. Quelque chose de typiquement normalien, qui se joue autour de débats sur la part de la théologie dans l'œuvre de Hegel, ou encore du romantisme de Schelling. Nous ne parlions pas beaucoup de nous. Nous n'abordions jamais des sujets intimes. Mais nous avions une forme de connivence fondée sur un humour et une ironie assez singuliers, ainsi qu'un ensemble de valeurs communes. En journée, nous allions suivre des cours à l'Université pour perfectionner notre allemand. Le soir, sous les étoiles d'un ciel d'été, nous n'en finissions pas d'évoquer les œuvres de nos maîtres. Nous étions unis par notre amour de la connaissance. Guillaume avait un savoir encyclopédique. Il était l'être le plus raffiné et le plus courtois que je connaissais. Il n'émettait jamais un mot plus haut que l'autre. Il parlait à la perfection, en plus du latin et du grec, l'allemand, l'anglais et l'espagnol. Il était le parfait normalien : méthodique, organisé, qui répondait précisément à toutes les questions sur tous les sujets possibles. Il savait tout sur tout, ne laissait rien au hasard. Il était ambitieux et rêvait d'une carrière politique. Sa famille, bourgeoise et intellectuelle, le poussait dans cette direction, alors qu'il aurait fait un brillant universitaire. J'étais aussi taciturne qu'il était d'humeur cyclique. Certains jours, il aurait soulevé une armée et d'autres, il ne pouvait rien faire, tant il était désespéré par la vie. Je l'observais, avec distance et respect – et peut-être aussi un peu de jalousie. Je venais de province, je n'avais pas encore les codes, et je n'aurais probablement jamais l'ambition nécessaire pour faire une carrière dans le monde.

C'est la raison pour laquelle, lorsque je pensais aux paroles prononcées par Guillaume lors de notre conversation sur le meurtre, je ne pouvais qu'être surpris. Avait-il raison ? Était-il possible qu'à l'intérieur de chacun de nous se cache un meurtrier en puissance ? Qu'avait-il voulu dire par là ? Son intelligence redoutable, sa fréquentation du monde grec et latin tout autant que ses capacités psychiques avaient-elles pu servir un dessein machiavélique ?

J'ignorais ce que nous réservait ce voyage, et tout autant ce qui se produirait pendant notre absence. Le professeur Maarek avait organisé un rendez-vous à Saint-Sabas grâce à la recommandation d'Éric Tibrac. Le père Delbos nous avait mis en relation avec un ami de promotion normalien, devenu prêtre orthodoxe à Jérusalem, le père Éphraïm, qui habitait un monastère dans la ville sainte. Il avait promis de nous attendre au monastère qu'il connaissait bien.

Je devais rejoindre le professeur Maarek. De Rome où elle s'était rendue à un colloque sur le thème de « *Eidos, idea, morphè* dans la philosophie grecque des origines à Aristote », elle avait prévu de prendre un avion pour Jérusalem, où nous devions nous rejoindre, et d'intervenir au colloque de l'Université de Jérusalem sur « la philosophie comme questionnement et comme mode de vie ». Elle avait choisi de parler de « la philosophie comme initiation ».

Elle était déjà venue plusieurs fois participer à des colloques à Jérusalem, ville qu'elle aimait pour sa pierre, sa lumière et son histoire. Nous avions deux chambres réservées à Mishkénot Shéananim, la résidence d'artistes où le professeur Maarek avait ses habitudes, avec une vue imprenable sur la muraille.

Elle me rejoignit le soir de mon arrivée. Sur la petite terrasse de sa chambre, plus intimidé que jamais, j'eus l'honneur et la joie de prendre un verre avec elle. Elle était hiératique, sphinxiale, totalement inatteignable. Mais elle paraissait apaisée, ici, loin de la peur qui s'était emparée de nos vies depuis l'annonce des meurtres. Et nous eûmes une de ces discussions à bâtons rompus qui font partie de ces moments magiques à jamais ancrés dans ma mémoire. Elle me parla de l'initiation philosophique. Elle pensait qu'il n'y avait que les pseudo-philosophes pour se servir de leurs connaissances à des fins de manipulation. Ceux qui apportent des messages clairs, qu'ils diffusent dans leurs universités populaires, étaient des charlatans. Pour elle, la philosophie devait être réservée à une élite.

Elle me parla aussi de l'apprentissage de la vie et du *kairos*, le moment opportun. Il existe des bons et des mauvais moments pour agir. L'action n'est pas bonne ou mauvaise en soi, elle dépend de l'instant. Passer à côté du bon moment, c'est passer à côté de l'occasion, de la circonstance favorable. Pour elle, la question véritablement philosophique était : Comment acquérir cette faculté de discernement du moment opportun ? Trop tôt ou trop tard, il ne servait à rien d'agir.

Pourquoi ce moment m'a-t-il tellement marqué ? Je ne le sais que trop bien aujourd'hui. Tout était extraordinaire, le vin israélien, la douceur du vent, la beauté de la ville, son antiquité. Je le contemple désormais avec tristesse et nostalgie

Je sais que rien ne sera plus jamais semblable à cet instant, que certaines choses, certains faits, ne sont pas réversibles. Nous atteignons parfois dans la vie quotidienne des moments qui approchent la perfection, et nous ne le savons pas. Après quoi nous passons notre vie dans le regret et la déception, l'amertume et le désarroi.

– Joachim, dit-elle, je vais vous faire une confidence. J'ai la chance de venir d'une famille fortunée, et je pourrais sans problème prendre un cinq-étoiles dans cette ville. Pourtant, pour rien au monde, je ne quitterais cette petite résidence d'artistes où je me sens si bien. Ici, devant les murailles, dans ces pierres, comment ne pas sentir son âme s'élever !

– Vers Dieu ?

– Tout dépend de ce que vous appelez Dieu. Vous et moi ne sommes plus à l'âge où nous l'imaginons avec une barbe, tel Zeus.

Elle souriait et, le vin aidant, ses yeux en amande laissaient entrevoir une lueur verte.

– Je pense à Andrieux qui avait perdu la foi… La foi en quoi ? À côté de l'histoire récente, cela paraît dérisoire. S'il avait dû perdre la foi, il aurait pu le faire pour une raison plus valable qu'une découverte mathématique. Comment Dieu, qui est parfait, a-t-il pu créer un monde imparfait, et plus radicalement, comment a-t-il pu créer le mal ? Le mal radical, tel qu'on l'a vu apparaître dans la Shoah… ? Voilà une vraie question. Ne remet-elle pas en cause l'existence de Dieu ?

– Croyez-vous que c'est à cause du codex, dont Sorias lui aurait parlé ?

– Regardez cette muraille illuminée devant vous : elle entourait le temple de Jérusalem, construit selon les principes de l'architecture divine. Sans les nombres, pas de temple, pas de pyramide, pas de service divin…

– Vous en êtes donc d'accord : le monde est écrit en langage mathématique ?

– Le cercle et la droite : c'est là que tout se joue.

– Pourquoi le cercle ?

– Le cercle est la première structure du monde. La perfection du cercle, c'est la perfection de l'être impersonnel. La nature est circulaire, elle évolue selon des cycles d'éternel recommencement. De plus, le cercle, c'est le pôle féminin. La droite représente le masculin. La droite, c'est l'homme, qui naît, grandit, vieillit, meurt. Avec la droite et le cercle, nous construisons un monde.

– Qui est le plus parfait des deux, le cercle ou la droite ?

– La philosophie n'arrive pas à trancher, pour savoir enfin quel est l'être du monde : l'impersonnel de la nature – le cercle – ou la personne de l'homme – la droite. En réalité, ce sont les deux. Et c'est là le mystère de Pi !

– Alors le monde n'est pas en état de chaos ?

Il y eut un silence.

– Je crois en vous, Joachim, vous avez un talent particulier et une aptitude philosophique qui vous mèneront loin. Quand vous aurez résolu vos conflits intérieurs et serez parvenu à l'âge d'homme – et là, je ne parle pas d'âge physique mais de maturité psychique –, vous trouverez votre voie et tracerez le chemin… Et c'est ce mystère-là que vous êtes en train de comprendre, Joachim. Le mystère du monde : tout le problème du monde, c'est la relation entre l'homme et la nature, c'est-à-dire entre la droite et le cercle.

– Et vous, professeur Maarek, en quoi croyez-vous vraiment ?

– Vous n'avez pas encore deviné ? dit-elle avec un sourire. Il me semble bien vous l'avoir dit, pourtant…

18

Je me réveillai à l'aube.

Le père Éphraïm, archicube et ancien aumônier de l'École, condisciple de Luc Delbos du temps où il était à Ulm, nous confirma par téléphone qu'il nous attendait à Saint-Sabas.

Le professeur Maarek loua une voiture et nous prîmes la route sinueuse qui s'élançait, seule, hors de Jérusalem, vers le désert. Le professeur aimait bien conduire, et spécialement, dans le désert. Elle roulait vite, avec habileté, en prenant des virages serrés. Elle réfléchissait tout haut, faisait les questions et les réponses. Je ne l'avais jamais vue aussi volubile. Elle se demandait ce que nous allions trouver au monastère, persuadée que ce lieu nous livrerait la clé du secret du codex.

Luc Delbos n'avait pas eu de difficulté pour l'adresser au père Éphraïm – solidarité normalienne oblige. Il lui avait expliqué qu'elle désirait consulter d'anciens textes, sans préciser de quoi il s'agissait. Bien qu'étonné de sa demande, il ne s'était pas montré plus curieux.

Le chemin qui conduisait au monastère menait également à la mer Morte. Une petite route descendait vers l'étendue d'eau stagnante, dont le niveau ne cessait de baisser, et le professeur décida de s'arrêter à un hôtel pour y déposer nos affaires et nous rafraîchir.

Hors de l'air conditionné de la voiture, la chaleur était torride, écrasante. L'hôtel, comme tous ceux qui jouxtaient la mer Morte, comprenait un spa, et offrait la possibilité de prendre des bains de boue. Elsa Maarek m'annonça sur un ton qui n'admettait pas de réplique, que cela nous ferait du bien de nous détendre. On nous enveloppa de boue, un amalgame de terre et de sable huileux propre à la région la plus basse du monde. Cela me procura une impression de bien-être en même temps que de régression vers un stade antérieur, presque antique.

Ensuite nous avons plongé dans la mer salée pour nous rincer. J'y restai un long moment, à flotter entre ciel et terre. Je me sentais bien, parfaitement à ma place, pour une fois. Je repensai à ce que m'avait dit le professeur Maarek, la veille : *Quand vous aurez résolu vos conflits intérieurs et que vous serez parvenu à l'âge d'homme.* D'où savait-elle ? Et d'ailleurs, le savait-elle ? Je devais éviter de projeter sur elle les vertus d'une déesse tutélaire, omnisciente et omnipotente. Non, elle ne savait pas. Comment aurait-elle su ? Mais quand l'atteindrais-je, l'âge d'homme ? L'âge où je saurais enfin qui je suis. Et par quelles épreuves faut-il en passer pour y parvenir ?

Autour de moi, s'étendait le désert. Tout près, il y avait Qumran. Les Esséniens. Ceux qui avaient laissé leurs écrits dans des jarres, retrouvées bien plus tard, et qui livraient leurs secrets sur l'origine et la fin du monde. Ce n'était pas un hasard si l'idée d'un Dieu unique avait pris racine dans cette vallée. D'où venons-nous ? Où allons-nous ? Que nous est-il permis d'espérer ? Comment donner un sens à mon existence lorsque le désert est aride et le chemin ardu ? Je sentis la présence de ce vide, et cet infini silence m'apaisa.

Enfin, je me décidai à sortir, la peau salée et huileuse, purifiée. Après avoir déjeuné légèrement d'une salade et d'une pastèque, nous reprîmes la route qui sillonna pendant plus d'une heure le désert. Et tout à coup, nous le vîmes apparaître sous la lumière : le colosse assis sur les deux côtés de la montagne et jusqu'à son sommet.

Au bord d'un virage, un vieux moine à barbe blanche s'appuyait sur son bâton, à l'ombre d'un immense palmier, celui que saint Sabas, fondateur de l'ordre, aurait planté de ses mains au IVe siècle.

Elle s'arrêta pour lui proposer de monter, mais il refusa et continua son chemin chaotique, comme s'il l'empruntait depuis des milliers d'années, et qu'il ne s'arrêterait jamais. Il faisait partie du paysage.

En contrebas des montagnes, nous vîmes grandir le bâtiment accroché à la roche. On y parvenait après avoir franchi le lit d'un ravin où le Cédron se jetait dans la mer Morte.

Sous le ciel bleu, la terre ocre, brûlée, s'étendait à perte de vue. Le silence régnait. La route qui bordait le ravin empruntait des lacets qui me donnèrent le vertige. Tout autour, s'étendaient les montagnes désolées, jaunes et pelées, le sol dénudé, maudit, parsemé de quelques brins d'herbe, comme pour dire qu'un jour, peut-être, en des temps très anciens, il y avait eu la vie.

Elle gara la voiture sur le sol rocailleux.

Lorsque j'ouvris la portière, un vent chaud me brûla le visage. Le professeur Maarek était vêtue d'un pantalon de lin noir et d'une chemise rouge, la tête couverte d'un foulard. J'étais en jean, tee-shirt et casquette, déjà écrasé de chaleur. Nous nous sommes arrêtés pour boire de l'eau, et respirer pendant un instant.

Le monastère s'élevait, au bord du gouffre, surmonté de tours. Les portes étroites étaient en bois massif. Les cénobites avaient fortifié leur maison contre les assauts des bédouins. Dans l'une des tours, un caloyer guettait les visiteurs. Deux tours couronnaient l'ensemble des églises et des cellules. L'air brûlant du désert circula dans mes poumons et mes veines, tel un feu.

Nous nous sommes dirigés vers l'entrée du monastère, nous avons sonné au lourd portail. Un temps infini s'est écoulé avant qu'un moine apparût. C'était un homme d'une soixantaine d'années, au front parcheminé, aux yeux hagards et aux lèvres séchées par le vent. Il nous fit entrer, sans un mot.

À l'intérieur du monastère, régnait une atmosphère humide. Il faisait frais sous la pierre, et, pendant un instant, nous fûmes désorientés par l'obscurité. Le professeur Maarek expliqua que nous avions rendez-vous avec le père Éphraïm. En tant que chercheuse, elle demandait d'accéder à la salle des manuscrits, avec moi, son assistant.

Le moine hocha la tête, sans répondre. Avait-il fait vœu de silence ? Ou avait-il simplement oublié l'usage de la parole à force d'isolement ? Les visiteurs n'étaient pas si fréquents dans cet endroit reculé du désert. Il nous fit attendre dans une petite pièce attenant au cloître où les moines priaient.

Peu après, nous vîmes apparaître un homme d'une cinquantaine d'années, aux cheveux et à la barbe grisonnants, à la peau tannée par le soleil, et aux yeux noirs intenses. Il était vêtu d'une lourde robe de bure. Cet homme, je le connaissais. Je l'avais déjà vu quelque part, mais où ? Le professeur Maarek semblait penser la même chose que moi, car elle me jeta un regard effaré.

– Ainsi donc, lui dit le père Éphraïm en lui tendant la main, tu es le fameux professeur Maarek dont ce cher Luc m'a dit tant de bien ! Heureux de te rencontrer enfin ! Comment va-t-il ? Voilà un bail que je ne l'ai pas vu ! Pendant nos années d'École, avec Tibrac, nous nous rendions au même séminaire de rencontres œcuméniques, qui réunit les chrétiens d'Orient et d'Occident.

– Éric Tibrac ? J'ignorais que le professeur Tibrac avait été impliqué religieusement dans sa jeunesse, dit le professeur Maarek, et je sentis comme une émotion contenue dans sa voix.

– Oh si, il l'était !

– Pourtant..., dit-elle, je ne connais personne de plus antireligieux et plus laïque que lui.

– Oui, bien sûr. Il a changé depuis ! C'est l'inverse de saint Augustin ! Il y avait aussi le père Delbos... Ce jésuite était en faveur d'un rapprochement de nos deux églises, mais moi... la chose me semble toujours bien difficile !

– Pourquoi, difficile ? demanda Elsa Maarek.

– Nous n'avons pas la même foi ! S'il y a eu schisme, c'est qu'il existait une divergence !

– Le patriarche Photius y était pour beaucoup...

– Oh ça, c'est de l'histoire ancienne ! Même aujourd'hui, nous ne sommes d'accord sur rien. Nous ne l'avons jamais été. On appelle cela des rencontres œcuméniques, mais j'ignore ce que ça veut dire... On se voit, on discute, et chacun rentre de son côté, persuadé d'avoir eu raison contre tous ! Et ce cher Tibrac, qui ne croit plus en rien, et qui est plein de bonne volonté pour mettre du liant entre tous ces gens et résoudre les querelles. La philosophie l'a perverti !

Elsa Maarek ne put s'empêcher de sourire, comme soulagée.

Plus j'observais le père Éphraïm et plus je me demandais où je l'avais vu.

– Mais je ne refuse pas de recevoir mes condisciples. Parle-moi un peu de l'École. Le père Delbos est toujours aussi apprécié par ses ouailles ?

– Oui, dit le professeur Maarek. Plus que jamais. Il est extrêmement actif auprès des élèves.

– Et cela se passe bien ?

– Fort bien. Il a beaucoup d'adeptes... Ses messes et ses conférences ont un grand succès.

– À la bonne heure ! Allons, venez avec moi, que je vous montre les lieux.

Et tout en enchaînant questions et réponses, le père Éphraïm nous fit visiter le sombre monastère. Une porte minuscule ouvrait sur le lieu où priaient les moines. Tous les jours, ils se recueillaient dans la première église, dans une chapelle dédiée à Marie. Le père Éphraïm évoqua ceux que le monastère avait accueillis, comme saint Jean Damascène, saint de l'Église byzantine et de l'Église catholique.

– Les moines n'ont pas toujours vécu en sécurité dans ce lieu sauvage, dans cette solitude absolue, expliqua-t-il. Avant, les cénobites mangeaient du pain noir, quelques légumes et des olives. Jour après jour, ils priaient pour avoir le courage de résister à la peur, ils refusaient de désavouer leur parole et de quitter le lieu de leur engagement de foi monastique. Ils priaient pour ceux qui y avaient vécu, et ceux qui y étaient morts assassinés : saints Jean, Serge, Patrick et d'autres encore, massacrés par les Sarrasins. Au bas du couvent, se trouve la grotte où saint Sabas habita pendant cinq ans, grâce à une source qui jaillissait miraculeusement. Les moines continuent de mener une vie très dure, ici. De temps en temps, je viens y faire retraite. Le silence pendant les repas, l'austérité, la frugalité, la discipline me font du bien. Avant d'être accepté, il faut prêter serment d'obéissance aux règles du monastère. L'obéissance aux lois est essentielle. La vie monacale est remplie de combats qui nécessitent parfois l'intervention des pères, soit par la prière, soit par la punition. Jadis, ceux qui s'enfuyaient de nuit sans la permission du père subissaient des punitions naturelles : ils tombaient malades.

« Ainsi, on rapporte qu'un moine qui s'était castré en se coupant lui-même les testicules avec un couteau – ce qui était contre les règles de Dieu et les canons ecclésiastiques – avait été consigné dans sa cellule, sans avoir le droit de recevoir quiconque. Un autre qui avait tenté de se suicider avait été banni. Celui qui dans un acte de colère avait tué une des mules avec son poing avait été condamné à rester dans la laure sans visite, et il n'avait le droit de sortir de la cellule qu'une fois par mois.

– Est-ce qu'un moine pouvait quitter le monastère ? demanda le professeur Maarek. Et dans quel cas le laisse-t-on partir ?

– Personne ne l'a jamais fait.

– Depuis que le monastère existe ?

– Depuis que le monastère existe.

C'était faux, et nous le savions. Le père Éphraïm le savait-il ? Dans ce cas, pour quelle raison nous mentait-il ?

Il nous guida vers une petite chapelle creusée dans la pierre, éclairée par la lueur d'un faible flambeau.

– Le soir, les moines viennent se recueillir ici. Regardez, le tombeau de saint Sabas ! dit-il en désignant un renfoncement dans la pierre. On disait de lui qu'il avait la grâce de participer au Saint-Esprit. Illuminé par la lumière divine, il avait reçu la clairvoyance, le pouvoir de soigner les pauvres, et la faculté de faire des miracles. On disait qu'il avait réussi à dompter un lion, qu'il pouvait sortir les démons et qu'il avait le don de la prophétie. La date de sa mort, le 5 décembre, était consignée dans le calendrier des Saints. C'est la raison pour laquelle, plusieurs fois par an, les Sarrasins venaient piller la laure de Saint-Sabas. Ils savaient que les moines ne pouvaient pas abandonner ce lieu de salut et de prière.

Mes yeux s'habituaient à l'obscurité, et soudain, je me figeai en les voyant. Contre le mur de la chapelle, à travers une grille de fer, la flamme éclairait des crânes, des dizaines de crânes entassés. Je poussai un cri.

– Ce sont les quarante-quatre solitaires égorgés par les soldats de Chosroës, peu de jours avant la prise de Jérusalem par les barbares, murmura le père Éphraïm.

– Et ça ne vous fait pas peur ? demandai-je.

– La peur ? répondit le père Éphraïm, en partant d'un grand éclat de rire. Qui a la foi ne connaît pas la peur !

Enfin nous parvînmes à la bibliothèque du monastère, abritée dans l'une des tours. Creusée à même la pierre, la pièce était une caverne circulaire dans laquelle les livres étaient conservés dans des conditions précaires. Copier était une tâche sacrée, que les moines exécutaient entre les prières, sept fois par jour. Le soir, ils rejoignaient les autres pour les vêpres, afin de réciter les psaumes. La prière était annoncée d'un coup frappé sur un panneau de bois. Certains moines restaient éveillés toute la nuit, pour finir leur tâche.

Elsa Maarek posa son sac sur une petite table en bois. Puis nous nous mîmes à contempler les livres, qui étaient classés par ordre chronologique. Dans notre dos, je sentais le regard du père Éphraïm fixé sur nous qui me rendait mal à l'aise. Le professeur Maarek sortit quelques ouvrages, avec mille précautions. Lorsqu'elle les ouvrit, j'en eus le souffle coupé. Les premiers dataient de l'an 400…

Assis sur un banc inconfortable, j'imaginais Cosmas en train de gratter le manuscrit et d'effacer l'encre qui avait tracé les signes impies. Le travail du scribe était une corvée terrible, qui voûtait le dos, tordait l'estomac et les côtes. J'imaginais sa peau creusée de profonds sillons, ses mains si sèches qu'elles lui faisaient mal. Mais le défi physique était comme une bataille contre les démons, une lutte spirituelle qui n'avait fait que raffermir son corps et son esprit. Il devait penser à Sabas, révéré comme un saint homme.

Le père Éphraïm resta à nos côtés, à nous observer, cependant que le professeur Maarek palpait les livres et les codex. C'était comme une caverne remplie de trésors somptueux. J'éprouvais un plaisir intense à les toucher, les sentir, les ouvrir, avec une délicatesse respectueuse. J'aurais voulu les lire tous, savoir ce que chacun contenait. J'étais sûr qu'il y avait là des découvertes inouïes à faire. J'avais déjà repéré plusieurs palimpsestes. Quel texte mystérieux se cachait en vérité sous les chastes prières qui masquaient le texte originel ? Certains contenaient des textes en grec, que l'on pouvait voir en transparence sous des prières du XIIe siècle. Peut-être recelaient-ils des écrits perdus de la civilisation grecque, tel le *Codex Nitriensis*, qui datait du IXe siècle, et qui rassemblait sous l'Évangile selon saint Luc des manuscrits de l'*Iliade*, et des *Éléments* d'Euclide. Je pensai à Maud Simon, elle aurait adoré cet endroit ! J'aperçus même les traces probables d'un double palimpseste, sur lequel deux auteurs avaient réécrit, à plusieurs siècles d'intervalle. Textes cachant d'autres textes, traces laissées par les hommes, désespérément, afin que leurs souvenirs et leurs pensées perdurent, puisque rien ne dure jamais.

À l'heure où tout pouvait se copier et se conserver en laissant une trace numérique, il était plus étonnant encore de savoir que les scribes s'étaient épuisés à faire naître un texte, quitte à en blesser un autre. Je les imaginais assis sur leur banc, devant leur lutrin, préparant la marge, marquant le parchemin de leur plume d'oie, qu'ils trempent dans l'encre noire. Et aussi, détruisant la culture antique d'un coup de pierre ponce, pour la recouvrir de pieuses paroles. *Palimpseste* : comme l'inceste d'une civilisation qui se recopie et s'engendre elle-même au lieu de s'ouvrir aux cultures anciennes. Je pensai soudain aux recherches que j'effectuais sur Google : n'était-ce pas le plus puissant palimpseste que l'on eût jamais inventé ? Une façon radicale de recouvrir la culture antique d'une nouvelle culture de masse ? Mais la trace indélébile de Google est informe et fait disparaître tout ce qui n'est pas elle. Désormais les gens lisent à travers Google comme au Moyen Âge on déchiffrait les palimpsestes, sans soupçonner qu'au-dessous, juste avant, il y avait une autre civilisation. Une civilisation effacée par les véritables maîtres de la culture, non pas les écrivains, les penseurs, les savants, mais les éditeurs, les imprimeurs et les entrepreneurs de l'ère informatique. Le codex avait été une révolution technique par rapport au parchemin que l'on roulait. Le parchemin lui-même avait remplacé les tablettes en pierre sur lesquelles les scribes gravaient leurs caractères cunéiformes. Le codex, qui pouvait se feuilleter, s'ordonner et se ranger beaucoup plus méthodiquement, donna naissance, plus tard, au livre, qui allait bientôt disparaître au profit... des tablettes ! Comme si la boucle était bouclée, et qu'un cycle s'achevait. Le cycle technique de la Connaissance. Le cycle politique de la pensée humaine.

Mais Elsa Maarek ne se perdait pas dans les codex. Elle savait ce qu'elle cherchait. Elle finit par isoler plusieurs manuscrits sur la vie du monastère, dans le rayon du XIIIe siècle. Elle s'installa devant la petite table en bois, pour en commencer la lecture. Enfin, le père Éphraïm s'éclipsa, nous laissant seuls.

– J'ai l'impression de le connaître, murmurai-je. Pas vous ?

– Si, bien entendu.

– Je ne sais pas d'où.

– Réfléchissez, ce n'est pas très compliqué. Nous l'avons rencontré, ensemble, une seule fois.

– Quand était-ce ?

– Vous ne vous en souvenez pas, parce que le contexte n'était pas religieux. Tentez de faire bouger le concept...

Pensez à lui, en dehors de ce monastère, dans un autre lieu fortement ritualisé.

– Un lieu ritualisé… Oh mais, ça y est ! J'y suis !

– Alors ?

– Drouot !

– Exact.

– Le prêtre orthodoxe qui voulait acheter le palimpseste, c'était lui !

– En effet…

– Ça ne peut être l'effet du hasard, n'est-ce pas ?

– Bien sûr que non.

– Est-ce qu'il nous a reconnus ?

– Je ne pense pas qu'il nous ait vus, lors de la vente. Mais il semble tout de même que nous soyons sur la bonne piste.

Elle mit un certain temps à trouver le livre qui parlait du monastère, l'année où Cosmas y avait séjourné. Je tremblais en pensant que c'était lui qui avait écrit sur le manuscrit grec, pour en effacer les signes, ici même, à Saint-Sabas.

19

Lorsque nous achevâmes de décrypter le manuscrit, il était tard dans la nuit.

Absorbés par l'histoire de Cosmas, nous ne nous étions pas rendu compte que le temps avait passé. Autour de nous, tout était calme et silencieux. Je posai la tête sur la table, et m'assoupis, en essayant d'imaginer les paroles de paix et d'espoir qui avaient succédé à l'horreur.

Je rêvai des moines, des Sarrasins, du feu, des livres, des lettres effacées. Je revis le père Éphraïm sous les traits d'un polythéiste qui sacrifiait des animaux pour les dieux. Tout se mélangeait dans mon esprit. Il ressemblait au Prométhée de certaines gravures, qui enseignait aux prêtres la métallurgie, avec Athéna, la déesse de la Sagesse. Mais les Sarrasins le capturaient et le torturaient, ils l'enchaînaient nu à un rocher où un aigle venait lui dévorer le foie.

Soudain, au milieu du cauchemar, je me réveillai en sueur. J'avais entendu un bruit, mais était-ce dans mon sommeil ? Je regardai autour de moi : le professeur Maarek n'était plus là. Un frisson d'angoisse me parcourut. Où donc était-elle partie ? À ma montre, il était trois heures du matin. La pièce était à peine éclairée par une petite lampe. Le manuscrit que nous étions en train de lire avait disparu. J'eus un moment de panique, je me mis à trembler, j'avais peur du noir comme quand j'étais petit. Je suffoquais. Qui allait me secourir ? Je n'arrivais pas à croire que le professeur Maarek s'était enfuie, qu'elle avait profité de mon sommeil pour me laisser, seul. Abandonné.

Mais sa canne était là, comme un signe. Je la pris, me levai, regardai de tous côtés. Je me dirigeai vers la porte et découvris avec stupeur qu'elle était verrouillée. Autour de moi, tout semblait clos. Je compris qu'on m'avait piégé. Mais qui ? Et pour quelle raison ? Tout d'un coup je fus saisi par le vertige, j'allais m'évanouir. Qu'allait-il advenir de moi si je perdais connaissance ici ? Je m'assis pour tenter de calmer les battements de mon cœur. Je devais chasser les fausses images pour revenir à la raison et trouver un moyen de sortir de ce cachot.

Toutes les histoires du monastère affolaient mon esprit, j'imaginais être un moine face à l'attaque des Sarrasins. Soudain, au milieu de ma confusion, j'aperçus, dans le renfoncement d'un mur, une porte minuscule. Je saisis le pommeau de la canne et me mis à pousser sur le loquet, avec une force dont je ne me savais pas capable. De tout mon élan, je frappai violemment, plusieurs fois, jusqu'au désespoir. Des gouttes de sueur perlèrent de mon front. Je me découvrais claustrophobe.

Dans un dernier sursaut d'énergie, je me lançai, au risque de me casser l'épaule, contre la porte qui finit par céder, dans un brusque craquement.

À la lueur de mon téléphone portable, je me ruai dans le couloir obscur, lorsque je sentis un bruit d'ailes au-dessus de ma tête : des chauves-souris frôlaient le sommet de mon crâne. Je me baissai, évitai de justesse l'une d'elles qui fonçait sur mon visage. Mais une autre s'accrocha à mes cheveux. Avec dégoût et rage, je la saisis et tentai de m'en débarrasser, mais l'animal était solidement agrippé, si bien qu'en lui donnant un coup brutal elle partit avec une touffe de mes cheveux, ce qui m'arracha un hurlement. J'avançai, toujours muni de mon portable, jusqu'à une porte que j'ouvris ; et ne pus retenir un sursaut d'effroi. Je me trouvais dans la chapelle. Devant moi, dans la faible lueur bleue, s'amoncelaient les crânes des moines assassinés par les Sarrasins comme s'ils souhaitaient la bienvenue à celui qui allait bientôt les rejoindre, prisonnier de ce lieu maudit dont les portes s'étaient refermées à jamais. Dans le noir, j'avais l'impression de distinguer des pattes d'insectes, des têtes de reptiles ou de batraciens, ainsi que des becs d'oiseaux au milieu des ossements humains. Étaient-ce les moines, ou les visiteurs trop curieux qu'on avait laissé périr ? Horrifié, je me mis à trembler devant cette vision de l'enfer. Il me revint en mémoire le poème de Dante, *Il te convient d'aller par un autre chemin, si tu veux échapper à cet endroit sauvage car cette bête, pour qui tu cries, ne laisse nul homme passer par son chemin, mais elle l'assaille, et à la fin le tue.*

Tout ce que je venais de lire me revint soudain à l'esprit.

Je m'entendis gémir de terreur.

Cosmas s'était réfugié dans ce monastère, loin du monde, à l'abri de tous, lorsqu'il était revenu de Constantinople avec ce livre. Ce livre, écrit de la main d'un scribe, contenait un secret inouï. Un secret tellement incroyable, qu'il n'avait pas pu s'en séparer. En découvrant le contenu du manuscrit, il fut tellement bouleversé qu'il partit loin du monde, se retirer à Saint-Sabas, afin de le protéger, loin des regards inquisiteurs, et de réfléchir à ce qu'il allait en faire. Il ignorait alors que son lieu de retraite était régulièrement attaqué par des assassins aux mœurs barbares : les Sarrasins.

Les chroniques du monastère relataient le jour où ils firent irruption. Ils voulaient s'emparer des objets de valeur, mais ils s'aperçurent qu'il n'y avait rien à piller, à part de maigres rations de nourriture et des vieux vêtements. Ils encerclèrent le monastère, si bien que personne ne pouvait fuir. Alors ce fut le désastre. Ils se vengèrent sur les moines, incendièrent une partie du bâtiment, où se trouvait l'église. Ils capturèrent les cénobites, les conduisirent dans l'église où ils les torturèrent pour tenter de savoir où ils avaient caché leur trésor. Plusieurs moines qui avaient réussi à se réfugier dans une grotte furent aperçus par une sentinelle sur la colline. Alors ils allumèrent un feu devant l'entrée, dans l'espoir de les étouffer. Cosmas y avait emporté le codex, qu'il tenait serré contre lui.

Dans la petite chapelle, l'air était confiné. J'avais du mal à respirer. Si j'en sortais, je retournerais dans le couloir, domaine d'élection des chauves-souris. Que faire ? Où était donc le professeur Maarek ? Pour quelle raison m'avait-elle emmené ici et pourquoi m'y avait-elle abandonné ? Qui était-elle, en vérité, et que voulait-elle ? Et le père Éphraïm, où avait-il disparu ? Étaient-ils de mèche depuis le départ ?

Je m'assis, par terre, sans force, en me demandant comment j'allais réussir à sortir de ce cauchemar.

Ce fut une catastrophe sans précédent. Dix-huit hommes périrent étouffés dans la grotte. Les Sarrasins continuèrent de torturer ceux qui étaient encore en vie. Comme ils ne purent rien obtenir d'eux, ils se décidèrent à partir.

Plus tard, dans la nuit, les moines survivants s'en retournèrent vers la laure. Parmi eux, se trouvait Cosmas. Ils prirent les corps des pères assassinés pour les enterrer.

Le lendemain, Cosmas partait pour Jérusalem, en n'emportant que sa peine – et son codex.

Dans la pénombre, je trébuchai sur un crâne, et chutai de tout mon long sur une pile de squelettes. Je me débattais en prenant appui sur les os pour tenter de me relever quand soudain une ombre se pencha vers moi.

J'étais dans un état second lorsque je le vis… Cosmas, avec sur la table l'encrier rempli d'encre. Il prenait la première feuille de parchemin. Puis du bout de sa plume, il gravait la date fatidique : le 12 avril 6738, veille d'un dimanche de Pâques, le jour où les fidèles offraient des dons aux institutions religieuses pour le salut de leur âme. Avec sa lame aiguisée, il traçait des lignes sur les petits trous percés au bord des folios. Sur le pupitre devant lui, se trouvait le codex qu'il avait pour dessein de recopier. Il le parcourut, en tremblant. Il le lisait et le relisait. Et peu à peu, l'idée faisait son chemin, en lui. Le doute s'insinuait. Il regardait ses frères, et il se rendait compte que c'était le codex qui disait vrai. Qu'ils s'étaient trompés, tous ! Il en était à la fois horrifié et soulagé. Mais personne ne devait le voir, et surtout pas dans la laure, là où il serait immédiatement détruit.

Et c'est alors qu'il réfléchit à ce qu'il pouvait faire. Une illumination le visita, il comprit que la seule façon de protéger le codex n'était pas de le cacher, mais au contraire de l'exhiber, aux yeux de tous, d'en faire un texte qui circulerait librement, qui serait lu par tout le monde. La meilleure façon de cacher, c'est de révéler. Et c'est ainsi qu'il eut l'idée du palimpseste. Il s'attela à sa mission de le récrire, en se livrant au travail ardu du moine copiste. Le voilà qui nettoie les folios, puis les frotte à la pierre ponce, suffisamment pour que le texte ne se voie pas de prime abord, mais pas assez pour l'effacer complètement. Il le démantèle, fait pivoter les folios et les plie en deux. En tournant la page, il écrit à angle droit par rapport au texte précédent, afin que l'écriture se détache sans se confondre. Et peu à peu, il avance. Il recouvre le traité d'une écriture fine, régulière et ronde. De temps à autre, il retourne le folio pour vérifier qu'un œil avisé pourra percevoir le texte. Rassuré, il poursuit son œuvre. Ainsi écrit-il, dans l'urgence et la peur, sans l'aide de la foi. Car il est un moteur bien plus puissant que la foi : la perte de la foi.

– Joachim ! entendis-je.

Je poussai un hurlement.

– Joachim, c'est moi !

– Professeur ?

C'était elle. À la lueur du portable, j'entrevis son visage inquiet.

– Je vous retrouve enfin ! J'étais sortie pour demander aux moines s'il y avait un moyen de dormir au monastère, et je n'ai pu rouvrir la bibliothèque. Je me suis retrouvée piégée dans ce couloir, sans pouvoir ni sortir, ni vous parler !

– Oh, dis-je avec un sanglot dans la voix, comme je suis heureux de vous revoir… Je croyais… je croyais que vous m'aviez abandonné !

Je tentais de me ressaisir, mais une peur d'enfant persistait en moi, quelque chose de primaire et d'incontrôlable.

– Mais non, dit-elle en me prenant le bras. Je ne vous abandonnerai jamais. Jamais. Vous m'entendez ? Venez, à présent, filons, partons vite d'ici.

Nous avons emprunté une sorte de galerie. Nous nous protégions la tête pour ne pas être attaqués par les chauves-souris qui nous raccompagnèrent jusqu'à la sortie de Saint-Sabas dans un concert de cris vengeurs. Le professeur Maarek poussa le loquet d'une petite porte en bois. La nuit, épaisse, à peine éclairée par un mince croissant de lune, nous enveloppa de son manteau noir. Les étoiles brillaient à côté du croissant de lune. Enfin nous échappions à cet endroit étouffant. De longues secondes, je respirai l'air du désert comme pour me régénérer corps et âme.

Soudain, un hurlement déchira les ténèbres et me fit sursauter. Le professeur Maarek me regarda, l'air inquiet. J'éteignis mon portable et, sans un mot, nous nous dirigeâmes vers le petit chemin qui menait à l'endroit où nous avions laissé la voiture. Au bout de quelques minutes, le professeur Maarek s'arrêta.

– Je suis soulagée de la voir, murmura-t-elle.

Mais une autre surprise nous attendait. Devant la voiture, comme pour en interdire l'accès, un animal au pelage brun tacheté, entre le chien et le loup, nous considérait de ses yeux jaunes.

Je restai figé.

– Un chacal, murmura le professeur Maarek. Il y en a beaucoup dans le désert.

Je fis un bond en arrière. L'animal poussa un jappement strident.

– Il est en train d'appeler la troupe, murmura Elsa Maarek. S'ils nous prennent de vitesse, nous ne sortirons plus d'ici !

– Les chacals ne mangent que des cadavres, non ?

– Si j'étais vous, je ne compterais pas là-dessus.

Je ne parvenais plus à contrôler la peur qui montait en moi. Je tremblais des pieds à la tête. Encore une fois, le professeur Maarek avait en main sa canne providentielle, qui m'avait déjà sauvé. Je comprenais tout à coup pourquoi les voyageurs s'armaient toujours de bâtons dans les forêts et les déserts.

– Qu'est-ce qu'on fait ? murmura-t-elle.

Sans répondre, je saisis sa canne et avançai vers le chacal.

LIVRE III

1

J'examinai attentivement le visage hâlé du professeur Maarek, pour tenter d'y déceler les stigmates de notre voyage. Sans résultat. Elle avait noué un foulard rouge autour de ses cheveux, qui mettait en valeur l'intensité de son regard. On pouvait imaginer qu'elle était partie se reposer en Grèce, au bord d'une mer turquoise, avec des amis. Ou à Rome, prendre un verre à la terrasse d'un café sur une charmante piazza, mais pas dans le désert de Judée pour y être enfermée dans un scriptorium et y chasser les chacals et les chauves-souris.

Dans son bureau perché au dernier étage de l'École, il faisait chaud, l'atmosphère était presque étouffante.

– Alors Joachim, demanda-t-elle, vous vous êtes remis de notre petit périple ?

– Oui, dis-je, fort bien !

Je mentais. Depuis que j'étais rentré, j'étais hanté par les images lugubres de ce monastère.

– J'ai eu des nouvelles de Maud... L'équipe multispectrale a avancé, ils en savent davantage sur l'auteur du manuscrit original... Je pense que cela va vous intéresser.

– De qui s'agit-il ?

Je la regardai, pour ménager mon effet de surprise.

– Vous ne le croirez jamais !

– Dites toujours...

– Pendant que nous étions à Saint-Sabas, Maud Simon est restée presque nuit et jour à la BNF, avec Ambroise Flamant qui se levait juste pour avaler un sandwich, ou boire un café. Toute la journée, il était penché sur le palimpseste. Il ne pouvait pas en croire ses yeux.

– Joachim ! Dites-moi !

– Le codex est le palimpseste de la copie d'un écrit inédit...

– De qui ?

– D'Archimède !

Il y eut un silence.

– Vous avez bien dit Archimède ? répéta Elsa Maarek, au bout d'un moment.

– D'après Flamant, il s'agit d'un inédit du savant et pas le moindre : un écrit de la plus haute importance. Une découverte mathématique sensationnelle. Une idée capable de révolutionner le monde !

– Une idée qui a fait perdre la foi à Cosmas et, huit siècles plus tard, à Jean Andrieux.

– ... et à Fabien.

– Si le codex contient vraiment un inédit d'Archimède, il est évident que sa valeur intellectuelle est considérable.

– Et ce n'est pas un hasard si le compte Twitter duquel ont été envoyés les chiffres porte son nom...

– Et donc la légende qui circulait au sujet du palimpseste était vraie. Archimède aurait donc trouvé le principe qui régit le monde. On comprend quel danger le codex représente pour celui qui l'a entre les mains : il détiendrait la formule de l'Univers ! Robert Sorias qui la connaissait en a fait part à Andrieux, et c'est pour cette raison qu'ils ont été tués.

– Et Louise qui le savait, grâce à son mari, a trouvé un moyen de se débarrasser du codex tout en le faisant connaître. En le rendant public, elle se protégeait.

– Mais il n'est pas encore tout à fait public, dit le professeur Maarek.

– Dans ce cas, vous croyez que…

– Ceux qui l'approchent sont en danger…

– Oh mon Dieu, dis-je. Je dois prévenir Maud Simon !

– Il faut alerter aussi Ambroise Flamant, même s'il me semble que le meurtrier s'intéresse plutôt aux mathématiciens.

– Ambroise Flamant n'a pas encore déchiffré le manuscrit dans son entier. C'est trop complexe, et à ce stade, maintenant qu'il connaît l'auteur, il a besoin de faire appel à un spécialiste d'Archimède.

– Merci Joachim, pour tous ces renseignements, dit le professeur Maarek, comme si elle attendait que je parte.

Je restai là, devant elle. Nous avions eu entre les mains un écrit inédit d'Archimède, qui contenait une révélation importante dans l'histoire des mathématiques, peut-être même capitale pour la compréhension de notre monde, et elle me disait tranquillement de partir, comme si cela ne l'affectait pas du tout. Comment était-ce possible ?

Tout à coup, en me rappelant le modus operandi du meurtre, j'eus un vertige. Bien sûr, le meurtrier savait de quoi il s'agissait puisqu'il avait décidé d'exécuter les deux hommes, selon le rite en vigueur à Syracuse, à l'endroit et au temps où vivait Archimède, en des lieux symboliques de l'histoire antique, les Champs-Élysées et l'Obélisque de la Concorde.

– Quelque chose m'intrigue, murmurai-je.

– Quoi donc ?

– Ambroise Flamant voue une vénération à la Grèce antique, convaincu que la culture grecque est un sommet dont il faut faire partager les fruits à l'humanité. Il a même fondé une société grecque, dont il est le président… Je pense que Flamant ne se contente pas de vivre sa vie grecque en tant que chercheur. Il l'expérimente aussi dans sa vie.

– Que voulez-vous dire ?

– Il est féru d'ésotérisme, dis-je en pensant à la carte qu'il m'avait remise, et sur laquelle était inscrit : « *Éleusis… Société de défense et d'illustration de la Grèce antique* ». Il doit être versé dans les cultes…

– Vous voulez dire… les « Mystères » ?

Ses yeux, qui brillaient d'un éclat sombre, se voilèrent soudain. *Éleusis*. Bien sûr. Le véritable Éleusis. Le jeu sérieux auquel jouaient les Grecs, il y avait presque trois mille ans.

– Écoutez Joachim, dit-elle en changeant soudain de voix. Le tournant que prennent nos recherches m'a donné à réfléchir. Si je voulais vous voir ce matin, c'était pour vous dire que… je suis désolée de vous avoir entraîné avec moi au monastère de Saint-Sabas. L'aventure m'a fait comprendre ce que je n'avais pas anticipé… Je ne m'étais jamais sentie responsable de la vie de mes élèves. De leur intellect, oui. Mais… j'ai eu tellement peur qu'il vous arrive quelque chose.

– Je suis majeur et même adulte ! Et responsable de moi-même, lançai-je.

– Vous comprendrez un jour. Enseigner n'est pas chose simple. Surtout à des jeunes gens malléables. C'est une question d'influence, qui demande de l'affection et de la distance. Un grand sens du partage, mais aussi le même genre de rapport que les parents ont avec leurs enfants. C'est-à-dire un rapport de protection. J'ai pensé, depuis le début, que ces meurtres nous menaçaient tous. Je me suis lancée dans l'enquête afin de protéger mes élèves. En vous entraînant avec moi dans cette aventure, je vous ai mis en danger, et je n'avais pas le droit de le faire... Dans mes premières années d'enseignement, ajouta-t-elle, après un silence, il m'est arrivé une histoire terrible, que je ne vous ai jamais racontée, et que j'évoque rarement. J'avais un élève que j'aimais beaucoup, comme vous. Il était particulièrement brillant. J'étais à peine plus âgée que lui mais nous avions noué une relation de maître à disciple, un peu comme avec vous. Je le voyais en dehors des cours. Nous discutions de philosophie, essentiellement. Il était remarquable, bien au-dessus de tous les autres. Lorsqu'il est passé en année supérieure, nous nous sommes revus, régulièrement. Et puis, un jour, je n'ai plus eu de ses nouvelles...

– Et alors ? Que s'est-il passé ?

– Des années plus tard, j'ai appris qu'il s'était suicidé. J'ai eu beaucoup de peine... Je me suis dit que je n'avais pas vu qu'il était en état de fragilité, que j'aurais dû le prendre en charge. J'ai compris que j'étais responsable de mes élèves, qu'ils étaient un peu comme mes enfants, que je devais veiller sur eux, qu'ils n'étaient pas de purs esprits mais des personnes avec leurs failles et leurs faiblesses. Et surtout, qu'ils étaient fragiles. Ainsi j'avais du pouvoir sur eux, ce qui suppose des responsabilités. C'est pourquoi j'ai beaucoup réfléchi en rentrant et je pense, tout compte fait, que je n'ai pas le droit de vous faire prendre des risques inconsidérés. Je vous ai entraîné dans cette histoire un peu malgré vous et... je n'ai pas l'intention de vous laisser prendre d'autres risques, Joachim.

2

Je sortis de son bureau, déboussolé, à la fois fou de rage et rempli dc dépit. Avais-je touché un tabou, quelque chose dont je n'aurais pas dû lui faire part ? Quelle erreur avais-je commise ?

Je me rendis à la bibliothèque et empruntai tous les ouvrages que je trouvai sur les Mystères d'Éleusis. Je cherchai également la thèse du professeur Maarek sur « Plotin et les rites d'Éleusis », mais elle était sortie. Lorsque je demandai à la bibliothécaire qui l'avait prise – on pouvait faire rappeler un livre ou une thèse dont on avait besoin –, elle me répondit qu'elle n'en savait rien. Apparemment, la thèse n'était pas officiellement sortie. Autrement dit, quelqu'un – forcément un normalien, car la bibliothèque n'était ouverte qu'aux élèves et aux archicubes – l'avait volée, sans laisser de traces.

Alors, après avoir vérifié qu'elle n'était pas accessible sur Internet, je me rendis à Sainte-Geneviève pour tenter de trouver cette thèse. À l'ombre du Panthéon, à côté du lycée Henri-IV, la monumentale cathédrale de fer était le temple du savoir : un temple grec sur l'Agora de la place des Grands Hommes. Je traversai l'obscur vestibule aux hautes colonnades, gravis les marches imposantes qui menaient aux guichets, déposai ma demande, puis je pénétrai dans la grande salle de lecture illuminée par les fenêtres qui ouvraient sur le ciel. Je pris place à ma table habituelle, tout au fond de l'immense salle voûtée aux colonnes gréco-latines où les étudiants travaillaient en silence, sous les petites lampes de bureau.

Pour patienter, j'ouvris l'un des ouvrages que j'avais pris sur les mystères d'Éleusis, dans lequel je m'absorbai aussitôt. Soudain, j'entendis chuchoter : « Maud », et je sursautai. Dans la rangée devant moi, un jeune homme était arrivé et venait de saluer la personne qui travaillait devant son ordinateur. Elle avait les cheveux relevés en chignon, et je voyais sa nuque, entourée d'un fin collier en or, ainsi que ses mains qui tournaient doucement les pages d'un livre. Des mains blanches et menues, délicates. Était-ce Maud Simon ? De dos, elle lui ressemblait. Et ce prénom n'était pas si fréquent. Je n'osai ni faire un mouvement, ni me lever, de peur qu'elle me reconnût.

Je tentai de m'absorber à nouveau dans mon livre. Ce qui était frappant, c'était l'importance du secret et du mystère qui entouraient ces rites. En Grèce antique, ce qui se passait pendant les deux nuits d'initiation devait en effet être tu, et quiconque révélait ce qu'il avait vu ou entendu était passible de mort. Le secret avait été bien gardé, jusqu'à aujourd'hui. Certains initiés pensent savoir ce qui s'y déroulait, mais même les plus grands spécialistes ignorent, ou feignent d'ignorer la nature exacte de ces rites.

Au cours de fouilles archéologiques, en Grèce, on avait retrouvé la salle où se déroulaient les rites secrets, le *Telesterion*. Sur une photo, je vis une représentation du vaste quadrilatère de cinquante mètres de côté, avec six rangées de sept colonnes, dont on apercevait encore les bases : les gradins, en partie taillés dans le roc, pouvaient accueillir jusqu'à trois mille personnes. À Éleusis, on enseignait le sentiment de l'Infini. Ceux qu'on initiait ne devaient pas apprendre quelque chose mais éprouver une émotion et être mis dans certaines dispositions, afin d'être aptes à la ressentir.

De temps en temps, je jetais des coups d'œil à la jeune femme qui était devant moi. Son ami, assis à côté d'elle, avait sorti ses affaires, et il s'était mis à travailler. Je regardais son dos, ses frêles épaules, ses bras. J'avais le cœur qui palpitait, à l'idée que ce pût être elle. Elle avait les mêmes cheveux que Maud, lorsqu'elle tournait la tête, je voyais une frange comme sur les photos de son profil Facebook. Lorsqu'elle baissait la tête, absorbée par sa tâche, on percevait la finesse de sa peau. Ses gestes étaient élégants, son cou gracile. J'avais du mal à en détacher mes yeux.

Je replongeai dans mon livre. J'appris que les candidats aux Mystères d'Éleusis étaient préparés par les mystagogues, ou parrains instructeurs. Avant la cérémonie, ils étaient soumis à un jeûne et ne pouvaient se nourrir de certains aliments, comme les œufs et les fèves. Puis on les enduisait de boue, ou eux-mêmes s'y roulaient.

Soudain, je pensai à l'amaigrissement et aux carences en sels minéraux constatés sur Robert Sorias et Jean Andrieux, qui témoignaient d'un régime ou d'un jeûne. Y avait-il un rapport avec les dix jours d'abstinence et de continence, des mystères antiques ? Les Mystères d'Éleusis se déroulaient en deux temps : les débutants étaient d'abord initiés aux « petits Mystères », célébrés au printemps dans le faubourg athénien, et ils participaient, six mois plus tard, aux « grands Mystères », durant une dizaine de jours. Puis, les initiés devenaient mystes, après avoir été purifiés, et se rendaient ensuite en procession jusqu'au sanctuaire, par la Voie sacrée qui reliait Athènes à Éleusis. À l'intérieur du temple, l'initiation se déroulait à l'abri des regards indiscrets. Les prêtres, issus de l'aristocratie sacerdotale, avaient pour mission de jouer un drame sacré où était figurée la légende de l'enlèvement de Coré dans la mythologie grecque. Le candidat prenait un bain avant d'avoir accès au temple. Mais en quoi donc consistait l'épreuve elle-même ? J'aurais voulu savoir. Tout le monde voulait savoir. Malheureusement, on ne pouvait rien en dire. Quelque chose d'effrayant, sans doute, de vraiment terrorisant.

L'histoire de Coré, je la connaissais. C'était l'histoire d'Hadès, le dieu des Enfers, qui tombe amoureux de Coré et décide de l'enlever. Déméter, sa mère, celle qui, selon le mythe, fonda les Mystères d'Éleusis, ordonne aux plantes de ne plus pousser, jusqu'à ce que Zeus enjoigne à Hermès de libérer Coré. Il accepte, mais à condition qu'elle vive quatre mois avec Hadès aux Enfers, et les huit autres mois avec sa mère. Ainsi le temps passé dans le monde des Enfers est la période où la terre ne produit rien, et lorsque la fille est avec sa mère, la terre produit des fruits et des plantes. Cette alternance correspond aux saisons : automne, hiver, printemps, été.

Dans les Mystères d'Éleusis, on faisait vivre aux mystes le voyage de l'âme dans le monde souterrain. Toute la cérémonie se déroulait dans un temple. Une salle inférieure à colonnes représentait l'Enfer. Les mystes la parcouraient à la lumière des torches. À l'étage supérieur, on accédait à la région des Bienheureux.

Les mystes parcouraient les deux parties du royaume de Déméter et d'Hadès. La première, avec ses obstacles, ses dangers et ses monstres. La seconde, qui représentait les Champs-Élysées avec leur lumière vive, s'achevait par la contemplation des objets sacrés du temple. Les Champs-Élysées, pensai-je, c'était bien là que l'on avait retrouvé le corps de Jean Andrieux.

Soudain, la jeune femme se leva. Elle était vêtue d'une chemise et d'une jupe qui moulait son corps aux formes harmonieuses. Mon regard s'attarda sur son dos, ses hanches, jusqu'à ses jambes fines, aux mollets dessinés comme dans le marbre. Tous ses gestes étaient pour moi comme un film au ralenti. Ou peut-être était-ce mon cœur qui s'était arrêté de battre. Allait-elle se retourner, et je m'apercevrais alors que ce n'était pas la même Maud ? Sinon, oserais-je l'aborder ? Elle rassembla ses affaires. Son voisin se leva pour lui murmurer quelques mots à l'oreille. Ils discutèrent pendant un moment. Je me demandais ce que je devais faire. Me lever, pour voir si c'était elle, ou rester assis et ne rien dire ?

Il s'agissait bien d'un parcours initiatique. Chemin faisant, le hiérophante apprenait aux mystes la route qu'ils devaient suivre dans ce terrible voyage, les noms des divinités qu'ils auraient à prononcer, les cantillations qui mettraient en fuite les ennemis et leur ouvriraient l'accès aux Champs-Élysées. On procédait à des libations avec du vin coupé d'eau, de lait, ou bien un mélange de vin, d'eau et de miel. C'était une cérémonie très orchestrée. L'animal était accompagné à l'autel en procession et en musique, avec les objets sacrés : vases à eau, à sang, corbeilles, orge et blé. Après les ablutions, le sacrificateur répandait des grains d'orge sur la tête des victimes et des gouttes d'eau autour de l'autel. Les sacrifiants cherchaient à recueillir l'approbation de la victime avant de la tuer. Ils aspergeaient la tête de l'animal avec de l'eau sacrée. C'était une scène très violente. La mise à mort se faisait par égorgement. Puis venait le temps du partage. Le sacrifice devait rétablir la communication entre les hommes et les dieux.

Quand je relevai les yeux, elle était partie. Alors, sans perdre de temps, je rassemblai mes affaires et traversai la salle pour accéder au guichet afin de réclamer la thèse d'Elsa Maarek que j'avais commandée.

La jeune femme se tenait là, devant moi, elle déposait une fiche. Elle était à un souffle, cette fois. J'aurais pu étendre le bras et la toucher. Mais je ne pus faire un mouvement. Elle partit sans se retourner, avec lenteur et légèreté, comme si elle volait. Je ne savais plus que faire. J'aurais voulu l'appeler, courir derrière elle, mais je ne parvenais pas à articuler un son et mon corps restait figé. Jusqu'à ce qu'elle disparût, je la regardai s'éloigner – silhouette légère au milieu du temple du savoir – et avec elle, le mystère de son identité.

J'avançai vers le guichet et m'adressai à la bibliothécaire afin de lui présenter mon coupon.

– Désolée, me dit-elle, mais la thèse est sortie.

– Depuis quand ?

– Ça fait un moment. Environ six mois. C'est dommage. Elle vient juste d'être prolongée.

– Pouvez-vous me donner le nom de la personne qui l'a sortie ?

– Oh non, je n'en ai pas le droit, monsieur.

– J'en ai vraiment besoin, dis-je avec un sourire. C'est urgent. Je la connais peut-être et, dans ce cas, je pourrais lui dire qu'elle la rapporte. C'est une question de… d'amour.

La femme me regarda, interloquée, soudain hésitante.

– Je vous en supplie, insistai-je. Je suis certain que vous pouvez comprendre.

– Eh bien, je ne pense pas que vous la connaissiez.

– Pourquoi ?

– Parce que c'est la personne qui était juste avant vous…

– Son nom ? lui dis-je, haletant. Je vous en prie ?

– Simon. Maud Simon.

3

Lorsque je rentrai dans ma thurne, après le Pot du soir, j'étais perplexe. Pourquoi Maud Simon – puisque c'était elle – avait-elle emprunté la thèse d'Elsa Maarek ? Je savais que ses goûts étaient éclectiques, mais rien dans ses centres d'intérêt affichés sur Facebook ne laissait supposer qu'elle s'intéressait à la Grèce antique. Quel jeu jouait-elle ? Était-elle de connivence avec Ambroise Flamant ? Faisait-elle partie de sa société savante ? Et connaissait-elle Elsa Maarek ?

J'allumai mon ordinateur et me connectai sur Facebook.

`- Bonjour Maud. Comment allez-vous aujourd'hui ?`

Quelques minutes plus tard, la réponse arrivait.

- `Ça va,` écrivit-elle.

`- Que faites-en vous en ce moment ?`

`- Eh bien, figurez-vous que je viens de manger un éclair de la Maison du Chocolat. Un vrai régal.`

`- Vous êtes gourmande ?`

`- Que des bonnes choses. Par bonnes choses, j'entends bonnes pour la santé. Adepte du bio, végétarienne, mais aussi amatrice de chocolat ! Je me rattrape en faisant régulièrement des diètes. Et vous ?`

– Non... Je n'aime pas les choses matérielles. Je déteste les objets, et la nourriture m'intéresse peu.

– Peut-être trop peu. Pensez-vous être un pur esprit, Joachim ?

– Parfois je voudrais l'être.

C'était bizarre. Je n'avais jamais fait cette confidence à personne. Il est tellement facile de se confier à une inconnue, bien plus qu'à ses meilleurs amis. Je repensai à son cou, son dos, ses mains... *Je n'aime pas les choses matérielles.* J'avais le cœur qui battait.

– Vous êtes chez vous ?

– Oui. Ma voisine a mis du Wagner à fond et j'essaye de combattre par du Metallica. Je ne sais pas qui va l'emporter.

– Qui a les meilleurs décibels ?

– Nous avons la même base Bose.

– Effectivement, le combat s'annonce rude. Mon voisin est au rap, nuit et jour. Mais personne ne lui dit jamais rien. Vous réussissez à avancer dans votre travail ?

– Nous avançons à petits pas... C'est un déshabillage très progressif. D'une lenteur presque érotique. Savez-vous qu'il n'y a rien qui se rapproche davantage de l'amour que la paléo ?

– Que voulez-vous dire ?

– La paléo c'est un peu le déshabillage du texte. Nous passons notre temps à regarder les écritures et les lignes, dans le désir d'aller vers le sens, qui, lui, tente sans cesse de s'échapper, telle une vierge effarouchée.

– Intéressante métaphore.

– Nous savons à présent que le palimpseste cache

l'écrit d'un des plus grands penseurs, géomètres et mathématiciens de tous les temps. C'est un sacré scoop. Ambroise Flamant ne s'en est pas encore remis. Mais qu'y a-t-il dans ce texte ?

– Vous ne m'avez pas dit quelle a été sa réaction, lorsqu'il a vu la signature ?

– Il n'en croyait pas ses yeux. C'est le genre de chose qui ne se produit qu'une fois dans une vie.

– Et vous, lui demandai-je, qu'est-ce que cela vous a fait ?

– Après un moment de stupeur, et le sentiment bizarre de flotter un peu au-dessus du monde, je me suis dit que je n'étais pas en train de rêver, et j'ai pris conscience que jamais, plus jamais, je ne tomberais sur un document d'une nature aussi exceptionnelle. Nous sommes maintenant à la recherche de ce spécialiste de l'histoire des sciences, d'Archimède, des manuscrits grecs, et qui a aussi des connaissances approfondies en épistémologie et en mathématiques. L'oiseau rare. Ambroise Flamant a déjà fait son enquête, ils ne sont pas nombreux ceux qui réunissent tous ces critères. On nous a suggéré de contacter Joseph Gal, qui enseigne à l'université de Stanford, en histoire des sciences, et qui est un spécialiste mondial d'Archimède. Mais le département des Manuscrits nous a dit qu'il n'y avait pas de budget pour faire venir un chercheur. Heureusement, le mystérieux acheteur est là pour fournir les fonds nécessaires.

– Encore lui !

– Il est sans doute très motivé, ou très fortuné.

- Ou les deux. Vous allez être étonnée, mais j'ai réfléchi au sujet de Cosmas.

- Quelles sont vos conclusions, cher collègue ?

- Et s'il n'avait pas voulu effacer le codex mais, au contraire, le cacher afin de le préserver des mains des censeurs ?

- C'est une théorie intéressante. D'où vous vient-elle ?

- Je me suis penché sur l'histoire du monastère de Saint-Sabas. Il était souvent attaqué par les Sarrasins. Il fallait trouver un moyen de sauver le codex, et de s'échapper, ce que Cosmas a fini par faire, puisqu'on retrouve le manuscrit à Constantinople, quelques siècles plus tard.

- C'est possible, en effet ! Il aurait donc lu le véritable manuscrit d'Archimède...

- Oui, et c'est pourquoi il l'aurait transformé en palimpseste. Pour le dissimuler et le sauver. C'est la raison pour laquelle je pense que vous devriez faire attention à vous, vous et votre équipe.

- Pourquoi dites-vous cela ?

- Le palimpseste cache un secret. Et vous savez comme moi que la personne qui le possédait a été victime d'un meurtre.

- À la bibliothèque, tout est sécurisé. Nous avons tous des cartes magnétiques pour entrer au département des Manuscrits. Et puis à l'École des Chartes, il y a un vigile à l'entrée. Mais je ferai passer le message. C'est gentil de vous inquiéter pour moi, en tout cas. Nous avons le même âge, n'est-ce pas ? Nous pourrions peut-être nous dire tu ?

Je me sentis coupable. Je me servais de l'intérêt que Maud semblait avoir pour moi pour tenter de lui extorquer des renseignements. Qu'allait-il se passer si elle me demandait de la rencontrer ? Ou si je tombais à nouveau sur elle, par hasard, au coin de la rue ? Lorsque j'allais me promener au Luxembourg, parfois, en passant rue Gay-Lussac, ou devant la piscine Jean-Taris, à côté d'Ulm, je pensais à elle. Je le redoutais et l'espérais à la fois. Platon a raison de dire que le mal, c'est la matière. La chute de l'âme dans le corps : tel était mon problème. Je détestais l'idée d'avoir des besoins physiques, bassement matériels. Je n'aimais pas cette enveloppe charnelle, qu'il fallait sans cesse entretenir, nourrir puis vider. Je haïssais l'idée d'y être soumis. Que valait un moment de plaisir face à la joie que donne la compréhension d'un texte, d'une idée, d'une théorie ?

- Connais-tu Elsa Maarek ?

- La prof de philosophie grecque ? J'en ai entendu parler. Pourquoi ?

J'aurais voulu m'envoler dans la sphère céleste et ne jamais lui dire « tu ».

4

Je m'étendis sur mon lit pendant un instant, pour réfléchir. Que me cachait donc Maud Simon ? Était-ce un hasard, si je l'avais rencontrée, et si elle avait répondu aussi facilement à mes questions ? Dans quelle forme de piège étais-je tombé ? Je ne parvenais pas à trouver le sommeil. Je n'avais pas voulu l'avouer au professeur Maarek, mais, en vérité, j'étais encore sous le choc de notre aventure de Saint-Sabas. Depuis que j'étais rentré, j'étais hanté par les images sorties de l'enfer. Je me réveillais en sursaut, avec l'impression d'avoir des chauves-souris agrippées à mes cheveux, ou bien d'être attaqué par une bête féroce qui allait me dévorer. Pourquoi le père Éphraïm nous avait-il enfermés ? Était-ce pour nous retenir captifs, était-ce pour nous tuer ? Ou simplement pour nous intimider ? Elsa Maarek avait demandé à Éric Tibrac s'il était au courant de notre mésaventure, mais il n'en savait rien. En revanche, il lui dit que les liens entre Éphraïm et le père Delbos étaient plus étroits que le père l'avait laissé entendre. En effet, selon Tibrac, même si les deux hommes n'étaient pas du même bord, ils étaient restés amis, et il était fort possible que le père Delbos ait ourdi une machination contre nous.

Il était 23 heures, et je donnai rendez-vous à Fabien, Jérémie et Guillaume dans l'Aquarium. J'avais l'impression que le professeur Maarek ne voudrait plus de moi dans l'enquête, et je me disais que ce serait bien d'y impliquer mes amis. J'avais peur de poursuivre seul. En unissant nos compétences et nos intelligences, nous pourrions peut-être vaincre celles du meurtrier. Depuis que j'avais vu l'encens, je me méfiais de Fabien, il me semblait judicieux de l'emmener sur le lieu du crime.

– Quel est l'intérêt ? demanda Jérémie, la police mène son enquête, non ? Allons plutôt au café du coin ?

– Non, je sais que la police a besoin de notre aide.

– C'est toi qui as décidé de les aider, avec ta prof, remarqua Guillaume.

– Oui, et je pense que nous serons plus forts tous ensemble. Allez, venez. Vous ne comprenez pas ce qui se passe ? Le meurtrier court toujours, nous n'allons pas nous laisser faire ! Nous allons leur montrer que nous sommes plus forts que lui, n'est-ce pas ? Ou vous préférez qu'on se laisse abattre, l'un après l'autre, comme des mouches ?

Nous sommes sortis dans la nuit, tels les quatre mousquetaires, chacun avec un vélo. Il faisait chaud, une brise printanière caressait mon visage. Nous avons longé les quais, puis le Champ-de-Mars, jusqu'au pont Alexandre-III. Les voitures parfois nous frôlaient. Ivre de vitesse et des lumières de la ville, je me posais mille questions sur mon mode de vie. N'étais-je pas comme un moine, dans ma cellule de normalien ? Ma solitude me pesait. Comme pour ponctuer cette pensée, la tour Eiffel se mit à clignoter de tous ses feux. Je regardai l'immense tour de fer en forme de A, bouche bée, comme si c'était la première fois que je la voyais. C'était une parfaite synthèse entre le masculin et le féminin, la base évoquant une matrice et le haut un phallus… En cet instant précis où mon esprit était exalté par la mise au jour du manuscrit d'Archimède, je me dis que j'aurais aimé être avec quelqu'un pour partager cette émotion. Que valait de contempler une si belle ville, toute de proportions harmonieuses, avec ses ponts, ses avenues, ses jardins, si l'on était seul ? Mon cœur palpita à la pensée que c'était la première fois que je ressentais un manque. Et même si ce manque restait abstrait, même s'il n'était dirigé vers personne en particulier, même si j'avais du mal à m'avouer que c'était vers cette jeune femme que je connaissais à peine, il n'en était pas moins réel et douloureux.

Arrivés sur la place de la Concorde, nous nous sommes arrêtés devant l'Obélisque, devant les échafaudages. Nous étions là tous les quatre, Jérémie avec sa dégaine de dandy, son veston à pochette et ses cheveux blonds savamment décoiffés, Guillaume avec son costume, ses cheveux courts, ses yeux intenses derrière ses lunettes d'écaille, et Fabien, en jean et polo, de plus en plus maigre, pâle comme un spectre. Mes amis, mes camarades, mes condisciples. Je ressentis comme un élan de gratitude envers eux. Comment penser que j'avais pu les soupçonner ? Ils étaient là, présents, avec moi. Et surtout, inoffensifs, aussi redoutables dans l'art indélicat de la dissertation – capables de faire un cours d'une heure sans l'avoir préparé sur les paysans du Quercy au XVIIe siècle, le séquençage du génome ou l'algèbre des invariants relatifs pour les groupes de réflexion – qu'incapables de faire du mal à une mouche.

– Regarde, dit Jérémie. Il est simple de passer en dessous pour déposer un corps.

– Imagine le meurtrier en train de le déplacer devant l'Obélisque, comme une offrande lors d'un rite sacré, dit Guillaume. Un geste anachronique, à la fois ultrarationnel et totalement fou. Il faudrait réussir à en déterminer l'origine.

– L'origine ! dit Jérémie, en levant les yeux au ciel. Ça ne sert à rien de savoir quelle en est l'origine. Ce qu'il faut savoir, c'est la fin ! Dans quel but le meurtrier a-t-il déposé ce corps ici ?

C'était en effet deux façons de voir les choses. Chercher l'origine, ou chercher la fin. La cause ou le but. La Raison ou le Sens. Deux visions du monde, deux façons de concevoir les choses. Deux approches de la vérité.

Je levai les yeux. Illuminé dans la nuit, l'Obélisque était encore plus impressionnant. J'imaginais le jour où il avait été érigé, par quatre cents soldats, devant une foule compacte, à l'aide de machines compliquées. C'était Champollion qui l'avait choisi pour le roi Louis-Philippe. Un navire l'avait rapporté de Louxor, en remontant le long du Nil, jusqu'à la Seine. Quel était le sens de cette entreprise pharaonique, qui n'avait rien à voir avec l'histoire de France ? Personne ne semblait s'étonner de la présence de ce morceau de temple égyptien en plein Paris, et pourtant…

– C'est comme un phare, dit Guillaume. Le phare d'Alexandrie. La septième merveille du monde, qui a été construite par Ptolémée Ier.

– Cet obélisque est certainement censé nous guider, ajouta Jérémie.

– Qui nous ? demanda Guillaume.

– Nous tous, les Parisiens. Les hommes qui vivent ici, dans cette ville, sur cette terre.

– C'est cela, dis-je. L'Obélisque, comme les Champs-Élysées, nous guide, nous donne la direction.

Nous étions là, tous les quatre, en plein milieu de la place de la Concorde. Les voitures circulaien autour de nous et nous tentions de comprendre.

– Ce sont des lieux de culte païen, murmura Guillaume.

– Que veux-tu dire ?

– C'est comme le Panthéon, qui accueille les dépouilles des grands hommes de la République : une réplique du temple que les Égyptiens, les Grecs, puis les Romains consacraient à leurs dieux. Encore un lieu, et non le moindre – un temple ! – qui fait partie de l'architecture étrange de cette ville. En face : Sainte-Geneviève, encore un temple !

– Tu as raison, répondis-je. On dirait que Paris a été construite, au fil des ans, par une confrérie qui cherche à perpétuer dans la ville un certain culte. Une société secrète qui posséderait les clefs de la capitale : puisqu'elle a apposé son sceau dans les endroits les plus importants, les plus influents, au centre névralgique de Paris…

– Les Champs-Élysées, le Champ-de-Mars, la place de la Concorde, dit Guillaume.

– Cette société est tellement sûre d'elle-même, qu'elle aurait osé montrer sa croyance d'une façon éclatante, sans que personne s'en aperçoive vraiment. Les touristes du monde entier affluent pour contempler les monuments, sans s'interroger sur leur sens véritable, sans même voir ce qui est devant leurs yeux.

C'est le processus inverse de la conversion du regard : lorsque le voir est identique au vu. C'est là : à la fois révélé et masqué aux yeux de tous.

– Mais pourquoi le cacher ? demanda Jérémie. Quel message la capitale contient-elle ? Et quel est son sens ? Son but ? Sa diffusion ? Et surtout, qui l'utilise pour mettre en scène ces meurtres ?

C'étaient en effet les bonnes questions. La cause était certainement à chercher dans l'Antiquité, le monde gréco-égyptien.

– Le meurtrier a envoyé un message, dis-je.

– Mais lequel ? demanda Jérémie. Si ce n'est la terreur que cela inspire ?

– J'ai le sentiment que la réponse est là, devant nous, à portée de main, prête à être saisie, et pourtant on ne la voit pas…

Fabien nous regardait. Il était le seul à se taire, comme si cette quête de sens ne le concernait pas. Ou peut-être était-il gêné par nos conjectures.

– Je sais, dit Guillaume, sobrement

– C'est quoi ?

– C'est un culte, bien sûr.

– Lequel ?

– Regarde ! Ceux qu'on voit en haut, ici, sur l'Obélisque.

– Isis et Osiris. Et alors ?

– Et alors, tu penses que ce culte plaît à tout le monde ?

– Regardez ! s'exclama soudain Fabien en désignant le bas de l'Obélisque. En bas ! Pas en haut !

Nous nous sommes approchés et, en nous baissant, nous avons discerné la présence d'un minuscule symbole gravé dans la pierre, et qui n'avait rien d'un hiéroglyphe : il s'agissait de lettres latines.

– On dirait que c'est très récent, dit Guillaume.
– Qu'est-ce que c'est ? demandai-je.
– Les lettres *IHS*. I, H et S. *Iesus Hominum Salvator*.
– Les jésuites, murmura Fabien.

5

Je retournai à Sainte-Geneviève. Cela me permettait de fuir l'École et d'effectuer les recherches que je souhaitais entreprendre sur les jésuites. Le choix de l'Obélisque, sur lequel trônaient Isis et Osiris me paraissait clair : le meurtre, qui apparaissait comme une offrande aux divinités égyptiennes, était peut-être un défi, une provocation, ou une vengeance.

Une phrase m'était revenue à l'esprit « *Ce jésuite était en faveur d'un rapprochement de nos deux Églises* », avait dit le père Éphraïm en parlant du père Delbos. *IHS*, le sigle tracé au bas de l'Obélisque, représentait les trois vœux que devaient prononcer les jésuites pour faire partie de la Compagnie. C'était l'abréviation en trois parties du nom de Jésus en latin : *Iesus Hominum Salvator*.

La Compagnie de Jésus avait été créée en 1534 afin de défendre le pape. C'était un ordre bien particulier, héritier d'Ignace de Loyola, un mystique espagnol. Dans le sillage de ses célèbres *Exercices spirituels*, les jeunes recrues devaient prononcer les vœux de pauvreté, de chasteté et d'obéissance. Le noviciat durait douze ans, pendant lesquels ils étudiaient les lettres, puis les sciences ou la philosophie, et enfin la théologie. Au bout de cette longue formation, ils avaient enfin le droit de prononcer le quatrième vœu qui les engageait à une obéissance absolue et aveugle envers leurs supérieurs, « comme des cadavres », selon la formule consacrée. Les jésuites étaient des missionnaires dans l'âme, qui avaient conquis le monde entier, de l'Amérique du Sud à l'Asie, au prix de nombreuses victimes et d'une christianisation forcenée.

Bien entendu, l'époque n'était plus aux missions, mais ils étaient toujours présents auprès des élites universitaires... D'où l'importance stratégique du père Delbos auprès des normaliens, futurs éducateurs de la société. Je connaissais suffisamment le père Delbos pour savoir qu'il était au courant des petits secrets de l'École. Il avait des espions talas un peu partout qui le renseignaient sur ce qui se tramait à l'intérieur et à l'extérieur de notre périmètre.

À la bibliothèque, j'espérais revoir Maud : je me rassis à la même place que la veille. Je la guettais. Je revoyais le moment où elle s'était assise, si proche de moi, mais elle ne vint pas. Étais-je en train de tomber amoureux ? Était-ce donc cela, l'amour, imaginer l'autre sans cesse et le rendre présent, même lorsqu'il s'absente ? N'était-ce pas autre chose que l'imagination ?

Je trouvai très peu d'ouvrages sur les jésuites. Tous les documents, thèses, mémoires ou livres étaient rédigés par des jésuites ou affiliés, si bien qu'il n'existait aucune histoire critique de l'ordre.

À la fin de la journée, je me décidai à appeler le professeur Maarek pour lui faire part de mes réflexions à propos du père Delbos, que je commençais sérieusement à soupçonner.

Je ne lui avais pas parlé depuis notre dernière entrevue, qui avait jeté un froid entre nous. Elle sembla heureuse de m'entendre, m'écouta avec attention, mais hésita avant de me répondre. Puis elle finit par me dire qu'elle avait prévu de rencontrer le père Delbos afin de l'entretenir de ce qui s'était produit au monastère. Elle accepta que je l'accompagne à l'aumônerie le lendemain, jour où il recevait les étudiants.

Après avoir frappé à la porte, je reconnus la voix agréable et posée du père jésuite, qui nous invitait à entrer.

Il nous accueillit d'un sourire chaleureux. Même avec sa soutane austère, il avait de l'allure, et dégageait une aura qui forçait la sympathie.

– Elsa, Joachim, soyez les bienvenus ! s'exclama-t-il avec sa bonhomie coutumière. Joachim, je suis heureux de te revoir, ajouta-t-il, alors que le professeur Maarek me lançait un regard surpris. Alors, ce voyage en Terre sainte ? J'en ai entendu parler jusqu'ici !

Entre camarades archicubes, le tutoiement était de règle, même si le père Delbos et le professeur Maarek n'étaient pas franchement amis, et qu'ils se côtoyaient sans vraiment s'adresser la parole.

– C'était étonnant, dit le professeur Maarek. Nous avons même failli… ne jamais en revenir ! Es-tu au courant de nos mésaventures ?

– Oui, j'en ai eu des échos par le père Éphraïm, répondit le père Delbos, le visage soudain grave. Ma chère Elsa, tu avais indiqué que tu souhaitais visiter le monastère et lire quelques manuscrits, mais tu n'avais pas dit que tu voulais y faire des recherches, qui plus est, sur un sujet hautement sensible… Tu as profité de ma recommandation pour t'introduire dans la bibliothèque du monastère et consulter des ouvrages interdits. J'avoue être un peu décontenancé par ton attitude.

– J'ai demandé à visiter la bibliothèque. Il y avait un manuscrit qui m'intéressait. Et le père Éphraïm nous y a enfermés, Joachim et moi, si bien que nous aurions pu être encore là-bas à l'heure qu'il est !

– Tu as dû te tromper, il ne vous a certainement pas enfermés, et s'il l'avait fait par erreur, il vous aurait libérés ! C'est certain !

– Que t'a-t-il dit ?

– Ce que je t'ai raconté. Que tu faisais des recherches sur un codex qui appartenait au monastère, avant d'avoir été dérobé par un moine. Je n'en sais pas plus.

Elsa Maarek sentit que le piège qu'elle avait tendu était en train de se refermer sur elle.

– C'est dans le cadre des études byzantines que je mène actuellement que je suis tombée sur l'histoire d'un moine à Saint-Sabas, qui s'appelle Cosmas. Aurais-tu entendu parler de lui ?

– Maintenant oui, par Éphraïm. Il semblerait que ce moine ait eu en main un manuscrit mis à l'index par la communauté de Saint-Sabas.

– Cela justifie-t-il l'attentat dont j'ai été la victime ?

– Je te répète qu'il s'agit d'un accident. Mais un conseil à l'avenir : si tu t'intéresses au moine Cosmas, n'hésite pas à me le dire. J'ai maintenant quelques informations à son sujet, qui pourraient t'être utiles.

– Vraiment ?

– Le père Éphraïm m'a indiqué qu'il s'était mis à défendre des théories hérétiques.

– Pour quelle raison ?

– Il avait découvert le codex, qui a remis en cause sa foi. Je pense que tu dois être au courant. C'est un codex qui dévoilerait une vérité incompatible avec l'Église. Enfin, tout cela est très ancien !

– Et l'existence du codex, si elle était avérée, vous gênerait-elle beaucoup ?

– Que veux-tu savoir au juste ?

– Quel est le lien avec Andrieux ? Pourquoi a-t-il quitté la religion et pourquoi a-t-il pris ses distances avec vous ?

– Andrieux s'était éloigné peu de temps avant d'être assassiné. Il se disait perturbé par ses recherches… C'est donc pour cette raison que vous êtes allés là-bas ? demanda le père Delbos, l'air troublé. Ce n'est pas pour ces études byzantines dont tu me parlais…

– Jusqu'où iriez-vous pour protéger l'Ordre et la Papauté ?

Le père Delbos se reprit, et la regarda avec un grand sourire.

– Voyons Elsa, dit-il, condescendant, il y a fort longtemps que nous ne sommes plus les chevaliers du pape ni son bras armé ! Seulement de pacifiques universitaires. Pour la plupart, nous travaillons en bibliothèque sans jamais mettre le nez dehors.

– Sauf pour enseigner à la jeunesse. Et pas n'importe laquelle : l'élite de la nation. Tu sembles présent sur tous les sites d'excellence, les internats, les bonnes prépas, les écoles…

– Je fais mon travail auprès de ceux qui en ont besoin. C'est vrai qu'avec toutes nos années d'études, nous sommes plutôt portés à l'enseignement et la formation des jeunes élites.

– Certains le qualifieraient d'endoctrinement.

– Nous allons vers ceux qui viennent vers nous.

– Vous êtes toujours soumis à la règle secrète. Pour être admis dans votre Société, il faut en passer par un noviciat très dur, puis faire douze années d'études…, n'est-ce pas ?

– Et être « docile comme un cadavre » en face des supérieurs ? Les choses ont beaucoup changé, tu sais… et c'est tant mieux !

– *Ad majorem Dei gloriam*, telle est la formule ?

– C'est une image, voyons. Nous sommes des universitaires exigeants, chacun dans son domaine, c'est vrai !

– Pourquoi le père Éphraïm n'a-t-il pas de considération pour vos rencontres œcuméniques ?

– C'est ce qu'il t'a dit ?

– Il n'a pas l'air de t'apprécier.

– Nous ne sommes pas du même bord. C'est toujours compliqué les rapports entre chrétiens, tu le sais bien, toi qui connais la période byzantine.

– Pourquoi nous a-t-il enfermés dans sa cave ?

– Je te répète qu'il doit s'agir d'un accident. Je ne peux concevoir que ce cénobite ait cherché à te faire du mal sciemment. Ou alors… j'allais dire, c'est qu'il est devenu vraiment fou, à force de rester dans son monastère hiérosolomytain. Comment t'es-tu sortie de là ? dit-il, en se radoucissant soudain.

– Joachim a forcé la porte de la cave. Nous avons parcouru le couloir des chauves-souris, et celui des crânes. Je pense que c'est un miracle si nous en sommes sortis sains et saufs… Que s'est-il passé au juste entre Tibrac, Éphraïm et toi ?

Le père Delbos sembla surpris. Il contempla le sol quelques instants, puis :

– Éric Tibrac, Éphraïm – qui s'appelait Édouard, à l'époque, et moi-même, nous étions condisciples à Ulm. Et très amis tous les trois. À la suite de quoi nous avons pris des chemins différents. Je suis resté ici pour former la jeunesse, Édouard s'est converti au rite orthodoxe et est parti en Terre sainte. Éric Tibrac a simplement quitté toute forme de religion au profit de la philosophie. Chacun a suivi sa voie. Mais nous avons gardé, je pense, une grande estime les uns pour les autres… Voilà, tu sais tout à présent.

– Vous êtes devenus ennemis ?

– Mais… non, je te l'ai dit… nous ne sommes pas du même bord, c'est tout.

– Et donc, poursuivit le professeur Maarek qui ne lâchait pas prise, vous vous entraidez, quand le besoin s'en fait sentir.

– Nous avons gardé le sens de l'amitié et de la camaraderie normaliennes ! C'est un minimum, n'est-ce pas ?

– Éphraïm a l'air de critiquer vos chemins, et de penser que lui seul est dans le vrai.

– Pourquoi ne pas lui avoir posé ces questions ?

– Nous avons fui. Nous avons eu peur !

– Ma chère Elsa, je te promets de mener ma petite enquête auprès d'Edou… du père Éphraïm. Et je ne manquerai pas de te faire parvenir plus d'informations si j'en ai.

– C'est ce qu'on appelle… une réponse de jésuite ?

On frappa à la porte. Le père Delbos se leva pour aller ouvrir.

– Et maintenant, si vous voulez bien m'excuser, ajouta-t-il

avec un sourire, je vais devoir vous libérer, je suis attendu par mes futurs cadavres !

Il laissa entrer Fabien, alors que nous nous levions pour lui céder la place. Celui-ci nous observa, surpris et gêné, comme s'il cherchait à nous dire quelque chose, avant de se raviser.

6

– C'est curieux que Fabien soit là, dis-je. Après la conversation qu'il a eue avec le père Delbos, je ne pensais pas qu'il le reverrait.

– Venez, intervint le professeur Maarek avec un sourire désarmant. Puisqu'ici les murs ont des oreilles…

Elle m'entraîna dans les grands escaliers qui menaient tout en haut, sur les toits de l'École. De là, la vue plongeait sur le Quartier latin, le Val-de-Grâce sur notre droite et le Panthéon à gauche. Je ressentais toujours, sur ces toits mythiques que les normaliens à la grande époque devaient escalader en guise d'intronisation, une sensation enivrante de puissance et de réussite. Lorsque j'y étais venu, pour la première fois, après mon intégration, j'avais ressenti l'ivresse du « Paris, à nous deux ! ». Avec Fabien, Guillaume et Jérémie, nous escaladions parfois les toits en passant par les gouttières, dans la journée. De jour, c'était un défi excitant. Et bien sûr rigoureusement interdit. Mais le jeu consistait à se balader sur les toits tout autour du cloître, et à se faire repérer par les élèves, et non par les professeurs. De nuit, c'était trop dangereux, on n'y voyait pas grand-chose. Une fois pourtant, Jérémie nous avait mis au défi de le suivre. C'était lui la tête brûlée du groupe. Nous l'avions tous escorté, en file indienne, avec la peur de glisser à chaque pas. Guillaume, le moins courageux, était derrière. Puis, arrivés enfin au-dessus du cloître, nous nous étions assis, les pieds sur les gouttières, avec ce sentiment typiquement normalien d'y être arrivé. Où, au juste ? Je ne sais pas. D'être là, seulement là où nos fantasmes nous guidaient. Et de poursuivre là où ils nous conduiraient. Le temple du savoir nous avait ouvert ses portes. Nous étions les maîtres du monde.

– Qu'avez-vous trouvé sur les jésuites ? demanda le professeur Maarek.

– Je suis allé aussi à Sainte-Geneviève et à la BNF, j'ai fait la Bibliothèque historique et les Archives. Il y a étonnamment peu de choses les concernant en langue française. Peu d'écrits sur eux, pas de synthèse historique, ni d'enquête fouillée. Une bibliographie très succincte. À part celle de Jean Lacouture, pas d'histoire générale récente de la Compagnie de Jésus. En revanche, beaucoup d'écrits sur Ignace de Loyola. Mais depuis, c'est comme si leur histoire était devenue secrète, opaque… Il existe un livre sur les jésuites en Chine, autrefois et aujourd'hui, écrit en 1856. J'ai trouvé une thèse d'histoire mais c'était sur les stratégies d'implantation des missionnaires jésuites au XVe siècle en Éthiopie. Une autre thèse sur les jésuites du Paraguay expulsés en Italie. Les influences du jésuitisme chez Bernard-Marie Koltès…

– Intéressant ! Mais cela ne nous aide pas beaucoup pour notre enquête. Rien sur la stratégie jésuite aujourd'hui ?

– J'ai trouvé une mention dans une note de bas de page

d'une thèse en sciences de l'Éducation. L'auteur cite Ignace de Loyola qui a développé dans ses *Exercices spirituels* le Magis, qui signifie : faire plus et mieux, qui se dit en arabe : Al-Mazîd. Ignace posait les trois questions : Qu'ai-je fait pour Dieu ? Que fais-je pour Dieu ? Et que puis-je faire de plus pour Lui ? Pour lui, on peut toujours faire mieux, ou plus. Dans les collèges jésuites, on invitait les étudiants à pratiquer le Magis et à cultiver cette insatisfaction qui pousse à aller toujours plus loin.

– La thèse dont vous parlez porte sur quel sujet ?

– C'est une recherche sur les écoles de l'Émirat du Qatar, un pays actuellement en pleine réforme éducative. Ignace de Loyola est cité dans le cadre de l'amélioration des performances. C'est lui qui a mis en avant, entre tous, le pouvoir politique de l'éducation.

– Les jésuites ont compris cela depuis longtemps, souligna le professeur Maarek. C'est la raison pour laquelle leur terrain d'action privilégié est l'université et la recherche, ce qui leur permet de garder le contrôle de ce qui peut s'écrire sur eux.

– Malgré tout, voici ce que j'ai fini par obtenir en m'intéressant à la littérature antijésuite. Les jésuites sont une organisation, ou plutôt une société encore très active aujourd'hui. À la tête de l'organisation, se trouve un général nommé à vie, appelé « le Pape noir », qui a un pouvoir considérable.

– On dit qu'il a plus de pouvoir que le pape. Mais est-ce vrai ?

– Je le pense, oui. Le pape ne serait que la face apparente du pouvoir de l'Église. Le véritable pouvoir, c'est le Pape noir qui le détiendrait. Mais tout cela est tenu pour hautement secret. Les jésuites sont aussi discrets qu'influents, et ce, sur tous les continents. C'est en Europe qu'ils sont les plus nombreux :

environ dix mille, en France, Espagne, Grande-Bretagne, Allemagne, Autriche, et en Hollande. À peu près autant en Amérique du Nord et du Sud. Quelques centaines en Australie, un millier en Afrique. Ils sont à Madagascar, en Inde, à Taïwan, aux Philippines et en Chine. En France, ils ont encore la direction de collèges, d'établissements scolaires et d'universités. Le pape Paul III reconnaît la Compagnie dans sa bulle *Regimini Militantis Ecclesiae* (Pour le gouvernement de l'Église militante) en 1540. Grâce aux fameux *Exercices spirituels* d'Ignace de Loyola, ils parviennent à influencer la volonté de leurs nouvelles recrues. Ils n'ont pas peur d'avoir recours aux Mystères, aux visions ou apparitions qui ressemblent à des illuminations, d'où l'appellation de l'un des groupes qui dérive des jésuites : les Illuminati. Leur devise est bien connue : « La fin justifie les moyens », et comme vous le disiez tout à l'heure : *Ad majorem Dei gloriam*, « pour la plus grande gloire de Dieu ! »

– Mais ils ont aussi fait un travail exceptionnel, qui a beaucoup apporté à la foi chrétienne, dans le sens où ils ont élevé le niveau d'éducation et d'études de la population. C'est vrai qu'ils sont exigeants. Mais cela n'est pas plus mal, dans le cadre d'une Chrétienté qui se trouvait plutôt inculte. Nous aussi – les Normaliens – nous sommes exigeants. Ce sont des lettrés, des hommes cultivés…

– Ce qui les rend encore plus redoutables, à mon avis, dis-je. Mais ce n'est pas tout.

– Allez-y, je vous écoute, dit le professeur Maarek avec un petit sourire.

– J'ai découvert autre chose. Les jésuites sont extrêmement dissimulateurs. Ils peuvent avoir des identités multiples sans que cela leur pose le moindre problème éthique, bien au contraire. Ils considèrent que l'infiltration, surtout dans les milieux lettrés ou fortunés, fait partie de leur mission sacrée... Ils en ont fait, plus qu'une théorie, un credo, un art. Ils n'hésitent pas à prendre des masques, à se faire passer pour d'autres personnes, même et surtout opposées au christianisme. C'est ainsi qu'ils ont pu s'implanter partout dans le monde, du Paraguay jusqu'en Chine : ils se fondent dans le paysage.

– Les Jèzes sont bien connus pour leur détermination et leur ruse..., murmura Elsa Maarek. C'est Pascal qui l'a dit : « Les jésuites ont répandu dans l'Église les ténèbres les plus épaisses qui soient jamais sorties du puits de l'abîme. »

– D'après mes recherches, les jésuites aiment à recruter leurs membres parmi les hommes d'affaires et les politiciens, qui se consacrent à l'« Œuvre de Dieu » afin de faire du pape le Monarque universel, gouverneur de l'humanité. Les jésuites disent qu'ils sont au service de la Papauté, mais c'est l'inverse ! C'est la Papauté qui est à leur service... Bref : la Compagnie de Jésus n'est pas un ordre religieux, mais bien un ordre militaire.

– C'est donc une société secrète très organisée, dit Elsa Maarek, avec de réels pouvoirs. Une armée de soldats prêts à obéir à n'importe quel ordre.

– Sous l'Ancien Régime, ils confessaient les princes et les rois : ils étaient des espions bien informés. Mais tout cela est totalement tabou. D'autant que les jésuites, habiles à la dissimulation, sont insaisissables...

– Mais le père Delbos, puisque nous pensons à lui, ne se dissimule pas !

– Lui non, mais il forme des élèves. Il est d'un prosélytisme discret mais efficace.

– Auprès de qui, par exemple ?

– Un ami à moi, ajoutai-je après une hésitation, était tala. Le père Delbos était en colère, lorsqu'il a quitté l'aumônerie d'abord, puis lorsqu'il a appris qu'il était devenu votre élève.

– Le père Delbos pense que je convertis mes élèves au polythéisme ?

– En tout cas, il a été dit que votre influence n'était pas étrangère à son départ… Je dois avouer qu'il ne se trompait pas complètement. Lorsqu'il a commencé à suivre vos cours, mon ami a pris du recul par rapport au christianisme. Chez les Talas, il avait l'impression d'être endoctriné. Ça n'a pas été simple de les quitter. Le père Delbos l'a très mal pris…

– Je ne l'ai jamais incité à le faire ! s'exclama le professeur Maarek. J'ignorais même qu'il était croyant. Vous savez que j'ai le plus grand respect pour les religions, dans la mesure où elles-mêmes professent le respect. Ce qui n'est pas toujours le cas, bien entendu. L'histoire du christianisme ou de l'Islam est parcourue de guerres et d'atrocités.

– Quand on s'intéresse à la philosophie, et qu'on décide d'aller au fond des choses, on est assailli par le doute, murmurai-je. Et c'est ce qui m'est arrivé quand j'ai commencé à suivre vos cours. Vous vous souvenez, vous nous aviez raconté l'histoire d'Hypathie ?

– Oui.

– Cette philosophe et mathématicienne, fille de Théon, le directeur de la Bibliothèque d'Alexandrie. Elle enseignait Platon et Aristote aussi bien que l'astrologie, dans les années 390… Et fut sauvagement assassinée par les chrétiens parce qu'elle était accusée de paganisme…

– Oui, bien sûr. Pythagore, Socrate, Hypathie… Archimède

aussi. La liste est longue des philosophes assassinés parce qu'ils étaient accusés de subversion.

– J'ai l'impression que vous êtes comme Hypathie.

– J'espère ne pas finir comme elle !

– Les Talas et le père Delbos ont peur de vous. S'ils ont peur, c'est qu'ils savent au fond d'eux qu'ils sont dans l'erreur, et qu'ils considèrent votre enseignement comme une menace.

– Personne n'est dans l'erreur, et personne n'est dans le vrai, Joachim. C'est peut-être la seule chose que nous enseigne la philosophie. Sans verser dans le scepticisme, bien sûr. Mais la philosophie est avant tout questionnement et doute. Elle réside dans un non-lieu : le simple mouvement d'ouvrir les yeux. C'est ce que l'on appelle sortir de la caverne. Mais dehors, le soleil fait mal aux yeux… Dites-m'en davantage sur votre ami. Quel était son rôle chez les Talas ?

– Aider à superviser l'aumônerie. Le père Delbos est un homme très occupé, qui voyage beaucoup. Il est obligé de déléguer certaines tâches. Et elles sont nombreuses. Ce n'est pas seulement ceux qui vont-à-la-messe qui sont les Talas. Faire des conférences, des réunions à la « cave tala », dans les bas-fonds de la rue d'Ulm ou la chapelle de l'Adoration au 39, rue Gay-Lussac… Les cafés talas, les chocolats théologiques, où l'on débat de divers sujets et de la préparation de la messe…

– Et les rapports avec le père Delbos ?

– Il suit de près ce qu'ils font, mais il n'est pas souvent là. En tout cas, je peux vous assurer qu'il n'est pas le chef d'une armée secrète.

– Avez-vous été intronisé ? demanda le professeur Maarek en me regardant soudain au fond des yeux

– Que voulez-vous dire ?

– Vous m'avez bien compris. Avez-vous été intronisé par les jésuites ?

Elle me regardait d'un air bizarre. Il y eut un silence embarrassé que personne ne rompit, comme si chacun redoutait d'entendre l'autre.

– C'est pour cette raison que le père Delbos semble bien vous connaître, ajouta-t-elle.

– Oui…, ai-je fini par avouer.

– Vous étiez tala, n'est-ce pas ? C'était vous, Joachim… pas votre ami ?

Je pris ma tête dans les mains en me penchant devant la rambarde, comme attiré par le vide, accablé d'un poids terrible. Je regardai autour de moi, le Panthéon, le Quartier latin, Paris à mes pieds, tel que je l'avais vu un soir de septembre, alors que je venais d'intégrer l'École et que je me demandais ce que j'allais faire désormais. Pendant les années de prépa, j'étais motivé par le concours. Avant, en khâgne, je n'avais qu'on objectif, une obsession, qui occupait tous mes jours et toutes mes nuits : intégrer la rue d'Ulm. Je dormais en y rêvant, je me réveillais en y pensant. Mais je n'avais pas réfléchi à ce que j'allais faire après. Et là, soudain, j'étais face à moi-même, sans savoir vraiment qui j'étais. Tout était possible, et c'était effrayant. C'est alors que j'avais eu ce sentiment d'attraction du vide, depuis les toits. D'être un funambule qui marchait sur un fil tiré entre deux immeubles. L'un était l'enfance, l'autre était l'âge d'homme, comme le disait le professeur Maarek. Et je ne savais pas comment faire pour le traverser.

– Allons, racontez-moi, dit-elle doucement.

– Je me suis retrouvé devant trois personnes, commençai-je. Il y avait le père Delbos, et deux autres prêtres que je ne connaissais pas, qui étaient vêtus de noir et masqués. L'un d'eux portait une bannière noire, où figuraient une dague et une croix rouge, au-dessus d'un crâne et de deux tibias croisés, avec les lettres INRI. Au-dessous de ces lettres, était écrit en latin : *Iustum Necar Reges Impios*.

– « Il est juste d'exterminer les rois impies », traduisit Elsa Maarek. Curieuse interprétation des mots écrits sur une croix.

– On ne pouvait pas voir le visage du second homme. Une croix rouge était posée au sol. Je devais m'agenouiller devant elle. Le père Delbos m'a tendu un petit crucifix noir, que j'ai pressé contre mon cœur. Et puis il m'a présenté une dague, que j'ai saisie par la lame, et dont j'ai appliqué la pointe contre mon cœur. Voilà, c'est tout.

– C'est tout ? Il ne vous a pas fait répéter un serment ?

– Non. C'était le premier degré. C'est là que je me suis arrêté.

– Et qu'est-ce qu'ils ont dit ?

– Je ne sais pas... je me suis enfui... je ne suis plus jamais revenu à leurs réunions. Tout cela est très secret. Je ne comprenais pas les enjeux à l'époque. Pour moi, c'était juste une mascarade, un rituel. Rien de sérieux, ou qui m'engage d'une façon ou d'une autre. Mais après, lorsque je me suis éloigné, j'ai compris que c'était un problème pour eux. Et qu'il faudrait que je me taise.

– Vous avez reçu des menaces ?

– Pendant un an, des mots dans mon casier. Des phrases en latin. Anonymes. Des citations de Loyola. *« Ne rien vouloir et ne rien chercher d'autre, sinon, en toutes choses et par tous les moyens, une plus grande louange et gloire de Dieu Notre Seigneur.* » Ou encore : « *Que chacun se persuade que ceux qui vivent dans l'obéissance doivent se laisser conduire aux ordres de la Providence divine par le moyen de leurs Supérieurs, comme s'ils étaient un corps mort qui se laisse porter de tous côtés...* » Puis ça s'est arrêté. Voilà, vous savez tout.

– Non, pas tout. Qui était le second homme, celui qui était masqué ?

– Je ne sais pas, dis-je. Il était vêtu de noir et portait le sigle des jésuites.

– La couleur du Pape noir, murmura Elsa Maarek.

7

La première année de mon intégration à l'École, je n'avais pas d'amis. Devant les mathématiciens, ceux qui étaient férus d'échecs, de musique ou de go, je me sentais transparent, sans identité. Je n'avais pas de passion, je ne faisais pas de sport. J'étais simplement un littéraire, bon en grec et en latin, excellent en philosophie. Mais cela ne suffisait pas. En quittant ma famille, je m'étais libéré d'un poids. Mais je n'avais pas trouvé de famille de remplacement. Jc n'étais intéressé ni par l'économie, ni par la politique, ou encore les jeux d'échecs. Je n'étais pas un rebelle. Je n'allais jamais au cinéma. Les films m'ennuyaient. Ce que j'aimais par-dessus tout, c'était lire ; mais c'était pour m'évader de moi-même et du réel qui m'oppressait. Moi aussi, j'étais sans qualité, et je cherchais une identité.

Je me suis intéressé à la religion en rencontrant cette fille, Sophia, c'est ainsi qu'elle s'appelait. Elle avait de grands yeux ombrés de longs cils et des cheveux dorés. Lorsqu'elle me regardait, j'avais l'impression qu'elle transperçait le fond de mon cœur. Elle préparait une agrégation de lettres classiques et se destinait à l'enseignement. Provinciale comme moi, elle avait fait sa classe préparatoire à Louis-le-Grand. La première fois que je la vis… J'avais lu ces mots tellement de fois, dans les romans. Le premier regard, les premiers mots, le coup de foudre. Et pourtant, c'était vrai. Au Pot, un midi. Je m'en souviendrai toujours. Avais-je dévoré trop de romans réalistes ou romantiques ? M'étais-je imprégné de ces héros qui au premier battement de cils, savent qu'ils ont rencontré la femme de leur vie ? Toujours est-il que j'en fus bouleversé : je ne pensais plus qu'à elle, nuit et jour, au point d'en perdre le sommeil et l'envie de manger. Je la guettais le matin, le midi et le soir. C'était comme une déchirure. La certitude que, quoi qu'il arrive, je ne vivrais plus que pour elle. Je lisais, j'écrivais des poèmes. Je devins ami avec ses amis pour tenter de m'approcher d'elle. J'étais beaucoup trop timide pour l'aborder frontalement et l'inviter à dîner. Je n'avais pas d'expérience avec les femmes, et devant elle, j'étais totalement démuni. C'était comme si tout ce que j'avais réprimé pendant mon enfance et ces années de prépa où il fallait s'oublier, me revenait comme un boomerang. J'étais, c'est vrai, violemment attiré par elle. Mais tout ce que je voulais, c'était la voir. Comme dans les romans, je devais la conquérir. Et comme dans les romans, il y avait un obstacle entre elle et moi. Sophia était Princesse Tala.

Pour elle, j'ai tout fait. Je suis allé aux messes, aux réunions interminables, aux chocolats théologiques. Aux débats, aux conférences, aux week-ends. Mais Sophia était l'amoureuse d'un Tala. Un bellâtre angliciste qui s'appelait Charles-Henri et à qui je ne trouvais, bien sûr, aucun intérêt. Alors je me suis dit que, pour la conquérir, il fallait que j'aille plus loin, bien plus loin que lui. Je me suis rapproché du père Delbos, j'ai commencé à suivre ses cours, à prendre part à ses messes. J'ai participé aux pèlerinages, sur les routes d'Assise. Nous étions quarante, et je ne voyais plus qu'elle, dans le bonheur d'être à ses côtés, même si c'était juste pour la regarder, de nuit, sous les étoiles filantes, à côté des sanctuaires franciscains. Le père Delbos nous parlait de la joie, moi il me semblait que je l'avais trouvée. Et si je priais, tous les soirs, c'était pour avoir un jour le bonheur de la tenir dans mes bras. Tous les jeudis, je sacrifiais un cours de philosophie antique pour me rendre aux sermons du père Delbos, où j'étais sûr de la retrouver. Je participais même à quelques préparations de messe, où j'aidais à choisir les textes et les chants, moi qui n'y connaissais rien. Bientôt ce furent les laudes, la prière du soir, le chapelet ou le café du mardi, les soirées passées dans les thurnes, avec une bible à la main.

J'étais tellement assidu que, l'année suivante, le père Delbos me proposa de me rapprocher davantage de son groupe… Je pensais que pour plaire à Sophia, il suffisait de cela ! Elle avait tant d'admiration pour lui. Personne, bien sûr, n'était au courant de ma motivation secrète, et surtout pas le père Delbos. Devant ma vie monacale et mon zèle qui ressemblait à la ferveur que j'avais pour Sophia, il me proposa de passer le premier cap pour devenir jésuite. Cela n'engageait à rien, disait-il. À rien, sinon à prononcer ces vœux étranges.

« *Je déclare et je promets que je n'aurai jamais aucune opinion ni volonté personnelles, aucune réserve mentale, même jusqu'à la mort, mais que j'obéirai sans hésiter à tous les commandements que je pourrai recevoir de mes supérieurs dans la milice du Pape et de Jésus-Christ ; que j'irai dans toutes les parties du monde où je serai envoyé, dans les régions glacées du Nord, dans les jungles de l'Inde, dans les centres de civilisation de l'Europe, ou dans les endroits sauvages où vivent les tribus barbares de l'Amérique, sans murmurer ni me plaindre, mais en étant soumis dans toutes les choses qui m'auront été communiquées.»*

Qui aurait pu se douter que ces serments, c'était pour elle que je les disais ? Que devant elle je n'avais ni opinion ni volonté personnelle. Que j'obéissais sans hésiter à tous ses commandements et que pour elle, je serais allé dans toutes les parties du monde où elle m'aurait envoyé, dans les régions glacées du Nord ou les jungles de l'Inde ? Il aurait suffi d'un murmure de sa part pour que je prenne l'avion pour un endroit sauvage. Mais l'endroit sauvage, c'était son cœur. Elle me garda pendant deux ans à son service, sur des charbons ardents. Et je restais là, à attendre qu'elle m'appelle, qu'elle me reçoive, et qu'elle finisse par me mettre hors de sa thurne à trois heures du matin, sans m'accorder l'ombre d'un baiser.

Sophia finit par épouser son Prince Tala : ce fut le père Delbos qui les maria. Alors, le cœur brisé, je renonçai à prononcer mes vœux. J'eus beaucoup de mal à me remettre de cette déception amoureuse. Pendant plus d'un an, je fis une dépression. Je n'arrivais plus à sortir de ma chambre, je n'avais plus envie de rien. J'avais des vertiges, des insomnies. Je voyais tout en noir. J'étais devenu cynique et désespéré. Il me semblait que le monde s'était vidé de ses couleurs. Je ne pouvais même pas raconter mon histoire, parce qu'il n'y avait rien à en dire. Je ne voyais plus l'horizon. En perdant l'amour, j'avais aussi perdu l'espoir de l'amour. Et c'est en commençant à suivre les cours du professeur Maarek que j'ai retrouvé un sens à la vie. Je me suis consolé de l'amour grâce à la philosophie.

8

Le lendemain de la discussion avec le professeur Maarek, nous avions rendez-vous avec le commissaire Masquelier et le directeur de l'École.

Je descendis d'un étage, et frappai à la porte de son bureau. Le professeur Tibrac et Elsa Maarek m'attendaient tous les deux. Elle me gratifia d'un sourire, comme si rien ne s'était passé. Ils avaient l'air tendu : on aurait dit que mon arrivée était intervenue au beau milieu d'une conversation qui s'engageait mal, ou peut-être à laquelle je n'aurais pas dû assister. Étaient-ils vraiment amants ? Je chassai vite cette idée de mon esprit. Pour moi, le professeur Maarek était au-dessus de toute vie sentimentale ou sexuelle. Je ne supportais pas l'idée qu'elle fût un être de chair. Elle était femme, mais elle aurait tout aussi bien pu être un homme. Elle était Esprit avant tout.

Le commissaire Masquelier ne tarda pas à arriver. Il voulait savoir si nous avions pu récolter des informations, au sein de l'École.

Je leur relatai alors ce que Maud m'avait dit au sujet du codex, sans leur faire part de la relation qui s'était établie entre nous.

– Et aujourd'hui, dit le directeur, est-il en sécurité à la BNF ?

– Maud Simon dit que la salle dans laquelle il se trouve est protégée, seules des cartes à puces permettent d'y accéder. De plus, il y a des gardiens partout à la BNF.

– De notre côté, nous avons mis en place des écoutes téléphoniques ciblées.

– Vous avez eu des résultats ?

– Oui, nos analystes ont intercepté des échanges entre les membres d'un groupe très fermé qui tient des réunions secrètes dans Paris, un peu à la manière des francs-maçons, mais en cercle beaucoup plus restreint, avec des membres triés sur le volet. Andrieux et Sorias en faisaient partie. On a repéré des codes dans leurs téléphones qui indiquent des dates et des lieux de réunion. Parmi eux, on retrouve souvent le Monument des Droits de l'Homme, au Champ-de-Mars…

– Et c'est ce groupe qui organiserait les cérémonies de sacrifice ? demanda le professeur Maarek.

– Probablement, dit le commissaire. Ce n'est pas tout. La PTS a identifié aussi une plante qui était présente dans le sang des victimes. Une plante psychoactive à base d'hydrolyse des alcaloïdes de l'ergot de seigle… Cela vous dit quelque chose, professeur Maarek ?

– Le kykéon, murmura-t-elle.

– C'est quoi ? demandai-je.

– C'était la préparation donnée aux initiés lors du rite d'Éleusis. De l'ergot de seigle. La potion du sacrement était une drogue psychoactive puissante que les prêtres fabriquaient et administraient lors des rituels. L'ergot de seigle, ou encore le champignon *Claviceps purpurea*, provient d'une pourriture du blé. C'est le chimiste Albert Hoffmann qui a fait cette découverte.

– L'inventeur du LSD, remarqua le professeur Tibrac.

– C'est lors de ses recherches sur l'ergot de seigle qu'il a trouvé la formule du LSD.

– L'ergot de seigle, associé aux autres psychotropes très puissants qui ont été trouvés, ça fait beaucoup, dis-je.

– Ils devaient être en overdose avant d'être tués, suggéra le commissaire Masquelier. Ou bien, dans un trip ultraviolent…

– Ils se sont drogués ? demandai-je.

– Ou on les a drogués.

– Qui, « on » ?

– Quelqu'un qui fait partie de ce groupe mystérieux. Probablement le meurtrier.

– Le kykéon était-il administré au cours des Mystères d'Éleusis ? demanda le professeur Tibrac.

– Oui, au cours des Mystères centraux, ceux de la Mort et de la Résurrection, symbolisées par la décomposition de la graine dans la terre et sa réapparition sous la forme d'un être vivant s'envolant vers une lumière divine, répondit le professeur Maarek. Déméter était souvent représentée avec du blé, et les Grecs anciens disaient que la déesse avait deux fonctions. Elle nourrissait la société et elle montrait ce qu'il y avait après la mort. Le kykéon n'est pas dangereux en soi. Le rite a été pratiqué pendant deux millénaires !

– Deux millénaires d'initiés qui étaient sous une hallucination proche du LSD…, remarqua le professeur Tibrac.

– Parmi ces hallucinés, on trouve Pythagore, Parménide, Socrate, Platon, Aristote. Probablement Archimède, ajouta le professeur Maarek.

– Bientôt vous allez nous expliquer que tous ceux qui ont fondé notre civilisation et notre culture étaient des drogués ! dit le professeur Tibrac.

– Force est de remarquer que les initiés d'Éleusis ont tout inventé : notre physique, notre métaphysique, les mathématiques, la politique…

– C'est sans doute pour cette raison que les mathématiciens du groupe en prenaient, dit le commissaire Masquelier. Ils cherchaient à résoudre leur problème. Et ils pensaient que l'ergot de seigle allait les aider à trouver, comme elle a inspiré tous les grands savants de l'Antiquité. Cela expliquerait en tout cas le modus operandi des meurtres. Si les victimes ont pris du kykéon, elles ont pu être emmenées à l'endroit où elles ont été tuées. Autrement dit, le meurtrier a besoin de recueillir l'assentiment de la victime avant de l'exécuter.

– Ce qui signifie qu'il la connaît ?

– Probablement, dit le commissaire.

– Le kykéon n'explique pas tout, dit le professeur Maarek. Il n'est qu'un vecteur de l'effet recherché…

– Qui est ?

– La dissolution du moi. La perte de la conscience de soi. L'absence de limites. Tout ce qui nuit à la pensée…

– La pensée ? dit le professeur Tibrac, d'un air ironique. De quelle pensée parlez-vous ?

– Je parle de la véritable pensée. Celle que nous recherchons tous. Celle qui vous fait comprendre les lois de l'univers. Je pense qu'un ou plusieurs membres du groupe ont fait ces sacrifices alors que les victimes étaient sous l'effet de ces substances, dit le professeur Maarek. Ou bien quelqu'un a profité de cette prise de substances pour s'introduire parmi eux, les droguer avec des fortes doses de psychotropes, et les tuer ensuite.

– Mais qui ? demandai-je.

– C'est ce que nous nous efforçons de découvrir, avant qu'il ne recommence.

– Qui vous dit que ce ne sont pas les victimes elles-mêmes qui avaient pour projet de se sacrifier pour la communauté ? demanda le professeur Tibrac. Un peu comme une secte. Cela expliquerait pourquoi le professeur Sorias était allé lui-même acheter de l'encens.

– En tout cas, il est clair que les meurtres obéissent à une mise en scène, dit le professeur Maarek. Quelque chose de précis, que je connais bien, et, pour tout vous dire, que nous ne sommes pas si nombreux à connaître.

– Vous voulez parler des Mystères d'Éleusis, intervint le professeur Tibrac, sans la quitter des yeux. Mais comment savoir ce qui s'y déroule, puisque cela doit rester secret.

– Ce qui est incroyable, dis-je, c'est de penser que des personnes pratiquent encore les Mystères d'Éleusis aujourd'hui.

– Et qu'ils font des sacrifices humains, ajouta Tibrac.

– Non, justement pas ! s'exclama le professeur Maarek. Rien ne prouve que ce sont les organisateurs de ces cérémonies qui ont procédé à ces mises à mort.

– Ah non ? dit Éric Tibrac. N'y avait-il pas de sacrifice dans les Mystères d'Éleusis ?

– Si, mais c'étaient des animaux.

– Qui d'autre, selon vous, aurait pu procéder à une application des Mystères aussi rigoureuse ? demanda Tibrac.

– Si notre raisonnement est juste, il est possible que certaines personnes aient eu vent de ces cérémonies, et comme ils les considèrent comme des menaces à l'ordre chrétien, ils auraient cherché par tous les moyens à décapiter le mouvement en tuant deux membres éminents.

– Mais là, on parle d'un sacrifice humain, dit le professeur Tibrac.

– Sur le modèle du sacrifice antique des animaux. Tout le problème du sacrifice tourne autour du droit que s'arroge l'homme de tuer d'autres êtres vivants, que ce soit des hommes ou des animaux. Et dans la tête du tueur, si ma théorie est juste, il existe une justification rituelle, mystique ou religieuse à son action.

– Mais le fait que Sorias soit allé chercher l'encens lui-même, et que les sacrifices soient ritualisés, ne montre-t-il pas qu'il était consentant ? demanda le professeur Tibrac. Et donc qu'il s'agissait bien d'une cérémonie rituelle dans laquelle il devait être mis à mort ?

– Comment vouloir être mis à mort de cette façon-là ? dit le professeur Maarek. C'est absurde. Sans doute Sorias savait-il qu'il se rendait à une cérémonie mais il n'en connaissait certainement pas l'issue fatale !

– Peut-on imaginer que le père Delbos ait eu connaissance de cérémonies secrètes, et qu'il ait voulu y mettre fin par la terreur ? demandai-je. Une sorte d'Inquisition en somme.

– C'est une possibilité, dit le professeur Maarek. Lui, ou quelqu'un de son entourage.

– Admettons que ce soit des meurtres rituels, intervint le commissaire. Sorias ou Andrieux auraient pu décider de tout révéler, et la communauté les aurait punis.

– Dans ce cas, le ou les meurtriers pourraient-ils recommencer ?

– Absolument, affirma le commissaire.

– Nous n'avons aucune preuve de ce que nous avançons pour l'instant, observa le professeur Maarek, toujours très rigoureuse. Nous devons agir avec la plus extrême prudence. Une erreur, la plus infime soit-elle, pourrait être fatale.

– Pour la première fois, dit le commissaire Masquelier en se levant, je pense que nous tenons une piste. Et je vous avoue que j'en suis soulagé. Nos méthodes d'investigation finissent par être payantes.

– Nous sommes en face du Mal, commissaire, quelque chose qui nous dépasse. Qui vous dépasse. Vous pensez parvenir à le comprendre, à le circonscrire avec la sociologie, la psychologie ou les neurosciences, mais c'est lui qui vous tient. Il est simplement en train de vous montrer que la science ne peut pas avoir raison de lui.

– Professeur Maarek, je me refuse à penser que nous luttons ici contre le Mal. Nous combattons un individu, ou un groupe d'individus qui poursuivent un but. Mais le Mal, je ne sais pas ce que c'est.

– Nul n'est méchant volontairement, n'est-ce pas, commissaire ? C'est là votre conclusion, au bout de vingt ans de carrière ?

– En quelque sorte, oui. Tous les individus auxquels j'ai eu affaire, et croyez-moi, j'en ai vu des horreurs, étaient des psychopathes ou des sociopathes, des individus hautement pathologiques, et c'est ainsi que nous avons fini par les coincer.

– Que faites-vous du Mal radical, celui qui se choisit lui-même et qui se délecte de son action, au point de la répéter ? Celui qui le fait en connaissance de cause. D'une façon précise, pensée, rationnelle, voire rationaliste. Que faites-vous de la personne qui n'éprouve ni compassion ni remords et qui accomplit froidement son forfait ?

– Je l'associe à une personnalité scindée, probablement traumatique, qui en retire une satisfaction narcissique à la mesure de son trouble.

– Le bourreau est une ancienne victime, en somme.

– Si vous voulez.

– Vous ne parviendrez donc pas à appréhender cette chose : le Mal radical, tel qu'il est en lui-même ?

– Non, mais je parviens à appréhender les coupables, c'est ce que l'on me demande de faire. Sans jugement de valeur. Je suis un technicien du crime.

– À travers les coupables, qu'avez-vous compris de la nature humaine ?

– L'humanité est une saloperie, c'est ce que vous voulez me faire dire, professeur Maarek ?

– Je ne veux rien vous faire dire, je voudrais seulement vous faire accoucher de votre propre vérité, celle que vous avez cherchée en faisant ce métier.

– Je l'ai fait, c'est vrai, par sens de la justice. Pour attraper les coupables et les empêcher de recommencer. Ça, vous voyez, ça me plaît vraiment. Et de convoquer l'ensemble des moyens qui sont à ma disposition pour tenter de rationaliser leur comportement. Car je reste persuadé que c'est non seulement possible, mais nécessaire.

– Vous parliez de barbarie, commissaire, mais il me semble que c'est dans cette rationalisation que se cache la véritable barbarie. Le Mal se dérobe à la raison humaine. Vous aurez beau tenter de comprendre, vous ne parviendrez jamais à savoir pourquoi un homme va tuer quelqu'un et le dépecer, car cela nous dépasse. C'est véritablement du domaine de la métaphysique.

– Comment faire alors pour l'attraper, selon vous, professeur Maarek, s'il se dérobe à la raison humaine ? Croyez-vous à quelque entité surhumaine ? Le diable, par exemple ?

– Je suis persuadée qu'en traquant les coupables, nous nous battons contre un principe. Je pense que nous devons nous efforcer de le maintenir à distance autant que cela est possible, sans jamais tenter de lui donner un sens. Et encore moins de le comprendre. Mais le traquer et le démasquer, le forcer à se révéler, oui, cela me paraît non seulement possible mais nécessaire.

Le professeur Tibrac observait le professeur Maarek, sans rien dire ; et je le sentis subjugué par elle.

Le commissaire finit par se lever, et nous l'avons imité.

Après être sortie du bureau du directeur, le professeur Maarek me dit qu'elle était très embarrassée de m'avoir vexé la veille, sur les toits de l'École. Elle s'excusa également d'avoir été indiscrète, et de m'avoir mis à ce point mal à l'aise. Elle ajouta que ce que j'avais fait ou été ne regardait que moi et qu'elle n'aurait pas dû me « torpiller » ainsi.

Bien sûr, elle était excusée, j'étais même soulagé de voir qu'elle ne m'en voulait pas de lui avoir menti. Ce moment où je m'étais éloigné d'elle m'avait déstabilisé. J'étais d'autant plus heureux de la retrouver, et d'exister à nouveau sous son regard.

Je regagnai ma thurne, dans une sorte d'inquiétude fébrile. À présent que nous avions transmis ce que nous savions au commissaire Masquelier, il fallait suivre le fil de l'enquête qui mènerait droit au meurtrier. Que ce soit un helléniste, un philosophe, un mathématicien, ou un Tala... Le père Delbos en personne, l'un de ses proches... Ou encore l'énigmatique Louise Sorias

Je me mis à mon bureau, devant la pile de livres sur le sujet de ma thèse, qui m'attendaient depuis maintenant plusieurs semaines, ainsi que trois articles très importants que je n'avais pas encore lus, et décidai à nouveau de remettre mon travail à plus tard.

J'allumai mon ordinateur et, par ce qui était devenu une habitude, je me connectai sur Facebook.

9

Sur le réseau social, Maud Simon me demandait de mes nouvelles. Elle me parlait d'elle. Elle voulait savoir si j'étais en couple ou si j'étais seul. Moi aussi, je voulais en savoir plus. Je m'étais mis à regarder les photos de ses albums tous les jours. Celles de sa famille, de ses amis. Notre conversation prenait un tour de plus en plus personnel. De discussions savantes en questions, nous en étions venus à parler de nous. Mais je m'étais pris au jeu : le jeu de l'attente des messages, que je guettais, que je traquais jusque sur mon téléphone. Ce jeu n'était qu'un jeu virtuel, qui n'avait rien à voir avec le réel : un jeu de simulacres. Le jeu de l'amour et du net. Je n'avais pas envie de la voir. Je préférais la traquer sur Google, sur les sites d'anciens élèves, ou celui des élèves de l'École des Chartes. Nous nous envoyions des phrases, des citations que nous aimions. Peu à peu, sans s'en apercevoir, une forme de familiarité s'était établie. Compagnons virtuels l'un de l'autre, nous nous étions mis à partager un quotidien. Nous parlions de nos études respectives, nos écoles. De musique, de cinéma, de littérature. Nous avions les mêmes goûts, les mêmes références, nous aimions les mêmes phrases, les mêmes mots d'auteur, les mêmes musiques. Le jazz, Amy Winehouse, Schubert, plus que Bach ou Mozart, Antonioni, Jean Dubuffet, Pierre Soulages, René Char, Walt Whitman, Maïakovski… « On ne voit que ce qu'on regarde », avait-elle affiché sur son mur, en citant Merleau-Ponty. On ne se regardait pas, pourtant. On ne se voyait pas non plus. On s'écrivait, on se lisait. On rêvait, on jouait.

La virtualité de notre relation ne semblait pas poser de problème. Je l'avais vue masquée, à la BNF, puis de dos, à Sainte-Geneviève, mais nous ne nous étions jamais rencontrés, nous ne connaissions même pas nos voix. Et par écrit, on discutait à bâtons rompus de tous les sujets, y compris des plus intimes, parfois sur un mode badin, parfois d'une façon plus sérieuse et profonde. Comme par une règle implicite, jamais nous n'évoquions l'idée de nous rencontrer. Je me disais que dès que nous nous verrions, le charme peut-être serait rompu, et le fil de la relation que nous avions tissée si délicatement, des jours et des nuits durant, serait mis en péril. Derrière mon écran, je me sentais étrangement à l'aise pour communiquer mes idées ou mes émotions. Et je pouvais tout imaginer. La relation la plus passionnée, la plus sensuelle ou la plus platonique. C'était la magie du monde virtuel, qui permettait à l'imaginaire de remplir les interstices laissés en transparence par le réel.

À sa question concernant ma vie amoureuse, je répondis que j'avais choisi le célibat, depuis une déception amoureuse, je m'étais retranché du monde. Cela me faisait du bien de me confier à elle. C'était la première fois que j'en parlais à quelqu'un. Elle me répondit qu'elle me comprenait, car toutes ses journées se passaient dans le monde antique. Pendant deux ans, elle avait été avec un chartiste. Elle l'avait rencontré en classe préparatoire, ils avaient passé le concours ensemble, et intégré l'École des Chartes la même année, à deux rangs d'écart. Elle avait fini par le quitter, parce qu'il s'intéressait davantage à ses incunables qu'à elle, et qu'il préférait déshabiller les textes que les femmes. La vraie vie était ailleurs. *Oui mais où ?*

Elle me répondit qu'elle avait eu un professeur de latin qui l'avait beaucoup impressionnée, c'était ce qui l'avait poussée à entreprendre des études de lettres. Sa famille n'était pas une famille d'intellectuels. Ses parents avaient un petit restaurant dans la banlieue parisienne, un métier difficile et prenant. Ils auraient voulu qu'elle travaille avec eux, mais elle sentait confusément que ce n'était pas sa place. D'où lui était venu l'amour des langues anciennes ? Elle aurait été bien incapable de le dire. Sans doute de ce professeur, qui était pourtant d'une rigueur impitoyable et d'une grande sévérité. Mais c'est avec lui qu'elle avait découvert l'exigence. Lorsqu'elle avait intégré l'École des Chartes, elle avait eu l'impression d'être enfin chez elle, comme si son éducation, son milieu d'origine, son univers familial avaient été une erreur d'aiguillage.

Ces confidences me touchèrent. Maud, à travers ses messages, n'était plus une simple photo. Elle prenait chair, elle s'insinua dans mon esprit et dans mon corps à travers mon point de vulnérabilité : mon imagination, pour ne pas dire mes fantasmes. Je m'étais pris à penser à elle, avant de m'endormir. Elle frappait à ma porte, elle murmurait mon nom tout bas, avec une douceur sans égale, elle était vêtue d'une simple robe, qu'elle faisait glisser devant moi avant de s'étendre sur mon lit, telle la Maja Desnuda. Elle me regardait au fond des yeux, et me tendait une main pour que je vienne vers elle, et je me retenais, fou de désir, comme dans la brochure des stages tantriques de Louise Sorias.

– Si j'ai décroché ce stage à la BNF avec Ambroise Flamant, ce n'est pas par hasard, me dit-elle, un soir, lorsque je lui posai encore des questions sur son travail. Le personnage n'est pas commode. Et plutôt exigeant.

– Que veux-tu dire ?

– Beaucoup de chartistes auraient rêvé de décrocher un tel stage, tu t'en doutes bien.

– Oui, bien sûr. C'est une chance de pouvoir travailler sur ce codex. Comment l'as-tu eu ?

– C'est Ambroise Flamant qui m'a fait venir, nous avions des amis communs. »

« Nous avions des amis communs. » Sur le coup, je ne comprenais pas ce qu'elle voulait me dire, ni l'importance que cela revêtait dans ces circonstances. Je ne faisais pas non plus le rapprochement avec ce que le paléographe m'avait dit du professeur Maarek, lorsque je lui avais demandé d'où il la connaissait : « *Nous avons des amis communs.* » Ce ne fut que plus tard, que j'entendis le message qu'elle voulait me transmettre, et aussi ce qu'elle voulait savoir de moi. Je lui parlai alors du professeur Maarek, et de la relation que j'avais avec elle, de maître à élève. Je repensai à la question que je lui avais posée : « *Connais-tu le professeur Maarek ?* » Maud mentait. Pour quelle raison me dissimulait-elle la vérité ?

– Vous avez avancé sur le palimpseste d'Archimède ? demandai-je.

- Nous avons eu les premiers résultats de l'imagerie, qui montrent que le scribe Cosmas n'aurait pas effacé le manuscrit, mais il l'aurait au contraire protégé. Au lieu de recopier le texte sur les lignes déjà tracées, il a tourné le manuscrit et a inscrit son texte en perpendiculaire du texte original, si bien qu'en le retournant, il était encore possible de le décrypter.

- C'est bien ce que je pensais. Il ne l'a pas détruit. Au contraire, il l'a sauvé.

- Mais de qui ?

- Je te l'ai dit. Des Sarrasins qui brûlaient tous les écrits, mais aussi des chrétiens qui censuraient les textes. Maintenant, à nous de savoir : qu'y a-t-il de si extraordinaire dans ce texte pour qu'un moine mette sa vie en danger pour le sauver ?

- Grâce aux rayons ultraviolets, nous avons pu établir que le manuscrit original a été copié à Constantinople en l'an 877, par un scribe. Le texte d'Archimède, probablement écrit sur un vieux codex en papyrus, a été transcrit sur un parchemin, une peau d'animal, souple et solide, sous l'instigation de Photius, le patriarche de Constantinople, chef des croyants, qui s'était octroyé la charge de garder l'un des plus somptueux trésors de la ville, la bibliothèque.

- Pourquoi Photius l'a-t-il fait recopier, selon toi ?

- Là, il faut entrer dans le plus sombre des luttes politiques byzantines. Depuis qu'il avait pris ses fonctions après avoir été écarté du pouvoir à cause de ses malversations et ses manigances, Photius s'était attelé à la tâche qui l'obsédait, en plus du pouvoir : sauver les manuscrits grecs. Celui qui s'était fait nommer patriarche de Constantinople n'était pas tant intéressé par la religion que par les textes antiques. Il avait lui-même écrit un ouvrage monumental, *La Bibliothèque*, dans lequel il expliquait et commentait des textes grecs qui, sans lui, il faut le dire, même si le personnage n'était pas sympathique, auraient certainement disparu. Avec son obsession du classement, il avait compilé toutes les œuvres qu'il avait lues avec un résumé du contenu et un exemple du style de chaque livre.

– Comment s'appelait son scribe ?

– Eulampius. D'après notre expert en graphologie, il était pressé, ou peut-être angoissé. Il écrivait dans l'urgence : c'est la raison pour laquelle il utilisait les minuscules, qui permettent d'aller plus vite. »

Comme me l'expliqua Maud, les copistes étaient les éditeurs de l'Antiquité. Ceux qui transmettaient le savoir, avant l'invention de l'imprimerie. Mais est-ce qu'ils le transmettaient réellement ou est-ce qu'ils effaçaient les connaissances ? Tout comme je l'avais fait pour Cosmas, je me pris à imaginer Eulampius en train de prendre sa plume et la tremper dans l'encre. Ce n'était plus au monastère de Saint-Sabas. C'était dans le Scriptorium de la basilique Sainte-Sophie, à Constantinople. Le Scriptorium, créé par le philosophe Themistius pour sauver la littérature antique, abritait les copies des textes effectuées par des scribes. L'endroit était sublime : ses mosaïques, ses colonnes de porphyre et sa coupole avaient été mis en valeur par Justinien. Les plus hautes colonnes atteignaient vingt mètres, et pesaient jusqu'à soixante-dix tonnes. Tous les murs étaient plaqués de marbre et de porphyre, la coupole semblait littéralement flotter dans les airs.

– Ce n'est pas par hasard s'il a fait appel à un scribe pour recopier le codex, ajouta Maud. J'ai trouvé un passage cité par un paléographe spécialiste de l'époque byzantine, qui évoque cette aventure. Fais attention, toi qui es une âme sensible. Je te l'envoie et je file au travail. Ciao ! »

Maud m'avait envoyé une pièce jointe, que j'ouvris. Le contenu me figea sur place.

« Trente jours plus tard, Photius se pencha sur l'épaule d'Eulampius. Il examina son travail et vit qu'il était achevé. Il comprit alors qu'il ne pourrait plus jamais croire en la Trinité : le Père, le Fils et le Saint-Esprit. Il avait devant les yeux la preuve que le monde n'était pas organisé selon ce principe, mais selon autre chose. Quelque chose qu'il lui faudrait garder secret à jamais. Pour lui et pour lui seul, jusqu'à la fin des temps. Alors, pour éviter qu'il ne révélât le contenu de ce texte, Photius prit son couteau et, lui tenant la tête, d'un coup sec il trancha la langue du scribe. »

10

Ainsi donc Photius avait-il empêché son scribe de parler, et de la manière la plus barbare qui fût ! Je n'étais pas sûr d'avoir tout compris de ces subtilités byzantines, mais assurément, quelque chose dans ce manuscrit devait être gardé secret, à cette époque aussi… Au point de commettre les plus atroces barbaries. Aujourd'hui comme hier. Mais quoi ?

Je sortis de ma thurne pour filer à la bibliothèque, et me perdis dans les rayonnages consacrés à l'époque byzantine. J'y pris plusieurs livres sur Constantinople. L'un d'eux était doté d'une riche iconographie : je commençai à tourner les pages. Quelle ville somptueuse. Pour quelle raison le terrible Photius tenait-il tant à ce que ce manuscrit fût recopié par le copiste dont il avait fini par trancher la langue pour qu'il se tût ?

Constantinople, à la fin du IXᵉ siècle, trois cents ans avant le sac qui allait la ravager, possédait plus d'un million d'habitants. Le peuple s'entassait dans des petits quartiers, des ruelles, des venelles et maisons de briques, au-delà du forum Tauri, tout autour des demeures luxueuses, des bains publics, des églises, du monastère, du palais de l'empereur Léon Iᵉʳ, et de la basilique de Théodose. Fondée sur le Bosphore par Constantin, le premier empereur chrétien, en 330 de notre ère, la ville était devenue un centre culturel. Constantin y avait ordonné la copie complète de cinquante bibles. De part et d'autre des rives, s'étendait chaque partie de la ville encerclée par une gigantesque enceinte, qui englobait les faubourgs et les jardins, entre la mer de Marmara et la Corne d'Or. On pouvait y voir la colonne constantinienne, la colonne de porphyre dressée au milieu d'un forum, haute de cinquante mètres et surmontée d'une statue d'Apollon, la colonne des Goths, celles de l'Hippodrome, centre de la cité, lieu où l'Empereur rencontrait le peuple, la colonne d'Arcadius, la colonne Marcienne... Que de colonnes, qui tels les obélisques, témoignaient du lien entre le fini et l'infini ! Et bien sûr, Sainte-Sophie, au cœur même de la ville, ainsi que l'église palatine, siège du patriarche de Constantinople.

L'Empire romain s'était effondré sous le choc des invasions barbares du début du Ve siècle. L'Empire byzantin, l'un des deux États nés du partage de l'Empire romain au IVe siècle, était à feu et à sang après l'hérésie des iconoclastes. Le patriarche Photius était tellement retors qu'il sut résister aux changements d'empereurs et de ministres. Son intelligence était aussi puissante que sa ruse. Sa passion pour le pouvoir n'avait pas de limite. Très cultivé, il avait étudié les lettres et les sciences, mais la science ecclésiastique lui était moins familière que d'autres. Poli, doux, maniéré, il était terriblement orgueilleux et ne tolérait pas de ne pas être le premier, le centre de l'attention. C'est ainsi qu'il avait pu usurper l'important poste de patriarche de Constantinople. Comme il était laïc, en quelques jours à peine, on lui fit gravir tous les échelons nécessaires. Il fut nommé évêque en six jours. Après sa nomination, il n'eut de cesse d'obtenir la démission du véritable patriarche, Ignace, en ayant recours à tous les moyens, même les plus abominables : l'exil, la prison, la torture. Ignace fut déporté dans les îles, enfermé, mis aux fers, affamé pendant des jours. On traita ses partisans plus cruellement encore. Mis à la torture, condamnés à scier des marbres, on leur jetait du foin pour toute nourriture. Photius, par une longue lettre savamment tournée, chercha l'appui du pape Nicolas. Mais celui-ci, qui n'était pas dupe du personnage, préféra prendre le parti d'Ignace. Photius répliqua en condamnant le pape lui-même, ce qui provoqua le schisme de l'Église. Seul le pouvoir l'intéressait. Constantinople était enfin à lui, il devenait le maître de la ville, mais pour combien de temps ? Le pouvoir, le vrai pouvoir, n'était-ce pas le pouvoir de l'esprit ? C'est lui et lui seul qui permet de gouverner les consciences durablement.

Y avait-il un rapport entre son arrogance, sa volonté de pouvoir et ce qu'il avait découvert dans le manuscrit ? Avait-il trouvé là l'armature idéologique qui lui avait donné la force de braver le pape lui-même ? Qu'est-ce qui, dans ce mystérieux texte, lui avait apporté la preuve irréfutable que le monde n'était pas organisé selon la Trinité ?

Je compris soudain l'intérêt de ce personnage démoniaque pour les écrits antiques. Grâce au manuscrit d'Archimède, Photius détenait la réponse à cette question : le pouvoir absolu. Photius s'était intéressé au codex pour des raisons évidentes. La mainmise sur le manuscrit lui donnait le moyen d'être ce qu'il voulait être. Non pas le maître de Constantinople. Mais le Roi du Monde. Une sorte de pape, en somme. Ou plutôt d'Anti-Pape.

Je dus sortir de mes réflexions, la bibliothèque fermait. Je pris les livres et remontai à toute vitesse vers ma thurne.

Et à ce moment précis, je me sentis frappé par la foudre. Définitivement, à jamais. Je me mis à trembler, sans pouvoir m'arrêter, en même temps que des gouttes de sueur glacée roulaient dans mon dos, jusqu'à me tremper de la tête aux pieds. Une odeur violente m'agressa, terrible. D'où venait-elle ? De moi ? Soudain, je compris que c'était l'odeur de ma peur.

Devant la porte de ma thurne, je voyais des traces rouges. *C'était du sang.*

11

Lorsque la police arriva, j'étais parvenu à maîtriser les tremblements qui parcouraient mon corps. Ma chambre fut mise sous scellés, ainsi que les thurnes voisines. Fabien était introuvable. *Oh mon Dieu*. Fabien, avec ses jeux vidéo, ses chips et son génie... Nos discussions, en plein milieu de la nuit, sur les mathématiques et la philosophie. Sa musique absurde. Nos jeux... Que lui était-il arrivé ?

Le professeur Tibrac, qui était aussitôt arrivé sur les lieux avec le professeur Maarek, me fit reloger en toute discrétion dans une autre chambre, au bout d'un couloir, à l'annexe, un bâtiment des années cinquante, en face de l'École.

Puis le professeur Maarek et moi, accompagnés par le directeur, nous retrouvâmes le commissaire Masquelier dans son bureau, pour une cellule de crise. En jean et en pull, les traits tirés, il avait l'air de n'avoir pas beaucoup dormi ces derniers temps. Deux policiers étaient avec lui.

Il avait disposé un vidéo-projecteur sur son bureau.

– Toutes nos équipes sont mobilisées, dit-il en nous priant de prendre place. Nous avons doublé le nombre d'effectifs...

Avez-vous remarqué quelque chose d'inhabituel chez votre voisin, Joachim ? ajouta-t-il en me regardant.

– Non, murmurai-je.

– J'ai l'impression que le meurtrier se joue de nous.

Il éteignit la lumière, et il projeta sur le mur une présentation Excel.

– Voici les deux scènes de crime, dit-il alors que s'affichaient sur l'écran des photos de l'Obélisque et des Champs-Élysées. Des scènes de crime rigoureusement semblables.

Puis nous vîmes apparaître sur le mur des phrases associées aux images.

« Ce qui relie les deux meurtres, ce sont les mathématiques, Pi, et le codex à propos duquel court une légende. Et puis il y a ce groupe, qui organise des cérémonies rituelles utilisant des psychotropes. Un groupe très secret, qui se protège bien. Nous sommes à la recherche de tous ses membres. Outre Robert Sorias et Jean Andrieux, Louise Sorias en fait également partie. »

– L'épouse de Robert Sorias ? intervint Éric Tibrac. Voilà qui est étonnant.

– Quoi qu'il en soit, je voudrais que vous soyez extrêmement prudents dans vos démarches, dit le commissaire Masquelier d'une voix ferme.

– J'irais même plus loin, commissaire, renchérit le directeur. Je pense que le professeur Maarek et Joachim ont apporté assez d'éléments jusqu'ici, et qu'il devient maintenant trop dangereux pour eux de poursuivre leur enquête, même à titre officieux.

– Je suis parvenue à la même conclusion, dès notre retour du monastère de Saint-Sabas, confirma le professeur Maarek.

– Le sang devant votre porte, Joachim, est un avertissement

sérieux, ajouta le directeur. Cela signifie, en clair : stop ! Sinon, il va vous arriver la même chose.

Et je compris que c'était vrai. Non seulement à cause de cet élément, mais parce que certains camarades se demandaient si je n'était pas impliqué dans les meurtres, et si je n'avais pas monté moi-même cette mise en scène afin de me disculper.

– Quels sont exactement vos rapports avec Fabien Delorme ? demanda le commissaire Masquelier.

– Je vous l'ai dit, commissaire, nous sommes voisins de thurne, et de ce fait nous sommes devenus amis.

– C'est entendu. Mais je voudrais savoir s'il vous parlait de sa vie privée, de ses fréquentations…

– Non. Ce n'était pas le genre à se livrer. Nous jouons ensemble à des jeux… Parfois on discute tard, le soir. Il est insomniaque.

– Vous saviez qu'il faisait partie du groupe des catholiques de l'École ? Les Talas ?

– Je savais qu'il voulait les quitter.

– Et d'où vous vient cette information ?

– J'ai entendu une altercation entre lui et le père Delbos, un soir, dans sa thurne.

À ce moment, un bip sur mon téléphone portable me prévint de l'arrivée d'un tweet.

En tremblant, je vis s'afficher ce que je redoutais.

Delorme *3*. Il ne venait pas du compte Archimède, qui avait été supprimé, mais il avait été retweeté d'un autre compte. Avec effarement, je m'aperçus que c'était du mien.

12

La nouvelle fit le tour de l'École, comme une traînée de poudre. Les élèves appelaient leurs camarades absents pour savoir où ils se trouvaient, s'ils étaient encore vivants. Je fus soulagé de joindre rapidement Jérémie et Guillaume. Jérémie avait l'air très calme, mais Guillaume était paniqué. La disparition de Fabien l'avait plongé dans l'angoisse. Et Fabien restait introuvable. Sa famille non plus n'avait pas de nouvelles. La police cherchait toujours à qui appartenait le sang, et pourquoi il était là. Peut-être en effet était-ce une façon de me mettre à distance, et de nous faire peur, au professeur Maarek et à moi. Nous avions progressé dans l'enquête, et quelqu'un cherchait à nous stopper. Ou à nous faire accuser, à faire porter les soupçons sur nous, à nous stigmatiser aux yeux de la direction et des autres élèves.

Le lendemain de sa disparition, je me rendis au cours du professeur Maarek, dans une salle du second étage. Il n'y avait plus que cinq élèves dans la salle. J'étais mal à l'aise, je retrouvais cette sensation de peur qui ne me quittait plus, depuis le début de l'enquête. Je priais pour qu'on retrouve Fabien. Cela aurait pu aussi bien être moi. Il me semblait que le Mal se rapprochait. C'était des professeurs, au début, et maintenant Fabien, notre ami… Mon ami.

Le professeur Maarek observa les élèves, comme si elle cherchait un signe, un point d'appui. Elle savait que ces rats de bibliothèque, ces frénétiques du travail n'étaient pas des gens de la démesure et de la folie, mais qui sait, peut-être que parmi eux s'était glissé un esprit frappé de schizophrénie ?

– *Voici des hommes dans une habitation souterraine en forme de grotte*, lut-elle, *qui a son entrée en longueur, ouvrant à la lumière du jour l'ensemble de la grotte. Ils y sont depuis leur enfance, les jambes et la nuque pris dans des liens qui les obligent à rester sur place et à ne regarder que vers l'avant, incapables qu'ils sont, à cause du lien, de tourner la tête. Leur parvient la lumière d'un feu qui brûle en haut et au loin, derrière eux ; et entre le feu et les hommes enchaînés, une route dans la hauteur, le long de laquelle voici qu'un muret a été élevé, de la même façon que les démonstrateurs de marionnettes disposent de cloisons qui les séparent des gens ; c'est par-dessus qu'ils montrent leurs merveilles.* Comme le dit Hegel, « ce qui est bien connu est en général, pour cette raison qu'il est bien connu, non connu ». Qui va nous expliquer ce texte fondateur, trop bien connu, mais d'une façon nouvelle, que je n'ai jamais entendue avant ? demanda-t-elle.

Je levai la main, et, après une hésitation, comme personne d'autre ne se proposait, elle me fit signe que j'avais la parole.

– Et si Platon avait cherché à nous décrire précisément, à travers tous ces éléments – la grotte, les statues, le feu, les chaînes, la lumière, le libérateur – une cérémonie mystique ? dis-je.

– Oui, c'est intéressant, Joachim, opina le professeur Maarek. Allez plus loin.

– L'initiation à un rite secret, telle que les Grecs la pratiquaient, à l'intérieur des grottes... Comme si le plus grand texte de la philosophie nous parlait de quelque chose d'autre, qui nous aurait complètement échappé... ?

– Pouvez-vous préciser votre pensée ?

– D'une cérémonie secrète, avec des mystes, des personnages qui vont subir l'initiation, et le libérateur, le guérisseur, celui qui détache les liens des prisonniers, et qui lui fait voir la vraie réalité, ce serait le maître de cérémonie. Cette cérémonie que semble décrire Platon serait celle qui pourrait correspondre à ce que l'on appelle... les Mystères.

– Bien..., dit le professeur Maarek, qui me considéra d'un air étrange, alors que le professeur Tibrac apparaissait à la porte. Nous en reparlerons au prochain cours et, en attendant, tâchez de travailler sur cette question. Ce sera votre devoir pour la fois prochaine.

Le professeur Tibrac attendit que les élèves prennent leurs affaires et sortent, pour s'avancer vers le professeur Maarek, que j'avais rejointe.

– Je voulais vous dire que je pense fermer l'École dès lundi, le temps pour ceux qui sont encore là de trouver une solution pour se reloger.

– Vous avez raison, répondit-elle. Il est devenu impossible, voire dangereux, de faire cours.

– Il faut protéger les élèves avant tout, dit Tibrac. Désormais, nous savons que tout est possible.

13

Guillaume et moi retrouvâmes Jérémie dans l'Aquarium. Il nous était impossible de dormir, de faire quoi que ce fût, sinon de penser à Fabien. Tous deux avaient prévu de partir dans leurs familles respectives. Moi, je n'avais encore rien décidé.

– Venez, dit Jérémie, on va prendre un peu de hauteur.

Nous l'avons suivi dans les escaliers qui menaient aux terrasses. Là nous avons enjambé le parapet qui jouxtait les toits. La nuit était sombre. Seul un mince croissant de lune filtrait à travers les nuages. Je distinguais la silhouette agile de Jérémie qui nous guidait sur les toits, souple comme un chat. Guillaume le suivait et je fermais la marche. C'était un jeu dangereux. Il est fou, me dis-je. Pourquoi nous avoir attirés ici ? Et s'il nous poussait, soudain, dans le vide ?

Lorsque nous sommes parvenus au-dessus du cloître, il s'arrêta, et s'installa à sa place habituelle, les jambes pendant au-dessus des gouttières. Nous l'avons rejoint. J'avais le vertige. J'étais attiré, hypnotisé par le vide. En bas, dans la cour, on pouvait apercevoir le bassin où nageaient les gros poissons, et tout autour, sur les bâtiments, les bustes de ceux qui avaient forgé le savoir. Ceux qui avaient contribué à la recherche de la vérité. Mais quelle vérité ? Il semblait aujourd'hui que le fait de l'approcher fût puni de mort.

– Vous croyez qu'il est mort ? murmura Guillaume.

– Je pense, oui, répondis-je dans un souffle.

Nous étions bouleversés. Jérémie, lui, semblait extrêmement calme, comme si tout cela ne l'affectait pas.

– S'il avait été tué, hasarda Guillaume, on aurait retrouvé son corps ?

– Mais où ? demanda Jérémie.

– Et dans quel état ? ajoutai-je.

– Peut-être dans un endroit mystérieux, comme les autres, avança Guillaume.

Je frissonnai en imaginant la scène.

Autour de nous, on pouvait voir les toits de tous les temples du savoir. Pour un peu, en prenant de la hauteur, comme disait Jérémie, on se serait crus en Grèce antique. Le Panthéon, Sainte-Geneviève, l'École des Chartes, le Collège de France, l'Institut, l'École pratique des Hautes Études, la Sorbonne, véritable palais de la Connaissance, et plus loin, la Coupole de l'Académie française. Le corps de Fabien était-il dans l'une de ces monumentales institutions, et laquelle ? Pour quelle raison la civilisation abritait-elle en son sein la barbarie ? Par quel mystère la Raison, le Savoir et la Morale n'étaient-ils pas unis ? Si, comme le disait Platon, nul n'est méchant volontairement, s'il suffisait de savoir pour bien faire, il n'y aurait pas de meurtriers. À la place de tous ces temples dédiés au savoir, on bâtirait des écoles de morale et de discipline où l'on apprendrait à agir de façon juste. Mais la Sorbonne, l'École pratique des Hautes Études, ou l'École des Chartes n'enseignaient pas ce genre de choses, car elles ne s'apprennent pas. Sinon, nous aurions créé l'École normale supérieure de la Moralité. L'École pratique de la Gentillesse, l'Université du Bien et de la Justice.

– Demain, murmura Guillaume, je pars chez mes parents.

– Ils ne vivent pas très loin, remarqua Jérémie.

– Au moins, je ne serai plus ici. Tu ne pars pas ?

– Non…, dit Jérémie. Je suis fataliste. Je pense que l'on ne peut pas vraiment changer le cours des choses.

– Et ta copine, elle est où ? demandai-je.

– Elle est partie.

– C'est bizarre, remarquai-je. On vous voit rarement ensemble.

En temps normal, je ne me serais pas permis une telle constatation. Nous ne parlions jamais de son amie. On le voyait rarement avec elle. Même au Pot.

– Elle mène sa vie, moi la mienne. Mais quand on est ensemble, on est bien. Et toi, Joachim ? Pourquoi on ne te voit jamais avec personne ?

– J'ai été très amoureux d'une fille, en année de conscrit. Mais ça n'a rien donné.

– Et depuis, tu t'es replié sur toi-même, conclut Guillaume.

– En quelque sorte.

– Tu ne devrais pas, remarqua-t-il. Si tu veux, je peux te présenter quelques copines.

– Non, c'est inutile.

– Tu ne rentres pas chez tes parents ? demanda Jérémie.

– Je n'ai pas envie d'aller là-bas. Je me sens mieux ici.

– On dirait que rentrer chez toi est plus angoissant que de rester près d'un serial killer, remarqua Guillaume, ironique.

– Et alors ?

– Et alors… c'est bizarre, c'est tout, dit-il.

– Que veux-tu dire ?

– Pas mal de gens se posent des questions à ton sujet. Tes liens avec Maarek, ton compte Twitter qui annonce un meurtre… Ça fait jaser.

Le silence se fit. Je me sentis désemparé. Ils ne me faisaient plus confiance.

– Venez, dit Jérémie en se levant soudain, on va se changer les idées.

Il nous entraîna à nouveau par son chemin secret, vers les terrasses, jusqu'au parking.

Du ciel à l'enfer, pensai-je. Il était l'un des rares à avoir une voiture et un permis de conduire – tout comme il était le seul à avoir une compagne attitrée et toujours absente.

Nous avons roulé environ une demi-heure. Personne ne parlait. En arrivant dans une zone industrielle de Montreuil, nous entendîmes de loin des pulsations infernales.

– C'est une rave, expliqua enfin Jérémie.

Il gara la voiture dans le terrain vague qui faisait office de parking.

– Vous allez voir, ça va vous détendre les neurones. Qui n'en a pas besoin en ce moment !

Il ouvrit une petite boîte dans laquelle se trouvaient des pilules colorées, qu'il nous proposa.

– Qu'est-ce que c'est ? demanda Guillaume, en écarquillant les yeux.

– Du MDMA, dit Jérémie. Essaye, tu ne le regretteras pas…

– Non mais t'es fou ! Jamais je ne prendrai une saloperie pareille !

Jérémie me tendit une pilule.

– Vas-y, Joachim.

– Ça fait quoi ? demandai-je.

– Ça fait triper.

– Je ne comprends pas ?

– Ça fait partir, quoi ! Essaye, tu vas voir ! Ne t'inquiète pas, c'est de la bonne, ajouta-t-il en avalant le comprimé. Tu peux me faire confiance, je m'y connais !

– Vous êtes vraiment des malades, s'exclama Guillaume en sortant de la voiture et en claquant la porte. Comment je fais, moi, pour revenir à Ulm ?

Furieux, il se mit à taper sur la voiture en hurlant. Jérémie éclata de rire.

J'avalai la pilule en même temps qu'une gorgée d'eau de la petite bouteille qu'il me tendait. Ce garçon était étrange. Il ne faisait rien comme nous. C'était toujours le pourvoyeur de nos rares sorties en boîte ou en soirée. Il n'avait peur de rien. Sa formation en chimie et biologie moléculaire lui donnait le droit de tout essayer, en toute sécurité, assurait-il.

Sur le chemin de la rave, il m'expliqua que nous allions entendre de l'excellente musique électronique de groupes dont les noms laissaient rêveurs, Infected Mushrooms, Above and Beyond, Infernal, DJ Dean, Deamau 5... Guillaume nous suivait, l'air sombre.

Nous sommes entrés dans un univers proprement psychédélique. Moi qui n'allais jamais en boum lorsque j'étais enfant, qui avais mis les pieds dans une boîte de nuit peut-être deux fois dans ma vie, j'étais projeté dans un monde dont les sonorités pénétraient au plus profond de mes entrailles.

– C'est de la trance, cria Jérémie.

Il nous tendit des bières prises on ne savait où. Guillaume s'assit dans un coin, Jérémie et moi nous enfonçâmes dans une foule compacte de corps serrés les uns contre les autres, collés par la sueur et l'état de transe suscité par la musique, la drogue et la danse. Des spots agressifs éclairaient en alternance la scène plongée dans une lumière verdâtre. Je commençai à danser. Jérémie me souriait. Je me sentais, pour une fois, en amitié avec le monde entier, capable d'étreindre le genre humain de cette planète. J'étais presque heureux. La musique prenait possession de moi, elle entrait dans mon esprit et dans mon corps, jusqu'à m'entraîner dans la noirceur, l'excès, par la force des rythmes et des sonorités, jusqu'à l'extase. Elle révélait mon côté sauvage, comme si je ne pouvais l'en empêcher, comme si c'était plus fort que moi. *L'hubris* : l'excès, la démesure. Dont le châtiment est : *Némésis*, destruction.

Jérémie se rapprocha de moi, il me frôla soudain, m'attira vers lui, et nous avons dansé pendant un moment, les yeux dans les yeux, dans une sorte de communion étrange. J'étais vraiment, incroyablement bien, j'avais perdu la notion de la réalité, je voguais sur un nuage, lorsque tout à coup il m'attira à lui et m'embrassa sur la bouche… Je le repoussai violemment. Je n'avais pas anticipé cela, venant de lui : le seul d'entre nous à avoir une amie.

– Ta copine, c'est un alibi, hein ! m'exclamai-je.

Il n'entendit que la fin du mot, et m'indiqua qu'en effet, il était « bi ». Je ne m'étais jamais posé la question, dans le monde d'où je venais, cela n'existait pas.

– Ne m'approche pas ! hurlai-je.

– Ça va… calme-toi !

– Ne m'approche plus jamais, tu m'entends ? dis-je en tendant le poing vers lui.

Je le laissai sur la piste et rejoignis Guillaume qui s'ennuyait ferme, seul devant la table qui servait de bar. Il ne me jeta pas même un regard. Je claquais des dents de manière incontrôlable, sans pouvoir retenir un sourire étrange et diabolique.

– Je pense que nous devrions partir, dit-il.

– Oui, tu as raison ! répondis-je, fichons le camp d'ici… Je vais le chercher, dis-je en désignant Jérémie sur la piste.

Il était en train de danser avec un jeune homme qui lui ressemblait. Une femme s'approcha de moi et m'entraîna sur la piste. Elle avait des cheveux teints en violet et les yeux violemment maquillés de khôl noir. Je dansai avec elle. Je me laissai guider par la musique, j'aurais pu danser ainsi toute la nuit, oublieux de tout le reste. Je ne me sentais plus mal à l'aise. Soudain, il me vint à l'esprit que je n'étais pas le seul. Que tous ces gens avaient sans doute le même problème que moi. Nous étions mal dans notre peau. Nous n'étions pas nous-mêmes. La trance, la techno, la danse et la drogue nous donnaient l'illusion d'une place dans le monde. Une existence virtuelle.

Je vis Guillaume s'approcher de moi, hagard. Il venait de recevoir un coup de téléphone. Inutile de consulter mon portable, je savais que j'avais certainement reçu le même message.

C'était au sujet de Fabien.

LIVRE IV

1

Fabien était mort.

La nouvelle s'abattit sur nous comme un couperet.

Je ne savais plus que faire, vers qui me tourner, que penser, comment agir. Je n'arrivais pas à croire qu'il ne dirait plus : « Alors, qui est Dieu ce soir ? » Que je ne le reverrais plus déambuler dans les couloirs en pyjama à midi, ni arriver au Pot du matin comme si c'était le Pot du soir. Impossible d'imaginer qu'il n'était plus là.

Deux policiers restaient en faction devant le 45, rue d'Ulm, les escaliers qui menaient aux thurnes, et l'annexe, même si cela ne servait plus à rien, car l'École était déserte.

On avait retrouvé le corps de Fabien dans les mêmes conditions que ceux de Robert Sorias et Jean Andrieux. Égorgé. Éviscéré. Probablement drogué, au milieu des bosquets d'une contre-allée du Champ-de-Mars, à quelques mètres de la tour Eiffel. C'était un joggeur qui l'avait aperçu, au petit matin. Quant à la tour Eiffel, le professeur Maarek acquiesça à ma théorie selon laquelle elle représentait l'union sacrée d'Isis et Osiris, le masculin dans le féminin, et donc l'image même de son accomplissement : ce qu'elle appelait la hiérogamie, ou les

Noces sacrées. Elle me dit également que la tour Eiffel était un croisement entre la pyramide et l'Obélisque. Je compris soudain que le monument mondialement célèbre faisait partie de cette architecture secrète destinée à évoquer, sinon à invoquer l'Au-delà. Tel l'Obélisque, elle symbolisait le rayonnement solaire : comme le monumental phare d'Isis à Alexandrie, qui dominait la mer de 135 mètres et guidait les marins, c'était une tour-soleil, séjour des dieux, qui éclairait le monde, avec ses illuminations nocturnes !

Et ce n'était pas un hasard si elle était érigée en plein Champ-de-Mars dans lequel se déroulaient les manœuvres des armées de l'Ancien Régime, puis des révolutionnaires, et dont le nom était donné en l'honneur du dieu de la Guerre. Le Champ de Mars à Rome était un endroit de culte où s'élevaient des autels servis par des prêtres appelés Saliens. Lors de la cérémonie du Cheval d'octobre, ils effectuaient un sacrifice en l'honneur du dieu Mars. Sur l'esplanade du Champ, avait lieu une course de chars, avec des chevaux, dont l'un était abattu d'un coup de javelot et immolé sur l'autel, autour duquel les Saliens dansaient… Le meurtrier avait rendu son sens au Champ-de-Mars : un gigantesque autel.

J'eus beaucoup de mal à me rendre à l'enterrement de Fabien. L'angoisse, la peur, le chagrin me mirent du plomb dans les jambes. Je n'en ai gardé aucun souvenir. Je sais que Jérémie et Guillaume étaient encore là et qu'ils étaient abasourdis. Je ne me souviens pas plus de ce que j'ai pu dire – puisque, à ma grande surprise, j'étais celui qui le connaissait le mieux à l'École. Comme si j'avais tout effacé de ma mémoire, cette gare de triage. Je ne me rendis pas à la messe que donna le père Delbos : les paroles de Fabien m'avaient marqué, lors de la cérémonie pour Jean Andrieux : « Je ne suis pas sûr qu'il aurait voulu être enterré religieusement. » Cette phrase me semblait prémonitoire. Apparemment lui aussi avait quitté le catholicisme peu avant son décès, et je n'étais pas sûr qu'il eût voulu être enterré religieusement. Surtout, je voulais éviter le sermon du père Delbos au sujet de son engagement auprès des Talas.

Bien entendu, il n'était plus question de jouer à notre jeu, le jeu de cartes favori de Fabien. En plus, je portais sur les épaules la culpabilité de n'avoir pas compris, de n'avoir pas su résoudre l'affaire, de n'avoir pas pu le sauver, nous sauver, de n'avoir pas su l'envisager. J'avais omis de parler de l'encens à la police, craignant que cet indice ne l'incrimine, alors qu'il le désignait comme victime.

J'étais agité de pensées contradictoires. J'oscillais entre le négativisme et le nihilisme le plus sombre et la volonté prométhéenne d'en sortir, de donner un sens, une direction, de trouver l'idée qui nous permettrait enfin de tout éclairer. J'en discutai avec le professeur Maarek. Nous étions perdus dans l'inconnu.

Guillaume et Jérémie étaient partis chez leurs parents. Depuis la scène de la rave, nous étions en froid. Même au cimetière, nous nous étions salués, l'air gêné. Je ne voulais pas repartir pour Caen. J'étais l'un des rares à rester, avec quelques autres, qui comme moi n'avaient pas où aller. Le Pot était vide, matin, midi et soir. Les nuits terribles. Je m'enfermais à double tour dans ma chambre. Au moindre bruit, je sursautais. Le matin, je sortais prudemment la tête de ma thurne pour vérifier que personne ne m'attendait dans le couloir. Pour me rassurer, ou m'affoler, je n'y voyais que le policier posté pour surveiller l'endroit, nuit et jour. Je rasais les murs. Le professeur Maarek avait proposé de m'héberger quelque temps mais, par fierté et par gêne, je refusai. J'écrivis à Maud. Elle me posa mille questions au sujet des meurtres, et me donna son numéro de téléphone.

J'étais troublé. C'était la première fois qu'elle évoquait l'idée de se parler. C'était moi qui l'avais attirée dans ce piège, et maintenant je me méfiais d'elle, avec le sentiment que cette fille me cachait quelque chose. Mais comment le lui faire avouer derrière un écran d'ordinateur ? Elle avait déjà sous-entendu qu'elle n'était pas à ce poste par hasard. Elle avait pris la thèse du professeur Maarek un an auparavant. Que cherchait-elle ? Qui était-elle ? Que voulait-elle ?

Je regardai à nouveau ses photos sur Facebook. Ses yeux bleus, sous sa frange, avaient une intensité particulière. Il y avait chez elle quelque chose de serein, de calme, comme une sagesse, en même temps qu'une pureté, une sincérité. Sur certaines photos, elle souriait avec spontanéité et gentillesse. Je remarquai qu'elle était souvent vêtue de noir ou de vêtements qui rappelaient les années cinquante. À l'inverse de la plupart des normaliennes que je voyais déambuler dans les couloirs, elle était élégante, fine comme une liane. Les courbes de son corps se dessinaient sous des tissus de soie aux lignes épurées. Elle ne portait ni bijoux ni maquillage, sauf sur une photo de mariage, où elle apparaissait dans un fourreau noir, le chignon relevé, la bouche rouge : une beauté troublante. Le soir, revenait le même rêve, obsédant : elle se glissait dans ma chambre. Sans un mot, elle me regardait droit dans les yeux, se dévêtait et s'étendait sur mon lit. Telle la vérité : nue.

J'hésitai à l'appeler. J'avais peur de lui attribuer soudain une présence matérielle, à travers la voix. Je craignais qu'elle entendît la mienne. La photo qu'elle avait affichée sur son profil était-elle le reflet de la réalité ? Cette photo que je regardais au point d'en connaître les détails les plus infimes. Cette photo dont je m'étais imprégné, et qui accompagnait mes nuits et mes jours. Lui parler au téléphone. À la seule évocation de cette idée, mon cœur se mettait à tambouriner dans ma poitrine.

Le commissaire Masquelier me contacta sur Skype, à plusieurs reprises. Il me posait beaucoup de questions, et me délivrait aussi certaines informations. Il avait exploré tous les comptes mails de Fabien, ses messages sur le portable, y compris ceux qui avaient été supprimés grâce à un logiciel de récupérateur de données, mais il n'avait rien trouvé de suspect. Lorsque je lui parlai de l'encens, il me demanda pour quelle raison je ne lui en avais pas fait part plus tôt. Je lui répondis que j'avais eu peur de le compromettre, et qu'il soit suspecté des meurtres.

Il me proposa de venir courir avec lui au jardin du Luxembourg, pendant une heure, comme il le faisait tous les jours depuis qu'il avait arrêté de fumer. À Ulm, on ne faisait pas de sport. Tous se comportaient comme de purs esprits. Personne n'avait l'intention de se lancer dans une activité physique, à part les membres du Club Rugby, dont tout le monde se moquait. Quand on disait de quelqu'un « c'est un rugbyman », ce n'était pas un compliment.

J'acceptai la proposition du commissaire. Cela me fit du bien de changer d'air. Je me sentais épuisé, je n'arrivais plus à dormir. Autour de nous, des enfants jouaient dans les parcs d'attractions.

Les petites filles étaient sur les balançoires : tel était le monde des vivants. J'y voyais les étudiants, les mères ou les nounous avec les enfants, tout un monde normal qui continuait d'évoluer, à la fois loin et si proche de nous. Le commissaire Masquelier me parla, le long du parcours. Il me posa des questions sur la philosophie, sur l'histoire, sur Ulm. Il voulait connaître la personnalité de Fabien jusqu'aux moindres détails ainsi que le lien qu'il entretenait avec chaque personnage de son entourage.

– Voyez-vous, me dit-il. Avant cette enquête, je pensais que la philosophie nous permettait d'apporter une réponse aux questions essentielles. Là, je cherche à la fois les questions et les réponses.

– Parce que ces questions sont d'ordre métaphysique. Elles portent sur l'être. La vérité se dévoile dans le temps.

– Ça, je suis bien placé pour le savoir, dit le commissaire, qui s'arrêta un instant pour reprendre son souffle.

– Et vous savez aussi sans doute que la vérité ne peut être atteinte que dans une relation entre un sujet et un objet. Même la science n'a pas pour objet des concepts, mais des fonctions qui se présentent dans un certain système. Une notion scientifique se définit par une fonction ou une proposition.

– C'est la base de mon métier et mes recherches. La science, la connaissance de l'âme humaine et les lois.

– La morale est là pour nous rappeler à la transcendance de chacun, en nous dictant ses lois à elle.

– Pour certains, les lois et la morale ne sont qu'entraves à la liberté.

– Ils ont tort. Elles nous la rendent. Comme le dit Kant : « Tu dois donc tu peux. » Ce n'est que face à la loi que nous pouvons nous déterminer et choisir.

– Intéressant. Ceux qui défient la loi pourraient donc se prendre pour des hommes libres ? Les voleurs, les bandits, les meurtriers que je recherche seraient plus libres que moi ?

– Non, la liberté n'est pleine que dans la contemplation du Bien, du Juste et du Vrai qui nous élèvent, et non dans le Mal qui nous divise et introduit une scission en nous.

– Votre thèse porte sur le Mal, n'est-ce pas ? Qu'en est-il de votre analyse ?

– Question très complexe, commissaire. On est là face à l'impensable. Et toute tentative de compréhension est une réduction, ou une justification. Ainsi, si je vous dis que le nazisme résulte de la crise de 1929, cela le justifie, et c'est faux, car beaucoup de pays l'ont subie sans verser dans la barbarie.

– Quelle aide peut alors apporter la philosophie, si elle ne peut ni accéder au Vrai, ni dire les choses, ni penser le Mal ?

– La philosophie est la reine des disciplines, elle seule permet d'aller au fond des choses, de voir sans préjugés ce qui se cache derrière les apparences du monde sensible : elle est cette aptitude à aborder les vrais problèmes de l'existence, ceux que l'on passe sa vie à oublier, à écarter, ou à mettre de côté. D'où l'on vient, où l'on va, et, comme le dit Kant, que puis-je savoir, que dois-je faire, que m'est-il permis d'espérer ? Chaque philosophe, même s'il prétend mettre une fin à la philosophie, a apporté sa pierre à l'édifice. Chacun a tenté un début de réponse pour y voir clair dans ce monde absurde. Ils nous ont projetés à tout jamais dans un monde d'idées et de concepts qui nous ont permis de voir plus loin, plus haut, et d'orienter notre vie vers le sens. La philosophie est donc un questionnement. Un questionnement sur l'Être. Car penser et être sont une seule et même chose. *Je pense donc je suis.*

Le commissaire hocha la tête, en souriant.

– Lorsque je perçois une chaise, cette perception est avant tout perception de celle-ci. Et si je ferme les yeux et que je l'imagine, également. La conscience est définie par le sujet et l'intention qu'il porte à l'objet. Si la philosophie ne répond pas à la question de la vérité, elle répond à la question de l'intention, donc du sens. D'où l'herméneutique. La science de l'interprétation. L'être n'est pas seulement interprété ; il est retrouvé par l'interprétation, mais la déborde. Cet effort pour reconnaître l'être qui fonde l'interprétation : c'est la philosophie.

– La philosophie n'est pas si éloignée de l'enquête policière. Dans les deux cas, il s'agit de retrouver ce qui est caché. Et pour cela, nous avons des indices et des intentions, ajouta-t-il en s'arrêtant, essoufflé… Je ne vous cache pas que votre intelligence redoutable, Joachim, ainsi que vos liens avec les victimes nous ont paru suspects…

– Que voulez-vous dire ?

– Vous connaissiez Sorias. Vous êtes allé voir le professeur Andrieux peu après le meurtre de Sorias. Fabien était votre meilleur ami. Vous avez été longtemps lié au père Delbos et aux Talas. Il nous a dit que vous les aviez quittés brutalement, sans raison apparente. Vous entretenez des rapports très conflictuels avec votre père, qui a fait plusieurs épisodes dépressifs d'après nos renseignements. Vous n'avez pas de petite amie. Mais vous poursuivez une relation sur Facebook avec la paléographe qui s'occupe du codex. Vous vous renseignez quotidiennement à son sujet, ainsi que sur l'avancement du décryptage.

Le commissaire s'arrêta de courir, à bout de souffle.

– Et vous n'êtes même pas essoufflé après une course d'une

heure ! Vous avez très bien pu porter les corps dans les différents lieux de Paris… Qu'en pensez-vous ?

C'est alors qu'à ma stupéfaction, je compris que le commissaire me soupçonnait d'être l'auteur des meurtres.

2

Le soir, avant de sortir pour prendre un sandwich, au café d'en bas, je regardai par la fenêtre de ma chambre, comme j'avais pris l'habitude de le faire depuis que j'étais à l'annexe. J'aperçus une silhouette se glisser en face, au 45. À coup sûr, ce n'était pas un élève, mais un homme plus âgé, qui n'avait aucune raison d'être là, la nuit. Je ne voyais plus les policiers. Étaient-ils cachés, ou simplement partis ? Que faire ? Fallait-il les prévenir ? Et si c'était un père d'élève ou un ami quelconque ? Et si c'était le tueur, venu pour accomplir un autre meurtre ? Je pris mon courage à deux mains, je sortis du 46. L'homme était devant moi. Il disparut au coin d'une rue.

Je finis par entrer dans le café à l'angle de la rue d'Ulm et de la rue Gay-Lussac, où j'avais mes habitudes. Lui aussi était désert. Je m'assis. Peu après, je vis arriver l'homme – le même. Il avait une cinquantaine d'années, les tempes grisonnantes, les yeux bruns. Il prit place à l'autre bout du zinc. Je commandai une omelette. L'homme sortit un journal, après qu'on lui eut apporté un verre de vin. De temps en temps, il jetait un œil vers moi et je compris qu'il m'observait.

Brusquement, je payai ma commande et partis avant même

qu'elle n'arrive. L'homme se leva aussitôt et quitta le café derrière moi. Il était clair maintenant qu'il me suivait. Je courus, pianotai en hâte le code de l'annexe et grimpai les escaliers quatre à quatre, jusqu'au quatrième étage. Tout était silencieux, je me barricadai dans ma chambre. Sans allumer la lumière, je jetai un coup d'œil par la fenêtre : je vis alors l'homme en train de parler avec le policier en faction devant la rue d'Ulm. C'était sans doute un policier en civil ! Que faisait-il ? Avait-il pour mission de me surveiller ?

Je me dévêtis, m'étendis sur mon lit, sans parvenir à trouver le sommeil. Je pensais à Fabien. Le meurtrier courait toujours. Peut-être même était-il dans nos murs, à ce moment même, en train de guetter sa proie. Et si sa proie c'était moi ? Mais c'était moi qu'on soupçonnait. Le seul à être resté ! Il n'y avait vraiment plus personne à Ulm, à part la police et moi perdu là on ne savait pourquoi. Le directeur avait regagné sa Bretagne, d'où il continuait à suivre l'enquête, grâce à Skype. Lui aussi m'avait appelé pour me dire de ne pas rester sur place. Comme je persistais dans mon refus, il avait fini par m'inviter à séjourner dans son phare, le temps que l'enquête avance.

Je ne savais plus quoi faire, vers qui me tourner. Il était trop tard pour appeler le professeur Maarek ou le directeur. Pourtant, j'avais besoin d'entendre une voix humaine.

C'est alors que je me décidai à composer le numéro de téléphone que Maud Simon m'avait donné lors de nos échanges virtuels. Je m'assurai que ma voix serait virile et affirmée. Je sentis mon cœur tambouriner dans ma poitrine.

– Bonjour, Maud, dis-je.

Il y eut un silence, avant qu'elle ne dise :

– Bonjour, Joachim.

– Je me demandais s'il n'était pas trop tard pour t'appeler.

– Non. Je me couche toujours tard, je pense que tu as dû t'en apercevoir.

Cette voix douce et suave résonna en moi de façon très particulière.

– Tu vas bien ? demanda-t-elle, d'un ton rempli de sollicitude.

– Si on peut dire, dis-je en étouffant un sanglot trop longtemps réprimé. D'après ses parents, Fabien me considérait comme son meilleur ami. C'est bête à dire, mais je me demande si ce n'était pas pareil pour moi, finalement !

– Tu sembles très affecté, dit Maud. Tu es resté là-bas ou tu es parti ?

– Oui… enfin, non. Je suis à l'annexe, pas loin.

– Tu devrais quitter ces lieux.

– Mais pour aller où ?

– Tu as bien des parents, n'est-ce pas ?

– Oui.

– Ils sont où ?

– À Caen. Je ne les vois plus. Je ne veux pas retourner là-bas.

– Ah, je comprends… Pour moi, c'est un peu pareil. J'aime beaucoup mes parents, mais c'est toujours difficile de rentrer chez soi quand on a pris de la distance. Lorsqu'on revient, on voit tous les défauts. Tout ce qui nous semblait normal pendant notre enfance nous devient insupportable.

– Oui, c'est un peu ça. Sauf que moi, je m'en rendais compte même quand j'étais petit.

– Tu devais être un enfant particulièrement précoce !

– J'ai compris assez jeune que je devrais partir, sous peine d'étouffer… Du sang a été retrouvé devant ma porte, ajoutai-je soudain.

– Devant ta porte ! s'exclama Maud. Pourquoi devant ta porte ?

– La chambre de Fabien était à côté de la mienne.

– Et tu n'as pas eu peur ?

Peut-on tomber amoureux d'une voix ? La sienne, sucrée, acidulée, dessinait une charmante mélodie. Elle était posée là, dans les airs, avec une fragilité incomparable. Parfois elle montait jusqu'à un point de rupture, puis elle se remettait à flotter, telle une douce mélopée. Moi qui n'étais pas musicien, j'en dégustais chaque note, et le moindre vibrato touchait le fond de mon cœur.

– Il vaudrait mieux partir.

– Même si je pars… Nous avons affaire à quelqu'un de très déterminé, que rien n'empêchera d'agir.

– La police a-t-elle des soupçons ? Qui sont les suspects ?

– Une ou plusieurs personnes qui participeraient à un groupe secret.

– Sais-tu pour quelle raison on les soupçonne ?

– Robert Sorias et Jean Andrieux faisaient partie de ce groupe.

– Et ton ami Fabien aussi ?

– On l'ignore. Mais il était l'élève d'Andrieux. Toutes ces personnes, d'une façon ou d'une autre, sont reliées au palimpseste…

– Mais de quelle façon ?

– Il appartenait à Robert et Louise Sorias. Robert Sorias en avait parlé à Jean Andrieux, qui a partagé son secret avec son élève, Fabien.

– Attends… Tu es en train de me dire que ceux qui approchent le codex sont en danger ?

– Il semblerait que les meurtres aient un lien avec le codex.

– Mais alors… nous sommes les prochaines cibles !

– Ne panique pas ! Il paraît évident que le meurtrier s'intéresse aux mathématiciens, pour une raison qui nous échappe encore, pas aux paléographes. Il y a quelque chose de systématique dans ces crimes. Comme une mécanique. C'est un serial killer, d'après la police. Un ritualiste obsessionnel. Mais il faut faire attention à vous.

– Nous ne sommes pas protégés par la police, ni à la BNF, ni à nos domiciles !

– Nous avons prévenu la police.

– Espérons qu'ils vont vite prendre le coupable… En attendant, je pense que c'est moi qui vais aller chez mes parents.

– Oui, après tout, c'est une bonne idée. Tu as des frères, des sœurs ?

– Deux sœurs et un frère. Mais ils sont grands. Je suis la cadette. Et toi ?

– J'ai un frère mais je ne le vois jamais.

– Tu n'es pas très famille, apparemment.

– Et toi ? Tu les vois ?

– Je n'ai pas pris le même chemin qu'eux. Depuis que j'ai intégré l'École des Chartes, je ne les vois plus.

– C'est comme moi, tu t'es créé une nouvelle famille.

– Je t'ai parlé de ce prof de latin et de grec, celui qui m'a initiée aux langues anciennes. Si je ne l'avais pas rencontré, je ne serais certainement pas là. Il m'a tout appris. Et c'est la raison pour laquelle j'ai pris mes distances.

– Tu étais amoureuse de lui ?

– Oh non ! C'était bien plus que cela ! J'étais subjuguée. Il m'a fait entrevoir un autre monde.

– Quel monde ?

– Un jour, peut-être je t'en parlerai.

– J'aimerais beaucoup.

– Et toi tu es amoureux de ton prof de philo ? Le professeur Maarek, c'est cela ?

– Non, c'est bien plus que cela !

– J'ai dit cela, mais c'était une boutade…

– Moi aussi, c'est une boutade. Tu ne la connais pas ?

– Non, je te l'ai déjà dit, il me semble…Tu as déjà été amoureux ? ajouta Maud en changeant de sujet.

– Je ne sais pas. Je pensais que oui. Maintenant, je me demande si je n'ai pas tout simplement voyagé dans ma tête.

– Cette foutue capacité qu'on a de se raconter des histoires.

Et d'en raconter aux autres, pensai-je.

– Où en êtes-vous, avec le codex ?

– Grâce au mystérieux donateur, Ambroise Flamant a enfin pu commencer le déchiffrage du palimpseste, avec l'aide de Joseph Gal, le professeur émérite d'histoire des mathématiques, traducteur et spécialiste mondial d'Archimède.

– Que sait-on de plus sur Archimède ? Si ce n'est qu'il aurait vécu à Syracuse entre –287 et –212.

– Pas grand-chose d'autre. Sa vie privée n'était pas connue, mais ses inspirations et ses recherches proviennent essentiellement des échanges avec les savants de l'époque.

– Il écrivait des lettres ?

– Pour sauver ses idées et les conserver, il avait trouvé un subterfuge : il écrivait aux savants de l'École d'Alexandrie. Ptolémée avait créé dans cette ville un centre intellectuel et scientifique, ainsi qu'une fabuleuse bibliothèque où étaient abritées les œuvres des savants, à l'abri des guerres civiles qui ravageaient l'ancien empire d'Alexandre.

– Qui étaient ses correspondants ?

– Il avait tout d'abord adressé ses missives à Ératosthène, responsable de la Grande Bibliothèque, qu'il respectait beaucoup. C'était à lui qu'il envoyait ses traités dans des lettres écrites sur papyrus, que le musée se chargeait de faire copier et de diffuser. Et aussi à son ami le savant juif Dosithéus : même s'ils étaient loin, ils s'écrivaient de longues lettres sur papyrus, qu'ils envoyaient par bateau. Le regard de Dosithéus était essentiel pour lui, lorsqu'il réussit à calculer l'aire définie par l'arc de parabole et la corde, en utilisant une nouvelle forme de calcul qui faisait appel à une série convergente.

– Et c'est ainsi que ses écrits ont été sauvés ? Par bateau vers Alexandrie ?

– La question de la pérennité de ses écrits le taraudait. Il avait fait le vœu que ses formules soient gravées sur sa tombe, non pas parce qu'il s'en glorifiait, mais parce qu'il avait peur qu'elles soient perdues. Les machines qu'il avait fait construire étaient bien solides. Celle qui permettait d'arroser les terres, et d'autres pour les habitants du Nil. La vis sans fin, l'appareil qui permettait de porter l'eau, ou encore la roue dentée. Il a inventé la notion de centre de gravité, il a prouvé au roi Hiéron qu'on pouvait déplacer n'importe quel objet lourd avec une force donnée. Il a fait transporter ainsi une galère remplie d'hommes. Mais il était obnubilé par ce problème crucial : « Comment rendre une idée éternelle ? » Comment un papyrus, un parchemin pouvaient-ils vaincre le temps alors qu'ils sont si fragiles ?

– Et que l'homme lui-même est mortel. Mais les idées lui survivent. Comment est-il mort ?

– De façon étrange. C'était pendant le siège de Syracuse, la seconde guerre punique. Après la mort de Hiéron, le parti pro-carthaginois avait pris le pouvoir. Le Sénat romain avait envoyé un proconsul, Marcellus, conquérant de nombreuses villes, qui attaqua Syracuse par mer et par terre. Veux-tu que je te raconte ?

La voix mélodieuse de Maud me berçait, me rassurait. J'aurais voulu qu'elle continue toujours, il me semblait que si elle s'arrêtait, je serais en danger.

– J'aimerais beaucoup.

– Les Romains, pour faire le siège de Syracuse, avaient encerclé la ville, ils pensaient la faire tomber en cinq jours. Mais ils n'avaient pas tenu compte dans leur calcul de l'adresse d'Archimède, ni songé que, comme le dit Polybe, le génie d'un seul homme est plus puissant que mille bras.

Pendant qu'elle me racontait l'histoire d'Archimède, je me prenais à songer qu'elle venait chez moi, qu'elle frappait à ma porte. Elle entrait. Elle n'était vêtue que d'un voile. Sans un mot, elle s'étendait sur mon lit…

– Archimède, qui avait disposé des machines d'une portée extraordinaire à l'aide de puissantes catapultes, les fit frapper au loin et répandit la panique chez les Romains… Au point que Marcellus fut obligé de choisir la nuit pour faire avancer les galères. Mais le rusé Archimède avait plus d'un tour dans son sac. Il avait établi sur toute l'étendue des remparts des machines qui se dressaient au-dessus des murailles pour lancer des pierres et des masses de plomb. En même temps une main de fer saisissait la proue des vaisseaux, pour la précipiter vers les murs.

Tu imagines bien que Marcellus, singulièrement gêné par ces inventions diaboliques, voyait avec douleur les assiégés repousser ses attaques et lui causer de cruelles pertes. Tu es toujours avec moi ?

– Suspendu à tes lèvres.

Et envoûté par ma rêverie... Elle me regardait, sans un mot... Je m'approchais d'elle, l'embrassais. Sa peau était douce, son corps chaud et enveloppant. Je caressais ses bras, ses mains, son visage et ses joues.

– Malgré l'aide logistique des Carthaginois, le blocus romain continua : les Syracusains étaient ravitaillés par leurs alliés et la flotte romaine était tenue à distance par les engins d'Archimède. Le siège a duré un an.

– Un an ! dis-je. C'est long !

– Marcellus finit par saisir une occasion favorable : un traître vint annoncer que Syracuse allait, pendant trois jours, célébrer la fête de Diane, durant laquelle le vin coulait à flots. À cette nouvelle, Marcellus a tenu conseil avec un petit nombre de tribuns. Lorsqu'il jugea que le moment était arrivé, il ordonna aux soldats de porter des échelles pour assiéger la ville. Ensuite, les soldats entrèrent, forcèrent les portes des maisons, pour semer la terreur et le pillage. Ils volaient tout ce qu'ils trouvaient, Syracuse était une ville riche et puissante. Et Archimède, au milieu du désastre, était en train de tracer des figures sur le sable, lorsque, dit-on, il fut assassiné.

– Comment ?

– Il utilisait souvent des diagrammes pour ses démonstrations, qu'il traçait sur le sable amassé dans un plateau appelé « abaque ». Ce plateau, qui était pour lui comme une ardoise, avait le poids d'une table. Or Archimède était chez lui en train de tracer ses signes sur l'abaque pendant que la ville était prise par les Romains. Marcellus avait donné l'ordre de capturer le savant et de le lui amener… Il aurait été en train de résoudre un problème, lorsqu'un soldat lui aurait ordonné de le suivre. Mais Archimède ne voulait pas partir avant d'avoir achevé son étude. C'est ainsi qu'il mourut, dit-on, par l'épée de cet homme.

– Une fin tragique ! dis-je en sortant brutalement de ma rêverie.

– Et à vrai dire, énigmatique.

– Tu penses qu'il s'agit d'un assassinat ?

– C'est sûr ! C'est grâce à Archimède que Syracuse avait pu résister aussi longtemps à l'envahisseur. Si on l'a tué, ce n'est pas par hasard.

– Que s'est-il vraiment passé entre Marcellus et lui ? Pourquoi le général romain voulait-il l'épargner ? Quelle information désirait-il obtenir de lui ?

– Toutes ces questions se résument en une seule : qui a assassiné Archimède et pourquoi ? Et tu sais quoi ? Je me trompe peut-être, mais j'ai la conviction que la résolution de cette énigme lèverait le voile sur les mystérieux meurtres d'aujourd'hui. Si nous réussissions à trouver la raison pour laquelle Archimède a été assassiné, nous pourrions remonter aux motivations du tueur, ce qui permettrait sans doute de le confondre.

– Tu le crois vraiment ? dis-je.

– J'en suis de plus en plus persuadée.

– Et la solution de cette énigme…

– Se trouve dans le palimpseste.

– Alors il ne faut pas lâcher le travail.

– Tu m'as comprise… J'étais très heureuse de te parler ce soir, Joachim.

– Moi aussi.

– Essaye de passer une bonne nuit quand même !

– Je suis barricadé derrière ma porte. Je pense que je vais rêver…

– D'Archimède ?

– Non… de toi.

– À bientôt, dans tes rêves…

– À bientôt…

Nous avions du mal à nous dire au revoir. Nous avions tant de choses à échanger.

Je m'endormis, ce soir-là, enveloppé par la douceur de son absence. Car l'absence, bien sûr, n'est rien d'autre qu'une présence obsédante.

3

Le directeur me rappela pour prendre de mes nouvelles et renouveler son invitation au phare. Sa sollicitude me toucha. En même temps que je lui parlais, je regardais la rue par la fenêtre, et j'aperçus l'homme qui m'avait suivi la veille. Je savais désormais que c'était un policier qui avait été posté là pour me surveiller. Cette fois, je décidai d'accepter la proposition.

En début d'après-midi, je pris le train pour la gare de Lorient, où il vint me chercher dans une élégante voiture ancienne.

La route sillonnait la campagne, en bordure de mer. Les reliefs escarpés de Bretagne étaient plus tourmentés que ceux de la calme Normandie. Mais l'endroit me plut.

À l'écart de toute civilisation, le phare était érigé en haut d'une colline qui surplombait les côtes. Au sommet, trois grandes pièces avaient été réaménagées avec goût. Il avait préparé la chambre d'ami, dont les fenêtres donnaient sur la mer, et qui comportait un lit, un bureau, un placard, et même une salle de bains. Le mobilier était simple mais raffiné. Son bureau, dans le salon, comprenait tout ce qu'il fallait pour communiquer avec le monde : ordinateur, disques durs externes, caméra dernier cri : le professeur Tibrac était un « *geek* ».

La vue, du haut du phare, était impressionnante. La mer sous le ciel, les vagues qui venaient se fracasser contre les rochers, l'horizon infini m'apaisèrent. Il y avait là toutes les teintes de bleu : le bleu-gris du ciel, le bleu marine, l'indigo et le violet de la mer, le bleu-noir de la nuit qui approchait. J'ouvris la fenêtre, et fus aussitôt fouetté par les embruns. L'endroit était grandiose. Je n'en revenais pas d'être là. Je m'y sentais bien, privilégié. Heureux aussi de prendre de la distance, et de m'échapper de la terreur dans laquelle nous étions plongés à Ulm. Ici, on était loin de tout.

Le directeur était un homme charmant, d'un grand raffinement et d'une délicatesse exquise, d'une compagnie rassurante. Je comprenais le lien qui l'avait uni au professeur Maarek, quel qu'il fût. Ils allaient bien ensemble. Je me demandais quelle était sa vie personnelle. Aucune trace de femme ou d'enfant en ce lieu. Seules quelques photos de lui, prises sans doute par des professionnels, dans son phare, ou devant la mer. Il devait chérir la solitude pour avoir choisi un tel bout du monde. Il m'expliqua qu'il passait beaucoup de temps à travailler, à lire et à écouter de la musique. Il me consacra le reste de la journée, durant lequel nous discutâmes à bâtons rompus de tous les sujets qui nous préoccupaient. La philosophie et l'enquête policière n'étaient pas si éloignées, en effet, puisqu'il fallait dans les deux cas analyser et comprendre, passer de l'apparence à la réalité, de la définition nominale à la définition réelle, du monde des phénomènes au monde des idées.

Le professeur Tibrac, qui était un fervent amateur de musique classique, me fit écouter des morceaux que je n'avais jamais entendus, moi qui n'y connaissais pas grand-chose. Il m'expliqua que la musique purifiait les passions. Aristote lui accordait une valeur cathartique. Pythagore, qui lui conférait une aura cosmique, avait fait le rapprochement entre la musique et les mathématiques. Hélas, la secte qu'il avait créée pour mettre en application ses idées, avec ses élèves initiés, à Crotone, avait fini par le mettre en danger. Un noble de la ville, ancien disciple, fomenta un complot contre lui et la population finit par mettre le feu à son école, Pythagore et ses élèves ne survécurent pas à l'incendie… Comme tout philosophe, il dérangeait. Il subvertissait ses élèves. N'était-ce pas pour la même raison que Socrate avait été mis à mort ?

Je passai du temps à consulter les livres de sa prodigieuse bibliothèque. Lorsque je m'étonnai du nombre de volumes qu'il possédait sur le christianisme, il me répondit qu'il fallait connaître l'adversaire. Rationaliste et athée, il ne cessait de s'interroger sur la religion, pour tenter de comprendre et de combattre ce qu'il considérait comme la source de tous les maux. Et c'est alors qu'il me parla de l'amitié qui l'avait lié, lorsqu'il était élève à Ulm, au père Delbos et au père Éphraïm, qui s'appelait alors Édouard. Ils s'étaient rencontrés en année de conscrit, alors que chacun arrivait de sa province. Luc Delbos de Rouen, Édouard de Lyon, et lui de sa Bretagne natale. Ils passaient leur temps à discuter dans leurs thurnes, à refaire le monde. Ils avaient effectué un voyage initiatique en Terre sainte, sur les traces de Jésus, qui avait scellé leur amitié, et durant lequel Édouard avait embrassé la foi orthodoxe, dans une église où officiait un prêtre qui les avait impressionnés. Ils avaient passé quatre ans à Ulm, à discuter de la foi, de la philosophie et à échafauder des théories. À la fin de l'École, chacun avait suivi sa voie. Luc Delbos qui était engagé dans le catholicisme, choisit celle des jésuites, qui avaient parfait son éducation. Édouard était devenu Éphraïm, lorsqu'il se convertit à l'orthodoxie. Et lui restait un libre penseur, comme il aimait à le répéter. Il avait eu du mal à respecter les choix extrêmes de ses camarades, et ne put accepter le versant mystique et apostolique de Luc Delbos, pas plus que la brusque conversion de son condisciple à l'orthodoxie des chrétiens orientaux, et encore moins son départ pour Jérusalem, qui ne fit que renforcer son sentiment antireligieux, lui qui se disait alors agnostique.

Je repensai à Fabien, qui était croyant, et songeai que je n'avais jamais vraiment parlé de sa foi avec lui. Je le regrettais à présent. J'aurais voulu avoir accordé plus d'attention. Étais-je donc incapable de rapport sincère à l'autre et de véritable amitié ? Peut-être aurais-je pu le sauver s'il s'était confié à moi. Je me remémorai ce que m'avait avoué le professeur Maarek concernant son élève, et la responsabilité qu'elle avait vis-à-vis de moi. Moi aussi, j'avais été responsable de lui. Aujourd'hui, je me sentais coupable.

– Si vous ne croyez pas en Dieu, demandai-je au professeur Tibrac, comment expliquez-vous cela ? ajoutai-je en lui désignant l'immensité marine qui dansait devant nous.

– Cela fait partie des Mystères dans l'univers, répondit posément le professeur Tibrac. On dit qu'il y en a quatre. Le premier est celui de la nature des lois de la physique : une structure qui rayonne à partir d'un point unique, de façon symétrique. Le deuxième est celui de la Vie. D'où vient-elle ? Quelle est son origine ? Le troisième mystère est celui du cerveau : cette matière organique, développée accidentellement et capable de sélectionner une réponse adéquate dans un ensemble exponentiel de possibilités. Et le quatrième mystère, non des moindres, est celui de la structure mathématique du monde : pourquoi et quand apparaît-elle, comment peut-on la modéliser, et comment le cerveau parvient-il à l'élaborer, à partir du chaos dans lequel nous vivons ? Pour moi, à vrai dire, tel est le vrai mystère, Joachim.

– Comme il est pratique de confier sa foi à une Église, plutôt que faire de la philosophie qui nous insécurise, sans répondre à nos doutes les plus fondamentaux..., murmurai-je.

– Seriez-vous attiré par la religion ?

– Depuis que j'ai quitté les Talas, je cherche un sens, dis-je, mais je ne le trouve pas.

– Je ne savais pas que vous aviez été tala ! s'exclama le professeur Tibrac. Comme c'est intéressant ! Racontez-moi cela !

Le soir tombait, le panorama qui s'ouvrait devant nous était digne des plus belles photographies de paysages. Le soleil se couchait lentement sur la mer, dans un somptueux dégradé de rouges et de violets.

Le professeur Tibrac se leva et revint avec une bouteille de vin, qu'il nous servit. Mon hôte m'avait réservé un grand cru à la saveur inconnue, un vin râpeux et délicieux.

– Vous êtes donc croyant ? demanda-t-il.

– Je l'ai été, avouai-je. C'était une aventure spirituelle, mais pas celle à laquelle on pourrait s'attendre.

– J'ai hâte de l'entendre !

– C'était par amour pour une femme.

– Voilà qui promet une belle histoire !

– Je suis tombé amoureux d'elle en conscrit, et je suis devenu Tala pour lui plaire.

– C'est fou, n'est-ce pas, ce que l'on peut faire par amour ?

– C'est peut-être le cinquième mystère.

– Que veut la femme…, dit le professeur Tibrac. C'est l'éternelle question.

– Aujourd'hui, je ne sais plus si c'était vraiment ça, l'amour.

– Alors ce n'en était probablement pas. L'amour qui se questionne est comme la foi qui doute d'elle-même.

– À quoi reconnaît-on l'amour, professeur ?

Il ne répondit pas tout de suite, puis, avec un sourire :

– L'amour, le vrai, se reconnaît par sa flamme. Je ne parle pas des palpitations que l'on peut avoir lors d'un coup de foudre. Du désir qui, lorsqu'il est inassouvi, fait croire au sentiment. Du penchant qui, transcendé par un obstacle, devient un puissant moteur, celui que l'on trouve dans les romans. Non. Je vous parle du véritable amour. De l'amour philosophique. Celui que l'on éprouve pour l'autre en tant qu'autre, dans son altérité même. Celui de Platon, oui, mais pas celui qui recherche l'âme sœur, la pareille. Lorsque du corps on s'élève vers l'âme. Lorsque le désir, orienté par l'intention, devient l'expression de quelque chose de bien plus puissant, de bien plus fort. Ce sentiment qui vous fait toucher du doigt l'Infini. Qui rend votre vie à la fois dérisoire et hautement signifiante. Qui relativise toute autre activité. Qui vous fait sentir que vous êtes vous-même. Vous voyez ce que je veux dire ?

– Oui, dis-je d'une voix sourde. Je vois. C'est un peu ce que je ressens pour le professeur Maarek.

Le professeur Tibrac me regarda, tout à coup, surpris. Je l'étais moi aussi. Et pourtant, c'était vrai. J'avais cherché à sublimer, à intellectualiser, et à nier l'évidence…

– Pardonnez ma question, professeur, mais étiez-vous amoureux d'elle ?

– C'est elle qui vous l'a dit ?

– Oh non, répondis-je alors que je sentais mes pommettes rougir. Nous ne parlons jamais de choses personnelles. Mais je l'ai deviné.

Le professeur Tibrac se leva, fit quelques pas, puis nous resservit du vin, avant de reprendre sa place.

– C'est vrai, dit-il. Nous nous sommes aimés… C'était il y a bien longtemps… Nous nous voyions en cachette, cela n'aurait pas été bien vu par la direction. J'avais douze ans de plus qu'elle, j'étais son professeur. Je n'avais pas l'habitude de séduire mes élèves. J'étais marié, à l'époque. J'ai deux enfants… que je ne vois plus. Ils m'en ont terriblement voulu. Cette relation a tout ravagé dans ma vie. Je pense qu'il s'est produit à ce moment-là quelque chose qui nous a dépassés, elle et moi. Et qui nous a emportés, malgré nous, l'un vers l'autre, sans que nous puissions rien faire pour l'arrêter. Qui l'aurait cru ? Cela vous tombe dessus, un jour, sans que vous sachiez ni pourquoi ni comment. Au début, je ne me suis pas méfié. Nous avions des débats philosophiques passionnés, qui nous emmenaient bien au-delà des heures de cours réglementaires. Je me suis dit que j'avais affaire à une élève particulièrement brillante. Qu'elle me stimulait intellectuellement. Je n'aurais jamais pensé que cela m'arriverait. Je n'ai rien choisi. J'ai été élu ! C'est cela l'amour, une élection : lorsque l'on se choisit l'un l'autre, sans autre raison que l'amour.

– Vous en parlez comme on parle de la foi…

– C'est une forme de foi, bien sûr. Une foi en soi, une foi en l'autre. Une foi en la vie. Il faut un certain idéalisme pour tomber amoureux. Les cyniques en sont incapables. Ils savent juste faire semblant. Mais nous ne faisions pas semblant. Nous nous retrouvions dans des hôtels à l'autre bout de la ville. Nous n'avions pas d'endroit pour nous voir. Nous ne pouvions pas nous donner rendez-vous dans sa thurne, ni dans mon bureau. Parfois, nous allions de nuit sur les toits, à Ulm, lorsqu'il n'y avait personne. C'était vertigineux et beau. Mais peu à peu, c'est devenu incontrôlable. Je ne pouvais tout simplement plus me passer d'elle. Je vivais deux vies parallèles, ma vie de prof et de père de famille, et ma vie avec elle, qui était de plus en plus exigeante et malheureuse parce que j'étais incapable de me décider. Elle finit par interpréter ma bêtise et ma lâcheté comme un manque d'amour. Pour tenter de nous donner un cadre, j'avais établi des règles à notre relation. Nous ne devions en parler à personne, quoi qu'il arrive. Nous devions nous vouvoyer en toute circonstance, et nous respections cette règle même entre nous, pour ne pas risquer de nous faire surprendre, par un automatisme. Et je peux vous le dire, dans l'intimité, c'est quelque chose de terriblement fort et troublant. Enfin, si l'un de nous voulait partir, il devait le dire à l'autre, sans se justifier et l'autre ne devait rien demander. Et c'est ce qui s'est produit.

– Qui a mis fin à votre relation ? Elle ou vous ?

– C'est moi, dit le professeur Tibrac.

– Pour quelle raison ?

Le directeur me regarda avec intensité, avant de répondre :

– J'aimerais que nous fassions ce pacte, vous et moi, dit le professeur Tibrac, en nous resservant à boire. Ce que je vous dirai ne sortira jamais d'ici.

Je sentis que l'heure était grave. J'acquiesçai, sans un mot profondément honoré de la confiance qu'il me témoignait.

Il se leva, contempla un instant les derniers rayons du soleil couchant, comme pour se concentrer sur ce qu'il allait dire.

Puis il se dirigea vers son bureau, et sans savoir pourquoi, je me recroquevillai sur mon siège. Le professeur Tibrac avait préparé plusieurs photos de vases grecs, qu'il me fit passer. Surpris, je l'interrogeai du regard.

– C'est le vase Ricci, dit-il, une hydrie ionienne de Caéré avec une frise, un ensemble tout à fait exceptionnel : la plupart du temps, les séquences sacrificielles sont figées dans l'iconographie en des instants précis. Là, nous avons accès à toute la séquence.

Je scrutai attentivement les scènes du vase. La première représentait deux hommes nus qui manipulaient un animal posé à terre sur le dos, pattes en l'air, tête à gauche. Celle-ci pendait librement par-dessus la pierre, et présentait bien en évidence la partie du cou où devait entrer la lame pour l'égorger, c'est-à-dire trancher les deux carotides, sinon la trachée. La tension que le personnage de droite exerçait sur les deux pattes avant rendait encore plus accessible la zone laryngale, parfaitement dégagée. Le personnage de gauche se penchait au-dessus du cou, avec une lame longue et mince. À partir de la tête de la victime, un faisceau de fines rayures représentait le sang qui gicle. Il régnait dans la pièce une atmosphère étrange. Étourdi par l'effroi de la scène, j'avais froid, j'étais comme hypnotisé. Je pensais aux victimes humaines des meurtres sacrificiels.

– On dirait que des femmes sont représentées sur le vase, remarquai-je.

– Des prêtresses revêtues de leurs robes saintes, mais aussi les égorgeuses qui brandissent les épées, les mains ensanglantées.

– Pour quelle raison me montrez-vous ceci ? dis-je soudain, frappé de peur.

– Ce vase fait partie des sources premières de la thèse du professeur Maarek, répondit-il.

– Vous l'avez ? Je n'arrive pas à la trouver.

– Je suis tombé dessus l'autre jour et je l'ai relue, je pensais que c'était utile, avec tout ce qui s'est produit récemment. Et c'est alors que j'ai tout compris, ajouta-t-il en allant chercher la thèse en question dans la bibliothèque.

Il me tendit le lourd pavé relié par une fragile spirale en plastique, sur lequel je lus : « Plotin et les rites d'Éleusis ».

J'ouvris l'ouvrage au hasard et je lus. *« La suite de la séquence consiste à extraire les viscères nobles – appelées splanchna – des cavités thoracique et abdominale de la carcasse, et à les mettre sur la table aux viandes. Les splanchna étaient analysées une à une : le cœur, le poumon, le foie, la rate et les reins. L'anatomie des animaux est l'espace projectif sur lequel on peut lire la destinée des hommes. »*

– C'est encore plus terrifiant, dit-il, d'imaginer une femme sacrificatrice.

Je me souvins de la froideur avec laquelle le professeur Maarek avait examiné le foie du cadavre.

– Ou peut-être fascinant, murmura le professeur Tibrac.

– Pourquoi fascinant ?

– Quoi qu'on en dise, cela ne fait pas partie des attributs féminins… Imaginez une femme avec un couteau, en train d'achever un animal, dans un bain de sang. C'est très troublant, n'est-ce pas ? Ce serait presque excitant, avouez… si ce n'était pas aussi diabolique !

Tout à coup, tout se mit à vaciller autour de moi. La prêtresse sacrificatrice qui cherchait la réponse à ses questions... La divination... Le professeur Maarek... la spécialiste des Mystères... celle qui examinait les *splanchna*, sans sourciller. Sa thèse, la précision de ses descriptions. *Oh mon Dieu... !*

Je poursuivis ma lecture : « *Après la mise à mort de la victime, on ouvrait les flancs de l'animal, et on examinait attentivement les viscères, un par un, pour voir s'il existait une anomalie, qui serait un mauvais présage. Dans ce cas, on faisait marche arrière et on renonçait à son projet. Ainsi, le roi de Sparte Agésipolis, pendant le combat contre les Argiens, fit un sacrifice pour consulter les dieux à ce sujet. Lorsqu'il trouva un foie incomplet sans lobe dans les carcasses des victimes, il abandonna cette opération et ramena son armée.*

« *En cas de mauvais signe envoyé par la divinité, on pouvait choisir une autre voie : on décidait de procéder à un deuxième examen, et faire un autre sacrifice en espérant qu'on obtiendrait un bon résultat. Cette répétition de l'acte sacrificiel est une pratique assez courante en cas de guerre, lorsque, par exemple, on prépare une attaque contre l'ennemi.* »

– La répétition de l'acte sacrificiel, murmurai-je, malgré moi.

– Cela risque de se reproduire, jusqu'à ce que le meurtrier obtienne une réponse à sa question, dit le professeur Tibrac.

– Quand a-t-on mis fin aux sacrifices ? demandai-je.

– Au moment où le christianisme s'est opposé aux sacrifices païens au nom du sacrifice du Christ sur la Croix, répondit-il. Le Sacrifice du Christ a été, en somme, le Sacrifice des sacrifices. Le dernier, l'ultime, le plus grand !

– Êtes-vous croyant, professeur Tibrac ? demandai-je, soudain pris par une inspiration.

– Vous savez bien que non, dit-il, l'air surpris. Je vous parlais du Christ sur la Croix, d'un point de vue purement philosophique. La philosophie vient d'abord. La religion, après. Et en l'occurrence, vous savez bien que je suis un athée convaincu.

Il y eut un silence. Ma question avait jeté un froid. Comme le professeur Maarek avec moi, je l'avais sans doute vexé. À ce moment, je pris conscience que quelque chose se jouait là, à travers l'enseignement du professeur Tibrac, qui me dépassait.

Lui-même semblait étonné par ce qu'il m'avait dit, comme s'il venait seulement de comprendre. Ses yeux agrandis par les ombres des bougies avaient des reflets sombres, sa bouche semblait murmurer des mots qu'on ne devait pas entendre.

Alors, ce fut comme reconstituer un vieux manuscrit à partir de fragments épars, sachant qu'un certain nombre d'entre eux manquaient. Une sorte de puzzle, en somme. Un exercice intellectuel doublé d'un exercice spirituel. Concentrer notre attention sur l'essentiel et éliminer toutes les diversions destinées à perturber le regard.

Je fermai la thèse, la posai sur la table. Je reconnus le tampon de la bibliothèque de Normale Sup.

Nous avons commencé par rappeler les faits. Tous les faits, rien que les faits, en tentant d'y mettre un peu d'ordre. Le décès d'Eleazar Sorias, son passé de bibliophile et de résistant, la façon dont il avait découvert et puis acheté en Turquie un manuscrit dont il connaissait l'immense valeur et la légende qui circulait à son sujet. La raison pour laquelle il avait été contraint de le vendre au père de Louise, afin de se sauver et de sauver sa famille. La redécouverte du manuscrit par Louise Sorias après la mort de son mari. C'est à ce moment-là que le professeur Maarek était entrée en scène. Elle avait vu le palimpseste. Elle avait compris sa valeur. Oui, c'était clair à présent ! Je me souvins de son agitation lorsqu'elle avait appris que le codex était vendu. Et de son angoisse lors de la vente aux enchères.

Obsédée par le palimpseste, elle avait décidé d'assassiner ceux qui y avaient eu accès. Robert Sorias. Jean Andrieux. Fabien. Mais pas n'importe comment. Il lui fallait tuer en mettant en scène ce qu'elle avait passé sa vie à étudier : les Mystères d'Éleusis. Elle avait organisé une mise en scène, une mise à mort. Un sacrifice qui lui permettrait d'accéder à la divination. Mais comme elle n'arrivait pas à lire dans les entrailles, elle continuait de sacrifier ceux qui savaient. Elle avait déposé ou fait déposer les corps à l'aide de Guillermo, son étrange domestique, sur les lieux symboliques de la capitale, dont elle connaissait le sens mystique : l'Obélisque de la Concorde et les Champs-Élysées. Puis elle avait tué Fabien – pourquoi ? J'eus une boule dans la gorge, lorsque je me souvins que c'était moi qui lui avais parlé de lui.

Soudain, je suffoquai lorsque je me remémorai l'épisode du monastère de Saint-Sabas. *N'était-il pas évident que c'était elle qui m'y avait enfermé ?* Elle voulait se débarrasser de moi, parce que j'en savais trop !

– Nous sommes devant une équation à trois inconnues, résuma le professeur Tibrac. La première est le meurtrier, la deuxième est l'acheteur du codex, la troisième est le maître de cérémonie des rites d'Éleusis.

– Et si les trois ne faisaient qu'un ? suggérai-je.

– Joachim, dit-il, c'est pour cette raison que je voulais vous éloigner d'Ulm.

– Mais je pensais... nous pensions... nos soupçons se dirigeaient vers les jésuites. Le père Delbos...

– Qui vous a aiguillé sur cette piste ?

– Le professeur Maarek, dis-je.

J'avais laissé mon esprit vagabonder vers d'autres contrées que ceux des sacrifices. J'imaginais le professeur Maarek vêtue en prêtresse dans un temple, et qui allait procéder à un sacrifice. J'étais secoué de tremblements.

– Vous étiez donc proche du père Delbos ?

– Oui, je l'ai été à un moment.

– Et vous avez été embrigadé par les jésuites ? C'est bien cela ?

– Non, mais j'ai bien failli l'être. Que pensez-vous de la théorie du professeur Maarek selon laquelle le père Delbos se serait introduit dans ces cérémonies secrètes afin d'y mettre fin ?

– D'un point de vue strictement logique, il y a une faille : pourquoi aurait-il sacrifié les victimes selon un rite païen ?

– Pour mettre en déroute le paganisme, justement.

– Soit. Mais d'un point de vue psychologique, cela ne cadre pas du tout avec la personnalité de Luc Delbos. Moi qui le connais bien, je peux vous dire que Luc n'est pas un violent. C'est quelqu'un de pacifique.

– Les jésuites cachent bien leur jeu, affirmai-je.

– Ils le cachent plus que cela, justement ! Tout le monde sait bien que l'aumônier de l'École est un jésuite.

– Et vous, quelle est votre théorie ?

– Vous la connaissez, dit le professeur Tibrac, en me prenant le bras. Je comprends que vous soyez bouleversé. Vous êtes si proche d'elle. Je vous comprends, je l'ai été moi aussi. Comme vous, j'ai été envoûté par cette femme. Elle sait si bien y faire avec ceux qu'elle subjugue, et qu'elle soumet entièrement à sa volonté. Elle vous ferait faire le tour du monde, n'est-ce pas ?

– Elle l'a fait ! Je suis allé jusqu'en Israël !

– Elle ne m'avait pas dit qu'elle partait avec vous… Et je n'ai pas compris qu'elle avait l'intention de le faire. Ce n'est que lorsque je suis venu ici pour réfléchir, que tous les éléments se sont mis en place dans mon esprit. Souvent, certains lieux nous inspirent, et l'on a besoin de s'éloigner pour penser clairement. Et c'est alors que je vous ai téléphoné pour vous dire de me rejoindre… Si vous n'étiez pas venu, je serais allé vous chercher moi-même.

Il y eut un long silence, nous avions besoin de réfléchir et de comprendre.

– J'ai découvert la personnalité d'Elsa Maarek à travers notre relation amoureuse… C'est quelqu'un de très secret… qui cache sous l'apparence de la rationalité que donne la philosophie une faille narcissique. Une vraie dangerosité.

– En admettant que ce soit elle la meurtrière, quel serait son mobile, professeur ? demandai-je, la gorge nouée, même si je connaissais parfaitement la réponse.

Le professeur Tibrac s'était rassis. Il enfouit son visage dans ses mains. Puis il se leva, se dirigea vers son bureau, ouvrit un tiroir. Pendant un moment, je crus qu'il allait sortir une arme.

Il me tendit simplement une enveloppe.

– Si vous voulez savoir qui est vraiment le professeur Maarek, rendez-vous à cet endroit, me dit-il en me tendant le carton d'invitation noir, bordé de rouge, sur lequel était inscrit : *Professeur E.T.* C'est demain soir. Allez-y masqué. C'est le seul moyen de vous disculper auprès de la police, ajouta-t-il, lorsqu'il me vit hésiter.

4

Le Champ-de-Mars était désert à cette heure tardive. Je m'engageai dans l'une des contre-allées qui le jouxtaient, et m'arrêtai devant le Monument des Droits de l'homme. Ce temple égyptien construit pour le bicentenaire de la Révolution était formé d'une pyramide sculptée au-dessus de la porte de bronze. Au sommet du monument était figuré un delta entre deux grands obélisques en bronze. Quatre statues antiques semblaient accueillir les visiteurs. À côté des obélisques, se trouvait une statue d'Isis et d'Horus dont la coiffe en forme de cylindre représentait la connaissance. Isis, pensai-je. Encore elle. Paris – comme son nom l'indiquait peut-être – Paris (ou Parisis ?) semblait être vouée à la déesse égyptienne. Je me souvins des paroles du professeur Maarek. Isis était la Sagesse, on disait d'elle qu'elle avait inventé l'écriture. Elle était la maîtresse de la Justice et du Droit. Elle connaissait la magie. Son culte était celui du salut par l'amour, et pas n'importe quel amour : l'amour sexuel. Qui avait dessiné cet urbanisme secret ? Quel groupe, quel président, quel architecte ? Et pour quelle raison ?

La lune était pleine. En m'approchant de la statue, je m'aperçus qu'elle avait un sceptre et j'eus un sursaut en pensant à la canne du professeur Maarek : *le sceptre d'Isis*.

Je me demandai si la date avait été choisie en fonction du calendrier lunaire. Je regardai le carton d'invitation que m'avait donné le professeur Tibrac, avec l'envie de m'enfuir au plus vite, avant d'être pris au piège. Que faisais-je là, à cette heure, en cet endroit étrange ? Pourquoi le professeur Tibrac m'avait-il suggéré de me rendre à cette soirée ? Qu'allait-il s'y dérouler ? Qu'allais-je découvrir au sujet du professeur Maarek ? Depuis que j'étais rentré de Bretagne, j'étais obsédé par une seule chose : savoir la vérité. Qui était-elle en réalité ? Et que cherchait-elle ?

Il était un peu plus de minuit, sans doute trop tard pour calmer mes angoisses. Je plaçai alors mon masque sur mon visage, un masque noir que j'avais acheté dans un magasin de farces et attrapes, et qui cachait mes yeux et mon front. Je jetai un coup d'œil dans le rétroviseur d'un vélo. Je me rendis compte qu'il laissait apparaître une grande partie de ma cicatrice, sur le côté gauche de ma joue.

C'est alors que j'aperçus l'homme, dissimulé dans l'ombre de la porte de bronze, qui me regardait. Je m'avançai droit vers lui et lui tendis la carte. Lui aussi était masqué, mais je tressaillis, j'avais reconnu la haute silhouette et les cheveux noir corbeau de Guillermo. Sans un mot, le majordome s'effaça pour me laisser entrer.

La première chose que je sentis en pénétrant dans la grande salle fut une forte odeur d'encens, un parfum si entêtant qu'il me tourna la tête. Quelques torches éclairaient l'intérieur du temple. Mes yeux s'habituèrent peu à peu à l'obscurité et je distinguai une assemblée éparse d'hommes et de femmes masqués. Un homme s'approcha de moi, comme pour me parler, mais il sembla se raviser. Il était de taille moyenne, les cheveux clairs. Sa cape et son épais loup de velours m'empêchaient de voir ses traits et son allure. Puis je distinguai des silhouettes dans la pénombre : une vingtaine de personnes, seules ou en couples, d'autres encore en groupes. Tout le monde était silencieux. Certains chuchotaient à l'oreille des autres. Vêtues de couleurs sombres, les femmes étaient toutes en jupe et en talons. Les hommes en costumes. Les gens se frôlaient, sans vraiment se regarder. Une drôle d'atmosphère régnait dans cet antre aux visages impénétrables, certains blancs, d'autres noirs, tous masqués. Le personnage sorti d'un film noir s'était à nouveau approché de moi. Je pouvais presque sentir son souffle.

Soudain, au milieu de la salle, une femme et un homme apparurent, vêtus de blanc, les visages masqués d'un loup.

Ils se regardèrent pendant un moment. La femme portait une courte robe qui épousait ses formes, une coiffe dorée avec deux cornes entourant un globe et deux ailes de faucon accrochées sur son dos. Une large couronne coiffait son partenaire, qui avait revêtu un pagne, à la mode des princes égyptiens. La scène jouée par le couple représentait le moment où Isis, grâce à la magie, réussissait à ranimer Osiris, après qu'il eut été assassiné par son frère Seth. Elle agitait ses ailes de faucon au-dessus de lui. Elle lui donna un baiser. Puis elle descendit vers le corps de son époux, sur lequel elle s'allongea. Lentement, ils commencèrent à s'unir, alors que d'autres unions se formaient dans la pénombre et faisaient de même.

J'étais dans un pays imaginaire. J'étais en Grèce, au XVe siècle avant notre ère, lorsque les Égyptiens apportèrent le culte d'Isis en Argolide et en Attique. Les femmes arboraient des bijoux en forme de scarabée, les hommes portaient l'épervier d'Horus avec un sceau dans chacune des pattes, emblèmes royaux ou symboles religieux. Au fond de la pièce, une statuette d'Isis se trouvait éclairée par une torche : une superbe pièce en faïence égyptienne avec trois scarabées sur lesquels étaient inscrits des hiéroglyphes. D'où venaient ces objets ? Quel était donc le sens de cette étrange et savante mise en scène ?

Je regardai tout autour de moi, pour tenter de reconnaître les différents personnages du clergé d'Éleusis, tels qu'ils étaient décrits dans la thèse d'Elsa Maarek. Je vis alors une fine silhouette féminine vêtue d'une tunique de lin, qui semblait être une hiérophante : celle qui révèle les objets sacrés. À travers la transparence de la robe, on voyait ses seins. La finesse de ses jambes, l'étroitesse de sa taille, la largeur de ses épaules dessinaient un corps digne de la déesse Diane. Elle était si belle que je sentis une vague de désir monter en moi. Je regardai alors son visage : il était masqué. Soudain, mon cœur s'arrêta : elle avait une canne.

Je m'éclipsai rapidement dans un coin d'ombre. Elsa Maarek ! Mon cœur s'était remis à battre. C'était la première fois que je la regardais comme une femme et non comme un pur esprit. Elle était d'une beauté incroyable, son corps semblait sculpté dans le marbre. Elle s'avançait avec une grâce diaphane. Elle ne marchait pas, elle volait. Elle ne s'appuyait pas sur la canne, elle avançait en tenant un sceptre. Le sceptre d'Isis. Pas de doute : c'était bien elle. *Elsa Maarek était la déesse Isis.*

Je me glissai dans une autre pièce, aussi loin d'elle que possible. Un homme masqué s'approcha alors de moi. À voir son corps fin, vêtu d'une tunique de lin, et le bas de son visage imberbe, ce devait être un jeune éphèbe.

– Venez, je vous accompagne..., chuchota-t-il, en me tendant un verre de vin.

Il me frôla, puis me prit la main. Elle était douce comme celle d'une femme. Je me laissai guider par lui. Nous fîmes un chemin à travers les couples enlacés, jusque dans un long couloir. Qu'allait-il se passer ? Mon cœur battait à toute vitesse. Je me demandais si je ne devais pas m'enfuir, de peur d'être démasqué. Partir de cet antre dans lequel se déroulaient les choses les plus étranges, les plus bizarres que j'avais jamais vues. Mais l'homme ne m'en laissa pas le temps. Il porta ma main à ses lèvres. C'est alors que je reconnus sa bague : la bague égyptienne de Louise Sorias !

C'était en effet sa taille et sa silhouette longiligne. Je tentai de deviner ses traits sous son masque, mais il faisait sombre. M'avait-elle reconnu ? Étais-je piégé ? Pour quelle raison étaitelle un homme, ici ? Une sueur froide glissa le long de mon échine.

Elle me fit entrer dans une petite pièce du fond de la salle, encore plus sombre, dans laquelle se trouvait une dizaine de personnes, toutes couchées sous des couvertures, avec au milieu d'elles une hiérophante qui scandait une mélopée envoûtante, elle aussi dissimulée par un loup blanc. Elle me conduisit alors devant un homme, qui me tendit un verre rempli d'un breuvage sombre. Plutôt grand, d'une certaine corpulence, il avait les cheveux bouclés et les yeux verts d'Ambroise Flamant. En le regardant attentivement, j'aurais juré que c'était lui. Il portait comme lui un nœud papillon rouge sur une chemise blanche, avec un costume sombre.

J'hésitai un instant, mais il continuait de me regarder, comme s'il attendait que je le fasse. Alors je portai le verre à mes lèvres, en laissant le liquide épais couler dans ma gorge. Puis mon guide me fit signe de prendre une couverture et de m'installer où je voudrais. Il faisait très sombre.

Ce fut alors que, pris par les rythmes lancinants de la musique, je ressentis une douce torpeur, qui peu à peu m'entraîna vers un autre monde. Je les voyais, tous, instructeurs et mystagogues choisis dans la famille des Eumolpides et des Kerykès. Les fidèles, appelés mystes puis *epoptoi* : « ceux qui voient ». Jusqu'à la représentation du drame sacré. Je courais au hasard, marchais sans fin à travers les ténèbres. Je me remémorai ma descente aux Enfers au monastère de Saint-Sabas. J'étais prisonnier. J'étais enfant. Et je pleurais, je pleurais sans pouvoir m'arrêter. Tout mon corps se mit à frissonner, sans que je pusse en contrôler les tremblements.

Alors vint le sacrifice. Je revis toute la scène. La scène du désert, lorsque j'avais occis l'animal. D'un geste brusque, pris par une soudaine impulsion, j'avais saisi le bâton du professeur Maarek, je m'étais avancé vers le chacal, la canne devant moi, comme pour le tenir à distance. Une sorte d'instinct de survie avait réveillé ma colère malgré mon effroi et j'étais décidé à me battre jusqu'au bout s'il le fallait.

Il le fallait. La bête s'avançait, l'air menaçant, sans me quitter des yeux, les oreilles dressées, la gueule ouverte, qui laissait apparaître sa bave et des crocs redoutables. En quelques mètres, nous fûmes l'un en face de l'autre, comme si nous nous jaugions, pour savoir qui ferait marche arrière. Cela avait duré, me semble-t-il, une éternité. Alors j'avais décidé de prendre les devants. Le cœur battant à se rompre, j'avais fait un pas vers la voiture. L'animal s'était jeté sur moi en hurlant, j'avais brandi la canne que j'avais enfoncée brutalement jusqu'au fond de sa gueule ouverte, avec une rage dont je ne me savais pas capable. La bête s'était cabrée, puis elle s'était écroulée au sol en convulsant, alors que je l'achevais d'un coup, et la frappais comme une furie, dans un bain de sang effroyable. Sans réfléchir, dans une panique incontrôlable, je m'étais précipité dans la voiture, sans même essuyer mes mains couvertes d'un sang noir et gluant, terriblement nauséabond. Le sang du chacal. J'avais été capable de faire cela. De quoi étais-je donc capable ?

Soudain, je vis la lumière, merveilleuse, éclairer l'épi de blé. *Heureux parmi les hommes vivant sur la Terre, celui qui les a vus.* Le voyant, identique au vu. À chacun, l'espoir de figurer parmi les élus. J'étais un faucon, qui volait au-dessus du monde. Je me retrouvais dans mon élément, entre le divin et l'humain. Je pénétrais dans un temple : un temple antique. J'étais moi-même, et en même temps, j'étais un autre. Un prêtre, peut-être ? Neuf ou dix personnes étaient présentes, qui étaient ma famille. Pas ma famille d'ici, mais une autre famille, qui venait d'un autre monde. Des hommes et des femmes vêtus de toges, à l'air séraphin. Des dieux peut-être. Ils étaient tous beaux, avec un air hiératique. Je n'avais plus la sensation du temps qui passe. Le temps s'étirait, il n'avait pas la même forme linéaire, il était circulaire. L'angoisse cessait. Il n'y avait pas de mort, sinon l'Infini.

J'étais à Constantinople, dans un temple somptueux, richement décoré d'or et de pierreries. Il fallait chasser toutes les icônes qui avaient envahi le culte, on détruisait les images. Je me trouvais devant le prêtre. Son visage émacié reflétait la pureté et la grâce. Il parlait de conviction de cœur, exhortait les croyants à rester fidèles, à faire la prière, à remplir leurs devoirs, selon de bonnes intentions. Ô Dieu pardonnez-nous nos péchés ! ajoutait-il en levant les yeux au ciel. Aucune faute n'était permise. Il fallait tout maîtriser : la philosophie, l'histoire, les langues vivantes et anciennes. Je voyageai encore, et me retrouvai à Éleusis, la ville antique. Des jeunes gens jouaient. Vêtus de toges, ils posaient le pied gauche sur la dépouille d'un animal. On me versait de l'eau sur la tête, et on m'éventait. Sur une musique envoûtante, une flûte et une cithare, je traversais un long couloir sombre, qui était le séjour d'Hadès. Je ne devais pas me retourner, car j'étais poursuivi par des fantômes, ou peut-être des serpents et des bêtes sauvages. On me plongeait dans la boue, avant de me laver et de me purifier. Puis je montais en courant, jusqu'en haut, vers les lieux illuminés, où je recevais de nouveaux vêtements. Un sanctuaire s'ouvrait, la lumière m'inondait. Une prêtresse – c'était elle, le professeur Maarek ! – m'apportait l'épi de blé. Je rejoignais un lieu supérieur, tout illuminé, mais en réalité c'était moi-même que je retrouvais enfin, débarrassé de mes impuretés.

Les ténèbres étaient éclairées par la lumière vive des torches et je pouvais apercevoir mon visage. Ce visage en devenir. Ce visage qui n'était pas le mien. Cette identité qui n'était pas la mienne. Cette fiction à laquelle j'avais fini par croire. *Je viens d'un milieu d'universitaires, mes parents étaient tous les deux professeurs à la fac... Des papiers, stylos, machines à écrire... À table, ils parlaient d'histoire, de philosophie et de littérature... Dès mon plus jeune âge, j'ai fréquenté les Anciens. Nous étions avec eux, au quotidien... Ils m'avaient appelé Joachim en hommage à Joachim du Bellay, dont, petit, je récitais déjà les poèmes.*

Pour la première fois peut-être, je ressentais comme une lassitude. Une envie d'être moi-même, d'être un, d'être simple.

Une volonté de faire tomber le masque. Avec une femme, pourquoi pas. Avec une femme, oui.

Alors elle s'avança vers moi, diaphane, symbolique, dans un vêtement de lin blanc. Je ne saurais dire quel visage elle avait, puisqu'il était entièrement recouvert par un voile, mais je sais qu'elle était belle ! Si belle qu'elle me rappelait un personnage connu : était-ce cette reconnaissance dont parle Platon et qu'il identifie à la reconnaissance des âmes depuis l'époque où elles étaient une ? Chaque moitié retrouve la moitié dont elle a été séparée, et toutes deux s'unissent pour former un seul être. Et cette fois, sans que je sache pourquoi, je sus que j'étais élu.

– Viens Joachim, chuchota-t-elle, viens soulever le voile d'Isis.

D'où connaissait-elle mon nom ? Étais-je en train de rêver ? Où était le rêve et où la réalité ? Elle ne me laissa pas le temps d'hésiter. Comme si c'était naturel, elle prit ma main. Nous nous sommes dirigés vers un coin de la salle où se trouvait une couche recouverte de lin blanc. Il me vint alors à l'esprit – pourquoi ? – que c'était la couche de nos noces. Elle s'étendit devant moi, sereine, calme, telle la Maja Desnuda. Une lueur bleu argenté l'éclairait. Je m'aperçus alors que son visage était caché par un loup blanc, tout comme son corps était recouvert d'un voile. Et j'ai soulevé le voile.

Ce fut alors une immense caresse. Sa main effleura mon corps, en un long geste de tendresse. La mienne s'arrêta sur son sein, je sentis battre son cœur contre ma paume. Elle m'enlaça en un baiser ardent. Le temps s'arrêta. Sa peau était d'une douceur infinie. Son souffle doux comme la rose. Ses mains sur mon corps comme du velours. Mon cœur sentait les battements de son cœur, qui vibrait contre le mien. Je m'oubliais, ses lèvres contre les miennes. Nous avons respiré ensemble. Je la ressentais fortement. Sa chair était chaleureuse. Je la caressais intérieurement. Nous étions comme un seul corps. Je voyageais en elle. Je n'attendais rien. Je ne demandais rien. Il n'y avait plus que nous. Je n'avais jamais connu tel bonheur.

Et au moment où je sentis la vague du désir m'emporter vers des rivages lointains, je sentis l'arrivée imminente d'une catastrophe.

Je me figeai, le souffle court, et me dressai sur mes pieds. Elle me regardait.

Ce n'était pas moi, non ! Qui étais-je ? Dans le reflet que je voyais au fond de ses yeux, je voyais le sacrificateur. Le vin, les libations, les coups…

Fabien, Sorias, Andrieux… Une déchirure se fit. Il était là, en face d'elle : mi-homme, mi-bête. Tellement retors qu'il avait su passer inaperçu. Son intelligence était aussi puissante que sa malice. Sa passion pour le pouvoir n'avait pas de limite. Il prétendait aimer les femmes, mais il les haïssait. Tel un vampire, il se délectait de leur sang. Passionné par les lettres, il avait étudié la philosophie, même si la science ecclésiastique lui était plus familière que d'autres. Poli, doux, maniéré, il était terriblement orgueilleux et ne tolérait pas de ne pas être le premier, le centre de l'attention. Il avait mené l'enquête pour faire porter les soupçons sur les autres. Au Carrefour des routes d'Europe et d'Asie, de marbre et de briques, sur les pentes des collines qui dominent les rives du Bosphore, sur l'étroit chenal qui ouvre la mer Noire et les terres d'Asie vers la Méditerranée, il cherchait le pouvoir. Et à présent, je voyais ses traits. Je me mis à hurler de terreur.

Un homme près de moi me prit par l'épaule.

Je me levai en titubant.

– Joachim, dit-il, tu dois partir immédiatement d'ici.

C'était l'homme masqué de noir qui m'avait suivi au début.

– Viens, dit-il. Tu es en danger !

Je sortis, entraîné par lui. À peine dehors, je vis sa silhouette s'éclipser derrière moi. Je me mis à courir pour le rattraper. Mais l'ombre se glissa dans la nuit. L'homme enfourcha un vélo et s'éloigna vers le Champ-de-Mars. Je pris un raccourci à travers le jardin pour tenter de lui couper la route. Sa course nous entraîna à travers le parc, que je traversai, à bout de souffle. Je continuai jusqu'à voir son ombre s'insinuer dans le creux d'une ruelle étroite de l'autre côté du Champ-de-Mars, dans laquelle je m'engouffrai à mon tour. Il accéléra, je finis par le rattraper, et je saisis son vélo. L'homme tomba. À nouveau, je sentis une rage terrible monter en moi. Quelque chose d'incontrôlable et d'irrationnel, que je ne reconnaissais pas. Je le pris par le bras, l'autre se déroba, mais je parvins de nouveau à l'attraper. Une lutte s'engagea entre nous, jusqu'à ce que, par une clef, je prenne le dessus et finisse par l'immobiliser. Je lui arrachai son masque.

Son visage… Comme pris de panique devant la surprise, je le relâchai aussitôt. Et restai un moment devant lui, sans voix.

5

– Que faites-vous ici ? demandai-je en haletant.

Le père Delbos se releva, et me regarda comme s'il tentait de deviner les traits de mon visage dans la pénombre. Il se tâta le bras, j'eus peur pendant un moment de le lui avoir brisé.

Depuis ma désertion, nous n'avions jamais reparlé des raisons pour lesquelles j'étais parti. Comme si un accord tacite s'était établi entre nous : je ne devais pas révéler ce qui se tramait chez les jésuites, et il ne devait pas dire que j'avais été tala.

– Je pourrais te poser la même question. Je m'étais introduit dans cette cérémonie pour tenter d'en savoir plus. Et toi, qui t'a invité ?

– Le professeur Tibrac.

– Tibrac ? Je ne comprends pas, dit le père Delbos, désarçonné.

– Il a voulu que je m'introduise dans ce groupe… pour avoir des informations à leur sujet.

– Comment a-t-il pu te faire prendre un tel risque ? gronda le père Delbos. Ce groupe est dangereux, et il le sait. Ces gens qui sacrifient à d'autres dieux, jusqu'où iront-ils ? Jusqu'où sont-ils déjà allés ? Des mathématiciens, des professeurs de lettres, de philosophie, mais aussi des hommes politiques en faveur d'une Europe forte, hellénisée, au sens antique du terme…

– Andrieux et Sorias faisaient partie de ce groupe, n'est-ce pas ?

– Bien sûr, dit le père Delbos. Louise Sorias en est même la prêtresse. C'est Andrieux qui y a entraîné le pauvre Fabien… Nous avons tout fait pour le retenir parmi nous, mais il n'y avait pas moyen…

– *Vous ?* Qui êtes-vous ?

– N'as-tu pas compris, Joachim ?

– Si bien sûr ! Le père Éphraïm est un jésuite infiltré chez les orthodoxes. Vous prétendiez être ennemis, mais vous étiez de connivence ! Il se cache sous le manteau des chrétiens orientaux, mais il reste avant tout jésuite, tout comme vous…

– Exact. Lorsque Jean Andrieux a eu connaissance de l'existence du codex par Sorias, il s'est éloigné de nous.

– C'est la raison pour laquelle vous l'avez tué ? m'écriai-je.

– Nous n'avons tué personne ! Andrieux est venu me voir pour me dire qu'il ne croyait plus dans le christianisme. Il m'a dit que la Cabbale, avec l'idée de l'Infini, se rapprochait beaucoup plus de sa conception de Dieu. Nous avons eu un différend théologique, c'est vrai, mais je ne l'ai pas tué !

– Et Fabien ? dis-je, avec un sanglot dans la voix. Qu'avez-vous fait de lui ?

– Lui aussi il nous a quittés. Influencé par Andrieux. J'ai tenté de le lui dire, de lui expliquer qu'il prenait un chemin dangereux. Mais il n'a pas voulu m'écouter ! Paix à son âme !

– S'il faisait partager ses idées aux normaliens – et en particulier aux mathématiciens, il n'y aurait plus eu personne pour écouter vos sermons, n'est-ce pas ?

Le père Delbos me regarda avec intensité.

– Et toi, pourquoi nous as-tu quittés, Joachim ? Tu étais l'un de nos espoirs les plus prometteurs.

– Je vous ai quittés parce que…

Le père Delbos guettait mes mots, son regard accroché au mien, comme s'il attendait cette réponse depuis toujours.

– Parce que je n'ai jamais été des vôtres !

– Je ne comprends pas ! Tu étais des nôtres. Tu étais même le plus brillant. Tu n'étais pas attiré par les honneurs, tu étais… d'une intelligence supérieure mais modeste. Tu ne semblais avoir d'attrait ni pour les femmes ni pour le mariage… Tu aurais pu monter très haut dans la hiérarchie, Joachim !

Je m'arrêtai devant lui, et le regardant droit dans les yeux :

– La fin justifie les moyens ! disiez-vous. Vous étiez prêt à tout pour faire disparaître le palimpseste ! C'est vous qui avez tué Robert Sorias, Andrieux et Fabien ! Parce qu'ils remettaient en cause votre pouvoir !

« Les moines savaient que le codex d'Archimède était un écrit hérétique. C'est pour cette raison que le père Éphraïm a tout fait pour l'acheter, lors de la vente aux enchères. Il savait qu'il était en contradiction flagrante avec les préceptes du christianisme. Cosmas a trouvé le subterfuge qui lui a permis de s'enfuir avec le manuscrit, mais vous ne pensiez pas que celui-ci réapparaîtrait un jour !

Le père Delbos m'écoutait, comme s'il ne comprenait pas ce que je disais.

– Non, Joachim. Tu te trompes. Nous ne sommes pas les meurtriers !

– Qui est-ce alors ? Parce que c'est lui que nous recherchons, n'est-ce pas, père Delbos ?

– Je te conseille de sortir de cette affaire qui ne te concerne pas et de ne plus y entraîner tes condisciples !

– Pourquoi n'avoir rien dit à la police !

– Je t'ai sauvé ce soir, mais je ne pourrai pas être toujours derrière toi. Les meurtriers ce sont eux ! Ceux qui se cachent sous le voile d'Isis ! *Tu n'as pas compris que tu risques ta vie ?*

6

Ce matin-là, je me réveillai avec la gueule de bois, comme si j'avais beaucoup bu. Le cœur au bord des lèvres, je pensais à cette soirée, sans parvenir à y croire. La jeune femme… La hiérophante. Qui était-elle ? Sa nuque, ses épaules, ses seins… son ventre. J'en étais bouleversé. Un monde venait de s'offrir à moi, un univers auquel je n'avais jamais eu accès auparavant. Je connaissais tout sur tout, j'étais capable de disserter sur la Troisième Ennéade de Plotin dans le texte, mais je ne savais rien ni du sexe ni de la femme. Et le pire, c'était que je ne savais pas ! Continent insondable aux contours flous et réels, aux parois tangibles et pourtant sans limite. J'avais enfin soulevé le voile. La vérité, n'est-ce pas, est toute nue. Mais quelle vérité ? De la nature, de la vie, de la mort, du sexe, du désir, du plaisir, de la violence ? La vérité, pensai-je. Voilà ce que tout le monde recherche. Les philosophes comme les policiers. La vérité, c'est le dévoilement des choses, « l'apparition de l'être », disais-je. Alors, oui j'avais soulevé le voile d'Isis. Puisque telle est la connaissance ultime. Et je ne savais même pas qui elle était. Quel visage avait-elle ? *Viens Joachim, viens déchirer le voile d'Isis*. D'où connaissait-elle mon nom ? J'avais en mémoire chaque détail, chaque geste, le goût de sa bouche, mais je ne connaissais pas son visage ! J'avais fait l'expérience de ce moment d'épiphanie, purement transcendant, qui se dérobait déjà à la parole et à la connaissance. L'amour est sacré : car le sacré, c'est l'Amour. La déesse était entrée dans mon cœur.

Et en même temps que le bonheur, j'avais découvert le pire : je ne savais plus qui j'étais. Car je ne savais plus qui elle était. Le professeur Maarek, mon guide, mon maître, mon idéal présidait aux Mystères d'Éleusis. Tout ce en quoi je croyais s'effondrait. Je n'arrivais pas à comprendre comment et pourquoi elle m'avait menti. M'avait-elle reconnu ? Je repensai à mon échange avec le professeur Tibrac : *le maître de cérémonie, l'acheteur anonyme et le meurtrier sont la même personne.* Bien sûr, qui d'autre qu'elle connaissait si intimement les Mystères d'Éleusis ?

Je me mis à trembler en l'imaginant en train de tuer les hommes rendus inertes ou bienveillants, qu'elle avait auparavant drogués ou fait droguer, comme je l'avais été… Puis, aidée par Guillermo, elle les tuait et les transportait pour les donner en offrande aux dieux dans les lieux sacrés de la capitale. Peut-être aurais-je été sacrifié moi aussi ce soir-là ? Peut-être le père Delbos m'avait-il vraiment sauvé la vie ? Le professeur Maarek, la grande prêtresse d'Éleusis. Le passage à l'acte, disait-on. Qu'est-ce qui l'avait provoqué ? Était-elle psychotique ? Paranoïaque ou schizophrène ?

Je tentai de me lever, et tout se mit à tourner autour de moi. Je faillis perdre l'équilibre. Je me recouchai, et refis une nouvelle tentative en prenant mille précautions. Qu'est-ce que j'avais bien pu ingérer la veille, et que s'était-il passé ? J'en avais un souvenir à la fois extrêmement précis et confus. J'avais fait un voyage. Pas seulement un voyage dans le temps, vers nos origines à travers la cérémonie, mais un voyage dans ma conscience. Et les deux étaient sans doute étroitement liés. En me plongeant dans les racines de notre histoire – Constantinople, Alexandrie, Athènes ou Jérusalem –, j'étais entré dans les arcanes de mon moi. Les fondements sur lesquels j'avais bâti mon monde. Il fallait tout revoir. Tout ce en quoi je croyais était faux. Je pensais pouvoir me mentir à moi-même. Je pensais que je pouvais croire en un maître et déléguer ainsi ma morale personnelle vers une morale par procuration. Je croyais que nous avions bâti notre univers intellectuel sur la Raison. Que le bon sens était la chose du monde la mieux partagée. C'était faux. Tout était faux. Tous nos penseurs, tous ceux qui avaient présidé à notre civilisation étaient des initiés. Même Descartes. Même Hegel. Éleusis, ce n'était pas un jeu : c'était l'origine de notre monde.

Non, ce n'était pas possible. Soudain, je me souvins de ce que j'avais vu, lors de la cérémonie. Le sacrifice. Le chacal. J'avais tout projeté sur elle, par peur de ce vide qui était en moi. Lorsque Louise Sorias était venue la voir avec le codex, ce jour-là, j'étais là. Je n'avais jamais vu le professeur Maarek dans un tel état, c'est vrai. J'ai eu peur qu'elle ne parte, qu'elle ne s'intéresse plus à moi. Je l'avais rencontrée après ma déception avec Sophia. J'avais reporté sur elle tout l'amour que je n'avais pas reçu. Je ne voulais pas qu'elle me laisse. Je n'aurais pas supporté cette idée. J'étais perdu. Je ne savais plus que penser, ni d'elle ni de moi. Tout se mit à vaciller, j'avais le vertige. Je repensai à ce que j'avais écrit à Maud : *elle était ce qui donnait un sens à ma vie*. Qu'allais-je devenir si je la perdais ? Qu'allait-il advenir de nous ? Elle nous enseignait le Bien et le Mal, les valeurs morales, l'éthique et la métaphysique. Comment était-ce possible ? Mais peut-être avais-je tout construit. Peut-être vivions-nous dans une cage de verre où tout n'était qu'apparence. C'était aussi elle qui me l'avait enseigné. Elle qui disait qu'il fallait pratiquer le doute et le questionnement. Mais le scepticisme radical me menait tout droit vers ce à quoi je désirais échapper, le rationalisme morbide qu'est le nihilisme. La pente sur laquelle je me perdais avant de la rencontrer et de transférer sur elle tout l'amour que je n'avais pas pu donner à Sophia, et peut-être plus profondément encore, celui que je n'avais pas reçu. *Et si c'était moi, le meurtrier ?*

7

Mon téléphone se mit à sonner : c'était le professeur Tibrac qui venait aux nouvelles. Il laissa un message. Je ne rappelai pas. Je ne savais plus où j'en étais. Je n'avais pas envie de raconter que je savais. Qu'il avait eu raison au sujet du professeur Maarek. Qu'elle prenait part aux rites d'Éleusis. Et Louise Sorias également. Qu'elles étaient complices. Et moi, qui étais-je ? Une sensation d'écœurement m'anéantissait.

Je me fis un café bien fort, que je pris alors que je consultais mes messages. J'avais un long message de Maud sur Facebook.

« Bonjour Joachim ! Comment vas-tu ce matin ? J'ai des nouvelles sensationnelles ! D'après Ambroise Flamant, le manuscrit original était une lettre d'Archimède à Ératosthène, écrite sur un papyrus, que le savant Eutocius avait recopiée sur un codex au ve siècle. Je suis sûre que tu veux savoir qui était Eutocius ? Eh bien, je vais te le dire. Directeur de l'école néoplatonicienne d'Athènes, Eutocius a probablement décidé de reproduire la lettre d'Archimède, par esprit de contradiction et de résistance contre les chrétiens qui interdisaient les textes grecs jugés païens. Si j'en crois ce que nous avons commencé à déchiffrer... le manuscrit contient bien un secret. Un secret qui dépasse la mathématique théorique et ses applications physiques. »

Malgré la brume dans laquelle se trouvait mon esprit, je compris que la traduction du codex se précisait. Cette fille était étonnante. Elle était vraiment happée par son sujet, au point de ne pas pouvoir attendre une seconde avant de me donner les informations, sans même que je les sollicite... Était-ce la nuit qui m'avait donné confiance ? Je pris mon courage à deux mains, une gorgée de café supplémentaire pour éclaircir ma voix, et je composai son numéro.

– Bonjour, c'est Joachim, dis-je.

Et j'entendis au bout du fil cette voix diaphane, d'une suavité et d'une douceur qui me percèrent le cœur. Une voix qu'il me semblait avoir entendu quelque part, dans un rêve peut-être ? « L'inflexion des voix chères qui se sont tues... »

– Bonjour.

– Tu vas bien ? dis-je bêtement.

– Très bien ! Cela me fait plaisir de t'entendre.

– Moi aussi.

– Tu as passé une bonne soirée ?

– Oui..., dis-je. Pourquoi ?

– Oh, juste une question, comme ça.

– Et toi ? Tu disais que tu connaissais le secret du codex ?

– J'étais sûre que tu ne pourrais pas attendre, répondit-elle d'une voix enjouée. Archimède a écrit une lettre sur un papyrus, qu'il a envoyée à Alexandrie à son ami Ératosthène. Celui-ci l'a gardée précieusement dans la Grande Bibliothèque. Des années plus tard, Eutocius a donc recopié le papyrus d'Archimède sur un codex, qui fut ensuite lui-même recopié sur un autre codex par Eulampius, scribe de Photius, avant d'être sauvé par le croisé Cosmas et emporté en Terre sainte, au monastère de Saint-Sabas, où il fut à nouveau emporté à Constantinople. Tu me suis ?

– Heu… oui.

Je ne suivais rien, j'étais dans les brumes et j'avais la nausée.

– À présent, il ne reste qu'un chaînon manquant.

– Lequel ?

– Tu ne suis pas ou quoi ? dit-elle en riant. Eh bien, il faudrait savoir comment le manuscrit est passé d'Alexandrie à Constantinople.

– Et je suis sûr que tu as ta petite idée ?

– Eh oui. En 570, tu sais qu'a eu lieu une catastrophe sans précédent dans l'histoire de la culture.

– L'incendie de la bibliothèque d'Alexandrie.

– Plusieurs théories s'affrontent concernant les criminels qui sont à l'origine de ce désastre. Un écrit nous en apprend un peu plus sur le sujet. Il s'agit de celui de Jean Philopon. Disciple d'Ammonios, il avait également été initié à l'astronomie et à la philosophie néoplatonicienne. Il rapporte ce qu'il a fait pour sauver les manuscrits de la Bibliothèque. Une centaine de rouleaux en tout, réunis in extremis, juste avant le désastre. Le cœur déchiré, l'esprit confus, il a dû choisir entre les savants perses, les philosophes grecs et les philologues alexandrins. Il a privilégié, bien sûr, les originaux par rapport à ceux qui étaient susceptibles d'être retrouvés dans d'autres bibliothèques. Mais quelles bibliothèques ? Rome était mise à sac par les Barbares, Tolède était aux mains des Wisigoths, la Gaule aux mains des hordes franques.

« Certains manuscrits n'existaient qu'en un seul exemplaire. Ce fut lui qui eut la lourde tâche de sauver les vestiges d'une civilisation qui serviraient de base à une autre. Pour cela il lui fallait déterminer quels manuscrits passeraient à la postérité et quels autres resteraient enfouis à jamais dans l'oubli du temps. Ainsi il sauva Platon, Aristote, Callimaque, la Septante, Euclide, Archimède, Ératosthène, Hipparque, Héron… Il n'a pas pu sauver les écrits de la philosophe et mathématicienne Hypathie. Il lui a fallu choisir entre Eutocius et la philosophe, et il a opté pour Eutocius, pour ses commentaires d'Aristote et d'Archimède. Ainsi il sauvait plusieurs livres en un.

Toujours en proie à un fort mal de tête, j'avalai une aspirine avec mon café, et me rallongeai en me laissant bercer par la voix de Maud. Était-ce sa voix ou le souvenir de la nuit passée ? Une vague de désir me submergea, si intense que j'en avais presque mal.

– Jean Philopon a tenté le tout pour le tout, poursuivit-elle, lors d'une longue conversation avec l'émir Amrou Ben Al-As qui s'apprêtait à incendier la Bibliothèque après avoir conquis la ville. C'était la nuit, la lumière du phare éclairait la ville. L'émir lui expliqua qu'il avait pour mission d'éradiquer le paganisme, selon l'ordre du calife Omar. Éradiquer le paganisme, cela voulait dire effacer mille ans de civilisation. Brûler les livres qui contenaient les réponses aux questions les plus importantes : quels mouvements décrivent les planètes et la Terre ? Pourquoi la Lune est-elle lumineuse ? D'où venons-nous ? Où allons-nous ?

– Je ne sais pas…, dis-je, emporté par la musique céleste de sa voix, par les sensations de la nuit passée, lorsque j'étais en train de faire l'amour avec la hiérophante, dans une scène qui ressemblait étrangement à mon fantasme.

– Tu suis ou tu fais autre chose ? demanda soudain Maud, la voix agacée.

– Pourquoi tu me demandes cela ?

– Ce n'était pas à toi que s'adressaient les questions.

– C'était à qui ?

– C'étaient des questions rhétoriques.

– Ah pardon ! Continue…

– Alors il lui avait raconté l'histoire de la Bibliothèque. Comment elle avait été créée par les Ptolémées, comment les livres avaient été recherchés en Inde, en Perse, en Géorgie, en Arménie et jusqu'à Babylone, et comment elle avait été sauvegardée à travers les siècles, contre les attaques des chrétiens comme celles des païens. Il lui expliqua aussi le travail qui consistait à traduire en grec chaque ouvrage, ce qui nécessitait plusieurs générations de savants de tous les pays concernés.

« Jean Philopon évoqua le nom illustre des bibliothécaires qui avaient pris un soin méticuleux de ce trésor, ce réservoir de l'humanité : Zénodote d'Éphèse, Aristophane de Byzance, Aristarque de Samothrace, Apollonios de Rhodes… La traduction du Pentateuque, et de la Septante. Il lui montra les catalogues raisonnés de la littérature grecque, de la poésie, classés par ordre alphabétique et par genre. Et tout cela allait donc disparaître ?

– Oh non ! m'exclamai-je, dans une tension extrême.

– Les livres avaient changé, il ne s'agissait plus de vieux rouleaux mais de parchemins reliés en gros volumes, parmi lesquels on trouvait les écrits des pères de l'Église, les actes des conciles et aussi les Saintes Écritures. Avec son ami et élève Philarétus, le médecin juif auteur du traité *Sur les pulsations*, Jean Philopon a organisé une visite de la Bibliothèque. C'était l'occasion ultime. L'édifice, désert, était en état d'abandon. Les piliers en marbre étaient fendus, les salles ravagées par l'humidité, les rouleaux jaunis s'effritaient, ou se craquelaient, bientôt ils tomberaient en poussière…

Je n'entendais plus du tout ce qu'elle disait. Les images de la veille me submergeaient. Les gestes, les caresses, les baisers… Son parfum sucré, vanillé peut-être, la douceur de sa peau contre la mienne, le goût de sa bouche… J'avais imaginé tant de scénarios sur le moment où je le ferais pour la première fois. Lorsque j'étais amoureux de Sophia, j'étais sûr que ce serait avec elle. Mais comment aurais-je pu penser que cela se passerait pendant une cérémonie dédiée à Éleusis, dans les bras d'une inconnue dont je ne connaissais ni le visage ni le nom ?

– Puis Jean et Philarétus emmenèrent l'émir Amrou au temple de Sérapis, au sommet d'une colline. Ce n'était que ruines : des marbres, de l'albâtre, des ors et des ivoires il ne restait rien. Sérapis, aux longs cheveux et à la barbe bouclée, ressemblait à un dieu grec, mais il était profondément égyptien. Il avait le visage d'Osiris. C'est ainsi qu'il était devenu, aux côtés d'Isis, l'une des divinités les plus vénérées d'Égypte.

– Tu as dit Isis ? l'arrêtai-je.

– Oui ! Pourquoi ?

– Pour rien… Continue…

– Ainsi il voulait lui montrer que l'on pouvait intégrer les cultures des autres, dans une création féconde, au lieu de les démolir. Amrou Ben Al-As comprit que Jean plaidait une noble cause. Alors il envoya un message à Omar à Bagdad, afin de lui demander ce qu'il fallait faire de la Bibliothèque.

« Quelques semaines plus tard, la réponse d'Omar est arrivée, et la sanction aussi. Hélas, il n'avait pas la même ouverture d'esprit que l'émir. Le message était clair. Si les livres étaient en accord avec Allah, il fallait les garder, les autres devaient être brûlés. Amrou quitta la maison de Jean Philopon et, sans état d'âme, il entreprit la destruction des œuvres uniques, témoins d'une civilisation. Il fit distribuer les livres à tous les bains d'Alexandrie pour s'en servir comme combustible afin de chauffer l'eau ! Mais Jean Philopon avait réussi à sauver quelques ouvrages. Il était là…

– Qui ?

– Eh bien ! Le codex d'Archimède !

– Pourquoi lui ? demandai-je.

– Pour la même raison qu'Eutocius l'a recopié. Il savait qu'il s'agissait de quelque chose de suffisamment important pour que ce dernier se donne la peine de le recopier sur un codex. Un codex rare, difficile à obtenir et cher. Et pour la même raison que, plus tard, Photius l'a fait recopier. Qu'un croisé l'a sauvé du sac de Constantinople, avant de le masquer sous un autre texte. Ce codex contient un secret. Un secret inouï. Quelque chose qui est capable de changer le monde. Quelque chose qu'Archimède aurait trouvé, et qu'il aurait voulu léguer à l'humanité. À cause de la guerre contre les Romains, il n'a pas pu le faire, mais il a trouvé le moyen d'envoyer une lettre à son ami, le savant Ératosthène, juste avant d'être assassiné !

Dans le silence qui suivit, je tentai de reprendre mes esprits. Je me redressai, bus une gorgée de café.

– C'est tout ce que cela te fait ? demanda Maud.

– L'avez-vous enfin décrypté ?

– Mais oui ! Quel moment extraordinaire ! J'étais avec Ambroise Flamant, lorsqu'il s'est penché sur le manuscrit, et j'ai vu apparaître les trois caractères : epsilon-gamma-epsilon, qui faisaient partie du grec *megethos*, qui signifiait : « magnitude ». Ce qui voulait dire que ce résultat pouvait être démontré grâce à la somme d'un nombre fini de magnitudes, expliqua-t-elle.

« Flamant s'est arrêté un instant, je l'ai vu totalement stupéfait de sa découverte. Il a relu les lettres plusieurs fois, pour vérifier qu'il ne s'était pas trompé. Ainsi Archimède effectuait des calculs avec l'Infini, ce qui était en contradiction avec ce que l'on croyait des Grecs anciens… On savait que les Grecs avaient inventé les mathématiques comme science rigoureuse, mais on ignorait totalement qu'ils avaient la notion de l'Infini en acte !

Il me revint alors en mémoire les paroles du professeur Maarek, lorsque nous étions au Palais de la Découverte : *« L'infini : le concept est si puissant, si bizarre, si contraire à l'intuition humaine qu'il a été source de peine, de folie et peut-être même de meurtres. Les conséquences de sa découverte ont eu les effets les plus profonds sur la science, les mathématiques, la philosophie et la religion… »*

– Et ce fameux secret, alors ?

Soudain, je n'entendis plus rien.

– Maud ?

Pas de réponse.

– Où es-tu ? criai-je, la gorge serrée.

Elle ne répondait plus.

8

Le commissaire Masquelier arriva sur les lieux où avait été déposé le corps. La cour Carrée du musée du Louvre dans sa totalité était mise sous scellés. La victime paraissait avoir été tuée en luttant contre son meurtrier, d'un coup fatal. Cette fois, pas de sacrifice. Pourquoi ? Parce qu'elle ne faisait pas partie du cercle des mathématiciens ?

Après le coup de fil de Maud, j'avais tenté de la rappeler, d'avoir de ses nouvelles, mais elle était injoignable. Paniqué, j'avais skypé avec le commissaire Masquelier, et avec le professeur Tibrac. Lorsque le commissaire m'avait rappelé pour m'annoncer la nouvelle, je m'étais effondré.

Devant nous, s'élevait le pavillon Marengo.

Le professeur Maarek et moi-même étions dans la cour dédiée aux dieux égyptiens et grecs.

Le commissaire Masquelier nous salua, l'air grave, et nous présenta les hommes avec lesquels il travaillait. Puis il sortit un paquet de cigarettes de sa poche. Il en prit une, qu'il alluma, avant de nous dire :

– J'ai eu un appel ce matin de la hiérarchie. Je vais être dessaisi de l'affaire.

– Ce qui s'est passé est terrible, mais aucunement de votre faute ! dit le professeur Maarek.

– Je sais, dit-il. Selon la formule consacrée, je ne suis pas coupable, mais je suis responsable. On n'a rien trouvé jusqu'ici. Je n'ai pas pu empêcher ce désastre. Je suppose, ajouta-t-il, qu'il y a une explication à ce lieu de crime.

– Encore un lieu dédié à Isis, murmura Elsa Maarek.

Elle désigna, à l'ouest, la porte Sully, le toit de l'édifice orné d'un triangle qui dominait la cour.

– C'est le triangle qui évoque les trois dieux : Isis, Osiris et Horus, dit le commissaire Masquelier.

– Exact, dit-elle, surprise.

– Tout est parfaitement logique. Les Champs-Élysées sont le lieu des Enfers où les héros et les gens vertueux goûtent le repos après la mort. L'Obélisque est l'endroit de naissance d'Isis et Osiris. Et ici ?

– Regardez, indiqua le professeur Maarek en désignant la sculpture de deux déesses devant l'une des portes qui menaient au musée. Cette déesse, soutenue par une autre déesse. Il ne peut s'agir que d'elle : Isis. Elle porte le disque solaire et l'ankh, la croix égyptienne, symbole de vie et d'éternité. C'est ici, sous le pavillon est de la cour Carrée, sous le fronton du Coq et des outils, que fut creusée la crypte de l'Osiris. Là, on accède à un temple, avec en son centre, le tombeau royal, le sarcophage de Ramsès II, alias… Horus !

– Je comprends, dit le commissaire Masquelier. Tout tourne autour du mythe d'Isis et Osiris.

– Osiris naît au Louvre, est tué place de la Concorde, là où est l'Obélisque et où son fils, Horus va lui succéder. Son corps démembré est reconstitué sur le chemin de l'éternité, aux Champs-Élysées, où sont les héros...

– C'est donc la fin du parcours ?

– Pas tout à fait. Si on voulait vraiment l'achever, on dirait qu'il se termine à la Grande Arche de la Défense, symbole de l'accomplissement d'une vie, porte de l'Occident avec le royaume des morts.

– La Grande Arche serait donc l'ultime endroit de la mort ?

– Non, plutôt celui de la Résurrection.

– Pourquoi Isis et Osiris ?

– « *Je suis tout ce qui a été, qui est et qui sera, et mon voile, aucun mortel ne l'a encore soulevé.* »

– Je vous demande pardon ?

– Quelqu'un refuse que l'on soulève le voile.

Et ce quelqu'un, pensai-je, le cœur rempli de colère, c'est elle. Cette capacité de haine qu'a l'homme, qui dépasse de loin sa capacité d'aimer. Cette duplicité. Comment pouvait-elle jouer un personnage et un autre ? Comment pouvait-elle être aussi sûre d'elle en ces circonstances ? Elle avait l'air tellement forte et sage. Même si tout la désignait, je ne parvenais pas à y croire. Elle s'identifiait à Isis – mais Isis était amour, maternité, sagesse, résurrection. Isis était celle qui donnait la vie, pas la mort... Que d'abominations, que de perversion lorsque le genre humain s'empare d'une idée pour la transformer en acte. La vérité : voilà l'ennemie. Lorsque croire que l'on détient la vérité donne le droit de tuer. Je devais changer la direction de ma thèse. Le mal n'est pas un défaut de bien, comme le dit Plotin. Il faut sortir le mal du cadre de la morale, de l'axiologie et de la métaphysique. Finalement, c'est Socrate qui a raison. Le problème du mal devrait s'articuler avec une réflexion logique et même épistémologique. Autrement dit : une idée n'est ni vraie ni fausse. Une idée est une idée. Le mal commence lorsqu'il rencontre la logique. Le mal débute là où l'herméneutique s'arrête, confisquée par l'erreur logique de croire qu'une idée est vraie. Platon le dit : l'Idée est à contempler, non pas à utiliser. L'aspect diabolique du mal est sa capacité logique : le mal imite le vrai. Plus que cela, il prend le masque du vrai. Pire même : il valorise la vérité, tout comme il valorise le Bien. Dans leur échelle de valeurs, les Croisés, les Sarrasins, les Inquisiteurs mettaient le Bien et la Vérité au-dessus de tout. Et au nom de cela, ils tuaient, torturaient, violaient et pillaient ceux qui avaient le malheur d'être sur leur passage, et en particulier ceux qui n'avaient pas la même foi. Tout le problème est cette distorsion logique qui rend bon le fait de tuer et de piller, qui le justifie. N'est-ce pas dans cette direction que doit s'articuler une réflexion philosophique au sujet du mal ?

Mon téléphone sonna : c'était Maud.

Elle s'excusait de n'avoir pas pu rappeler, elle était tellement sous le choc de la nouvelle qu'elle avait fait un malaise. Paniquée, elle s'était réfugiée chez ses parents. Elle m'avoua qu'elle ne m'avait pas tout dit, lorsqu'elle m'avait parlé de son professeur de latin, celui qui l'avait guidée vers l'École des Chartes. C'était en fait lui, Ambroise Flamant, son guide, son mentor. Aussi, était-elle durement affectée par la terrible nouvelle de son meurtre.

Je tentai de la rassurer, mais je savais que si le meurtrier n'était pas arrêté, Maud serait sa prochaine cible.

9

J'arrivai chez le professeur Maarek dans une tension extrême. Guillermo m'ouvrit la porte, avant de s'effacer et de disparaître sans un mot. Après la séance pénible avec le commissaire Masquelier, elle m'avait proposé de la rejoindre dans la soirée pour une séance d'étude spéciale. Surpris par sa demande, j'avais fini par accepter. Pour moi, c'était la seule manière de savoir et, sans doute, de sauver Maud.

J'avais prévenu la police que je me trouverais là. J'avais mis au point un stratagème avec le professeur Tibrac pour la piéger. Le commissaire Masquelier avait demandé à sa hiérarchie de nous suivre dans cette dernière tentative. Nous avions un plan, selon lequel je devais être un appât. Son appât.

Je m'étais préparé au pire. J'avais relu sa thèse sur « Plotin et les Mystères d'Éleusis », que j'avais rapportée du phare. Avant de partir, je l'avais glissée dans ma besace. Cela m'avait permis de réviser chaque étape de l'initiation.

J'avais téléphoné à Guillaume et Jérémie pour les assurer de mon amitié. Ils n'avaient pas compris l'objet de cet appel, mais l'avaient mis sur le compte du bouleversement de nos vies depuis que Fabien était décédé. Pour une fois, j'avais parlé de moi à Guillaume. Il m'avait écouté, avec attention. Puis je lui avais raconté l'enquête, pas à pas. Il ne pouvait croire que le professeur Maarek était coupable. Il en était bouleversé.

Lorsque je parlai à Jérémie de mon intention de prendre du kykéon, le breuvage des Mystères, il m'assura qu'il n'y avait pas de danger d'overdose – le seul risque, disait-il, était de faire un bad trip.

– Tu peux te retrouver face à tes démons. Tout ce que tu redoutes, que tu chasses. Tes peurs les plus incontrôlables, à l'état brut, avait-il murmuré.

– Est-ce que tu es face à la vérité ?

– Ça dépend de ce que tu appelles « vérité ». La vérité, c'est ce que l'on redoute le plus. Tu peux avoir des hallucinations plus ou moins fortes, plus ou moins flippantes. En tout cas, je te déconseille d'en faire l'expérience seul. Il faut être accompagné par quelqu'un de compétent.

– Peut-on avoir des hallucinations positives ?

– Qu'est-ce que tu veux dire ?

Je pensai à la jeune femme que j'avais rencontrée pendant la cérémonie. Peut-être n'était-ce qu'un rêve ? Un fantasme éveillé, qui ressemblait étrangement à ceux que j'avais eus avant ? Peut-être n'existait-elle pas ?

– Peut-on croire qu'il nous arrive quelque chose de merveilleux, et le vivre effectivement comme si c'était réel ?

– C'est possible, oui. Toutes sortes de choses peuvent t'arriver avec les psychotropes, même des choses réelles. L'acide lysergique qui est présent dans l'ergot de seigle permet de fabriquer du LSD… qui donne des hallucinations assez puissantes. Donc vas-y mollo ! Et prends tes précautions.

Après avoir hésité, je me décidai à appeler mes parents. Ce ne fut pas simple. Ils m'en voulaient de ne pas leur donner de nouvelles. Je les priai de m'en excuser. J'étais fier d'avoir parcouru ce chemin et je savais que c'était en partie grâce à eux. Quoi qu'ils aient fait, de bien ou de mal, pendant mon jeune âge, ils m'avaient transmis l'amour de la connaissance. Je leur promis de venir les voir, si jamais je sortais vivant de cette épreuve.

Le professeur Maarek m'accueillit avec sa grâce habituelle. Qui aurait pu soupçonner, derrière ces yeux intenses, ces gestes posés et ce discours serein, que se cachait une prêtresse d'Éleusis aux mœurs démoniaques ? Elle me proposa des gâteaux croquants et du thé. Il y avait de l'encens. Elle avait fait un feu. Les rideaux étaient si bien tirés que l'on ne pouvait plus entrevoir le ciel à travers les fenêtres. Tout était sombre dans la pièce, éclairée seulement par la lueur des bougies. J'étais là, comme elle me l'avait demandé, le visage illuminé par les flammes, j'écoutais ses paroles, dans la conscience qu'il allait se produire quelque chose de grave. Je connaissais le risque. J'avais tout évalué. Le risque qu'elle me tue. Ou que je la tue ? Était-ce de la folie ou de l'orgueil ? Il fallait le faire. Je ne pourrais plus y échapper. Je n'avais pas peur. Pour la première fois de ma vie, je n'avais plus peur. Ni de mon père, ni d'elle, ni de personne. J'avais l'espoir secret de revoir la hiérophante imaginaire ou réelle qui avait envahi mes nuits et mes jours, et que je désirais plus que tout au monde.

– Il existe dans chaque tradition, chaque culture, chaque civilisation, une parole perdue, que l'on peut retrouver à travers ses mythes et ses symboles. Cette parole se livre à ceux qui y ont accès et qui sont capables d'initier les autres. Tous les peuples possèdent des organisations secrètes, qui tentent de retrouver le lien avec cette parole, qu'on appelle celle-ci le Roi du Monde, le Graal ou Dieu.

Ainsi parlait le professeur Maarek en ce jour particulier. Et j'écoutais, j'attendais qu'elle me délivre le contenu secret de cette parole – que je mourais d'envie de connaître, et que je mourrais de ne pas connaître, sans me rendre compte des conséquences que cela pourrait avoir sur ma vie.

– Et cette parole, le temps est arrivé pour vous de la découvrir, ce soir. Vous allez avoir accès à ce que vous n'avez jamais connu auparavant, Joachim. Qui va vous faire comprendre ce que vous n'aviez jamais entendu, même si c'est un sujet que j'ai souvent abordé avec vous, mais jamais directement. Plotin, si nous pouvions le comprendre parfaitement, nous fournirait à coup sûr des renseignements intéressants sur le sujet qui nous concerne. La philosophie de Plotin a été coulée dans le moule des Mystères. Les Ennéades sont au nombre de six parce que les Mystères comportent six degrés, et chaque Ennéade correspond à un degré de connaissance, depuis la purification jusqu'à la divinisation. Rappelez-vous la phrase de la Sixième Ennéade : « Nous remontons à Lui comme nous en sommes d'abord descendus… » Une philosophie qui présente de l'Être une géographie en paliers et insiste sur leur hiérarchie. Mais ce n'est pas tout. Vous souvenez-vous de ce cours sur l'allégorie de la caverne de Platon ?

J'acquiesçai.

– Je vous en demandais une nouvelle approche… Eh bien, c'est là, grâce à vous, que j'ai compris. L'habitation souterraine en forme de grotte : la caverne est la grotte dans laquelle avaient lieu les Mystères. Le feu qui brûle, les hommes enchaînés, les démonstrateurs de marionnettes, les objets fabriqués de toute sorte qui dépassent du muret, les statues d'hommes et d'autres êtres vivants, façonnées en pierre, en bois et en toutes matières... Tout cela n'évoque-t-il pas la mise en scène d'un rituel ? Et lorsqu'on détache les prisonniers de leurs liens, qu'on les contraint à se lever, et à regarder la lumière, cela ne vous semble-t-il pas correspondre à l'absorption du kykéon lors du rituel ? Ce que Platon décrit de l'accès à la vérité, les ombres, les images des hommes, les objets dans le ciel, le ciel lui-même, tout cela ne correspond-il pas à des visions d'initiés ?

– Forcément, dis-je.

– Et la façon dont Platon décrit l'initié qui revient parmi les non-initiés, comme un homme aux yeux remplis d'obscurité, qui prêterait à rire, parce qu'il revient avec les yeux abîmés, n'est-ce pas l'évocation du problème de l'initié qui ne peut témoigner de ce qu'il a vu parmi les hommes car ils ne le comprennent pas ?

– Si, certainement.

– Qu'a-t-il vécu, qui ne soit pas racontable ?

– L'expérience de la vérité ? dis-je. L'extase ? La rencontre avec Dieu ?

– C'est tout cela à la fois, dit le professeur Maarek. L'expérience suprême, à la fois physique et mystique.

– Mais ne faut-il pas être préparé ? N'avons-nous pas besoin de faire une diète pour pouvoir y accéder ? demandai-je prudemment.

– Vous ne vous en êtes pas aperçu mais cela fait des mois

maintenant que je vous y prépare. À votre insu, vous avez traversé toutes les épreuves de l'initiation. Les thés que je vous ai servis ici ont des vertus purgatives. L'étude des textes de Plotin vous a suffisamment préparé à la méditation. Vous avez été dans la mer Morte pour vous enduire de boue et vous purifier. Vous avez été plongé dans le couloir de la mort, au monastère de Saint-Sabas. Vous y avez même fait le sacrifice d'une bête, dans le désert. Vous avez bu le kykéon lors de la cérémonie d'Éleusis, n'est-ce pas, Joachim ?

– Ainsi vous saviez que j'étais là.

– Vous avez exploré les profondeurs de votre moi. Vous vous êtes réveillé et vous avez vu la lumière.

– Vous m'avez reconnu…, répétai-je, la voix tremblante.

Je pensais l'avoir prise au piège mais je me demandais maintenant dans quel piège elle m'avait attiré. J'eus la tentation de fuir, de prendre mes jambes à mon cou.

– Maintenant, acquiesça-t-elle, il est temps pour vous de savoir.

– Vous nous avez dit que le secret a été bien gardé. Les lois d'Athènes étaient très dures envers ceux qui enfreignaient le secret. Ils encouraient même la mort, ajoutai-je en frissonnant.

– Le secret a été gardé, en effet. Mais pour qui sait lire certains textes, il est possible de lever le voile.

– Et c'est ce soir ? demandai-je.

– Il faut cesser d'avoir peur, Joachim. De vous, des autres, du qu'en-dira-t-on. Quittez l'ombre, et venez dans la lumière. Qui que vous soyez, soyez-le pleinement !

– Ne m'avez-vous pas dit que l'initiation ressemble à la mort ?

– Plutôt au retour de l'homme vers ses origines. Mais aussi, vous découvrirez quelque chose que vous n'avez jamais entrevu. Pour devenir un homme « parfait », il faut mourir d'une mort symbolique et renaître à une vie meilleure. Vous connaissez le texte par cœur :

« Rentre en toi-même et examine-toi. Si tu n'y trouves pas encore la beauté, fais comme l'artiste qui retranche, enlève, polit, épure, jusqu'à ce qu'il ait orné sa statue de tous les traits de la beauté. Retranche ainsi de ton âme tout ce qui est superflu, redresse ce qui n'est point droit, purifie et illumine ce qui est ténébreux, et ne cesse pas de sculpter ta propre statue. »

Elle se leva et revint vers moi avec un bol contenant le breuvage marron que je reconnus immédiatement.

– Le kykéon, murmurai-je.

– Allons, dit-elle d'une voix douce mais impérieuse, buvez, si vous voulez savoir.

Je pris une couverture et m'étendis sur le tapis qu'elle avait disposé à cet effet. Il faisait noir. Toutes les lumières étaient éteintes. Je bus.

Mon corps devint lourd, mais mon esprit avait mal. Je gardai dans ma poche le téléphone qui était en liaison directe avec le commissaire Masquelier : celui-ci m'attendait en bas, prêt à intervenir.

Le professeur Maarek se mit à entonner des chansons sacrées : chansons grecques, d'après les rythmes et les sons que l'on avait retrouvés, des mélopées qui envoûtaient la nuit, musique homophone et rythmée, qui combinait des ensembles longs et brefs, pour obtenir des iambes, des trochées, des dactyles ou des spondées.

Puis elle me fit prononcer la formule consacrée : *« J'ai jeûné, j'ai bu le kykéon, j'ai pris l'objet dans la corbeille et, après avoir accompli l'acte, je l'ai mis dans le panier, puis de nouveau, du panier dans la corbeille.* »

La pièce était maintenant plongée dans l'obscurité complète. Elle s'y déplaçait dans une atmosphère d'angoisse. La chanson lancinante avait des montées harmonieuses et ce que je voyais prenait les couleurs de la musique. Les cinq sens dissociés, je devenais passif, pur récepteur de sensations.

Mon corps, en train de vivre l'éternité dans une seconde, sublimé par l'esprit, eut des intuitions fulgurantes, l'impression de voler. Cela fit naître en moi des sentiments d'effroi et de révérence, de gentillesse et d'amour, le mieux que le genre humain puisse faire, ces vertus qui inspiraient la poésie, la philosophie et la religion.

Puis je me mis à trembler, avec une impression de vertige et une forte nausée. J'étais le prisonnier de la caverne, de laquelle je ne m'échapperai pas. J'avais peur – une peur terrible, incontrôlable, atroce. À ce moment, j'aurais tout donné pour revenir en arrière, mais il était trop tard. Comme dans un mécanisme infernal, mon corps m'entraînait malgré moi vers des régions lointaines et inhospitalières, une jungle humaine, animale ou végétale. J'étais en enfer, tout brûlait. J'étais abandonné dans une forêt, dans laquelle des animaux féroces me dévoraient. Je luttais corps et âme contre les anges des ténèbres, des personnages sataniques, sortis de l'ambiance gothique de certains films de science-fiction. Prostré sous ma couverture, avec l'impression que cela durait indéfiniment, j'avançais à tâtons dans un souterrain obscur, un séjour infernal. Poursuivi par les Érinyes, je ne pouvais ni reculer ni fuir. J'étais là, bloqué dans mon âme et mon corps, au fond de l'angoisse la plus indicible que j'aie jamais vécue, et j'attendais un signe, quelque chose qui me permette d'en sortir.

– Vous n'êtes plus là, entendis-je, dans le lointain. Vous êtes à Alexandrie, en Égypte, en l'an -194.

10

Ératosthène, porté par son esclave, était sorti sur le parvis de sa demeure. Il n'avait presque plus de force. Cela faisait trente-cinq jours qu'il n'avait pas mangé. Depuis qu'il avait perdu la vue, il n'avait plus goût à rien, tout lui était égal. Il avait pris sa décision un matin, comme si c'était une évidence. Ainsi il avait décidé de mettre fin à ses jours. À présent, il sentait ses forces l'abandonner, son visage se creuser et sa peau se détendre, elle semblait se décoller de ses os. Comme s'il pouvait encore les voir, Ératosthène tourna son regard vers les faubourgs pleins de jardins, de tombeaux et d'établissements pour embaumer les morts. Bientôt il serait enterré là, et cette pensée le rassura presque.

De sa demeure sur les hauteurs d'Alexandrie, il pouvait imaginer la mer, au loin. Il connaissait sa ville par cœur. Il savait que devant lui s'étendait ce rectangle parfait, qui comblait le géomètre qu'il était, entre la mer et le lac Maréotis. Au loin, il imaginait l'île de Pharos : un îlot de forme oblongue dont la pointe se termine par un rocher battu par les vagues et dominé par une haute tour de marbre blanc, le phare, signal pour les marins. Fondée une centaine d'années auparavant par

Alexandre le Grand, la ville s'était développée à une vitesse étonnante, sur un plan géométrique, avec de grandes avenues à angles droits. Après la mort d'Alexandre, Ptolémée fit ériger de grands monuments, des jardins, des marchés, des places et des palais, ainsi qu'une bibliothèque, un temple consacré à Sérapis, et un temple d'Isis. La ville avait la forme exacte d'une chlamyde – le manteau des cavaliers macédoniens – posée à plat. Les deux longueurs de la chlamyde étaient le rivage de la mer et le bord du lac. Sillonnée de ruelles, de chars et de chevaux avec ses rues plus larges à angle droit, elle semblait toujours être en activité. Avec ses jardins publics, ses palais, son musée aux lourds portiques, ses monuments et ses temples, son Gymnase, son tribunal et la Grande Rue qui la traversait dans le sens de sa longueur, depuis les faubourgs de Nécropolis jusqu'à la porte Canopique, la cité était majestueuse. Sur les places publiques circulaient des foules bigarrées, où l'on trouvait des Grecs et des Macédoniens, des Égyptiens et des Juifs, des Nubiens et des Gaulois. Ici, toutes les sagesses et toutes les cultures étaient rassemblées, selon l'idéal aristotélicien, dans un rêve d'universalité. Les Ptolémées protecteurs des intellectuels y avaient créé le Collège des Muses où les savants poursuivaient leurs recherches à l'abri du besoin.

Peu à peu, plus qu'une province grecque, Alexandrie était devenue le centre intellectuel et culturel et la capitale de l'Égypte grecque. Ptolémée devenu Pharaon sous le nom de Ptolémée Ier Sôter avait réussi son projet : il avait concurrencé Athènes. La bibliothèque qui contenait des centaines de milliers d'ouvrages se situait dans le quartier des palais royaux, sur la place du Broucheion. Ptolomée II, son successeur, avait demandé aux rois du monde entier de lui faire parvenir les œuvres écrites dans leurs pays. Il avait aussi ordonné aux scribes de recopier les livres apportés par les navires qui passaient par Alexandrie. C'était la première fois qu'on tentait de rassembler le savoir mondial en un lieu unique, dans le but de recopier, éditer, commenter les œuvres des savants. Et le pilier de ce savoir était la Bibliothèque, qui contenait les archives de l'humanité. Chacun avait connaissance de la pensée de l'autre, chacun apportait sa pierre à l'édifice de l'intelligence humaine, qu'il soit mathématicien, géographe, philosophe ou philologue. Le Musée était l'institution la plus prestigieuse des Ptolémées, qui avaient voulu recréer au sein d'Alexandrie l'ambiance des grandes écoles de philosophie des gymnases grecs. Sous le patronage des Muses, le Musée accueillait les chercheurs en sciences et en lettres.

Ératosthène murmura à son esclave qu'il était prêt. Ils s'y prirent à deux pour le porter jusque dans la Bibliothèque. Il ne pouvait plus rien voir, mais il connaissait chaque emplacement de chaque parchemin, parmi les milliers de rouleaux et de papyrus. Il pensa aux illustres bibliothécaires. Zénodote, premier bibliothécaire d'Alexandrie et fondateur de l'herméneutique sur Homère. Callimaque, le maître d'Ératosthène, qui avait élaboré un catalogue commenté des trésors littéraires de la Bibliothèque. Il avait passé sa vie à parcourir ses rayonnages. Il collectionnait les mots rares, les mythes, les catalogues savants et adorait les jeux poétiques. Démétrios de Phalère, philosophe aristotélicien et homme d'État, passionné par l'étude des législations étrangères. Enfin Ératosthène arriva devant le rayon où se trouvaient les livres de Sophocle, Euripide et Eschyle, que Ptolémée avait demandés aux Athéniens.

Lui, Ératosthène, avait une mission essentielle à remplir avant de mourir : il devait abriter le bien le plus précieux qui fût.

À présent, il n'avait d'autre choix que de le mettre en lieu sûr. Et quoi de plus sûr que la Bibliothèque, ce lieu utopique, temple de l'Écriture ? Cela faisait plus de trente ans qu'il était responsable de la Grande Bibliothèque d'Alexandrie : de toutes les œuvres qu'il avait lues, de toutes les idées qu'il avait découvertes, émanant des plus grands penseurs de l'humanité, celle-ci était, sans conteste, la plus étonnante.

La lettre d'Archimède lui était parvenue par bateau, après un long voyage, et il la serra dans sa main, avec effroi et perplexité. Son cœur battait la chamade, ses doigts tremblaient lorsqu'il glissa la lettre dans son écrin, à côté des manuscrits d'Aristote, afin d'abriter le secret le plus inouï de l'histoire du monde.

11

Syracuse, –212.

Il n'avait plus de temps. Son visage émacié laissait paraître une expression de folle inquiétude, portée par ses yeux bleus comme la mer de Syracuse. Il hâta son corps resté agile, porté par ses jambes frêles. Comment allait-il s'en sortir ? Comment se sauver, et comment sauver son œuvre ? Qu'allait-il advenir d'elle, si les Romains le tuaient ? Il ne fallait à aucun prix qu'ils aient connaissance de sa découverte. Ce qu'il avait inventé cette fois dépassait tout ce que son cerveau avait pu concevoir jusqu'alors, et il le savait. Une découverte tellement sensationnelle qu'elle l'avait mis en danger, lui, le sage, le scientifique, le savant que les Romains courtisaient, et qu'ils espéraient, en l'achetant, détourner de sa patrie et de sa ville. Il se savait espionné. Autour de lui, des objets, des écrits disparaissaient. Des soldats romains patrouillaient près de sa maison. Il ignorait qui dans son entourage l'avait trahi, mais la nouvelle de sa découverte était arrivée jusqu'au consul Claudius Marcellus. Le redoutable général avait battu les Gaulois, il avait pris Milan, vaincu Hannibal dans les batailles de Nole, et voici maintenant qu'il s'emparait de Syracuse, après une année de siège.

À son vieil âge, le mathématicien avait vu sa ville assiégée à de nombreuses reprises. Chaque fois, les attaquants avaient été repoussés, et il n'y était pas pour rien. Sur le chemin qui le menait au port, le vénérable savant regarda la cité baignée de lumière, cernée par la mer, avec son Temple d'Apollon, ses petites maisons, son oreille, grotte artificielle en forme de pavillon auriculaire, et son grand théâtre. Au loin, on entendait les cris, le bruit des armes, des canons, le crépitement des flammes. Les Romains avaient réussi à prendre la cité réputée imprenable. La conquête de Messine leur avait donné l'élan et le courage de continuer l'assaut. Il retint ses pleurs en voyant Syracuse, cité phare de la Sicile, reine de la Méditerranée, abordée par l'armée qui avait réussi à percer sa grande muraille. La force de l'armée romaine, son recrutement parmi les alliés pour combler les pertes, ainsi que la flotte navale en avaient fait des adversaires fatals.

Mais si le consul Claudius Marcellus avait décidé de vaincre, s'il avait mené le siège sans jamais renoncer, s'il s'acharnait avec une telle détermination, c'était pour une autre raison que la simple conquête guerrière. En vérité, ce n'était pas Syracuse que Claudius Marcellus convoitait. C'était autre chose : une chose qu'il désirait plus que tout au monde. Qui lui était plus importante que toutes les villes inexpugnables. Et cette chose, un seul homme la possédait. Cet homme avec ses machines de guerre qui avaient résisté à l'envahisseur, qui avait fait construire des engins capables d'envoyer des projectiles à n'importe quelle distance contre les bateaux des assaillants, cet homme grâce à qui Syracuse avait tenu tête à Rome, cet homme, le plus redoutable ennemi de Rome, ce savant, ce mathématicien, ce géomètre s'appelait Archimède.

Son père Phidias lui avait enseigné l'astronomie et les mathématiques, et il avait parfait son éducation à Alexandrie, auprès des élèves d'Euclide. C'était là qu'il avait rencontré le géomètre Ératosthène. Le conservateur de la Grande Bibliothèque, élève d'Ariston de Chios, astronome, géographe, philosophe et mathématicien, était devenu plus que son partenaire intellectuel, son plus fidèle ami. Le pharaon Ptolémée III l'avait placé à la tête de la Bibliothèque d'Alexandrie : il le tenait en haute estime, depuis qu'il avait inventé une méthode pour déterminer la taille de la Terre, avec le gnonom, un bâton vertical placé sur un sol horizontal, qui permet de suivre le trajet de son ombre quand le Soleil se déplace dans le ciel. Il avait remarqué que puisque l'ombre à midi pointait droit vers le nord, celui-ci pouvait aussi servir de calendrier primitif, déterminant deux jours clés de l'année, les solstices d'été et d'hiver. En combinant ces faits avec un raisonnement géométrique, Ératosthène fut capable de calculer la circonférence de la Terre.

Archimède et Ératosthène étaient liés par leur vision commune des mathématiques, et leur niveau exceptionnel en ce domaine les avait fait se démarquer des autres savants. Ils pouvaient mener pendant des heures des conversations si absconses qu'eux seuls les comprenaient : les autres les regardaient comme s'ils parlaient une langue étrangère. Et cette langue ésotérique, bizarre, codée, était un langage, et ce langage parvenait, on ne sait par quel mystère, à décrire l'univers. Les deux amis avaient parlé ensemble pendant des heures, en leurs nuits alexandrines. Combien de fois avaient-ils refait le monde… En même temps qu'une connivence intellectuelle les liait, celle-ci se transformait au fil des années en une véritable amitié. Quand ils parlaient ensemble, leurs conjectures étaient si passionnées qu'ils en oubliaient jusqu'à manger et dormir. Lorsque Archimède rentra à Syracuse, après avoir quitté Ératosthène, il jura à son ami qu'il aurait bientôt de ses nouvelles, et que le jour viendrait où il résoudrait l'énigme de l'univers.

Archimède parvint au port, sur la pointe des bras de la ville qui semblaient enlacer la mer. C'était maintenant une question d'heures. Devant lui, l'îlot rocheux se jetait sur la baie. Le ciel était bleu, il faisait doux. Au nord, le plateau calcaire surmonté d'amandiers, d'oliviers et de caroubiers, laissait paraître l'Etna, dont le sommet était encore recouvert de neige. La campagne, immobile, avec ses cours d'eau, était comme figée d'horreur devant le spectacle de la ville mise à sac. Syracuse, ceinte de murailles, avec son agora, ses palais et ses mille trésors, était si belle avant ce désastre. Ce n'était pas parce qu'elle était sa ville natale qu'il l'aimait autant. Tous s'accordaient à dire qu'elle était magnifique par son architecture, intense par sa vie culturelle, et organisée de façon parfaite, comme une jetée sur la mer, avec ses bâtiments en pierres calcaires extraites des latomies. Le temple d'Apollon, le plus ancien, celui de Jupiter Olympien, sur une hauteur près du port, œuvre de Gélon, le premier tyran de Syracuse, qui le fit élever en souvenir de sa victoire sur les Carthaginois, surplombaient la ville de leurs puissantes colonnades. Les remparts de la forteresse d'Euryalos, sur la colline, témoignaient de la période de prospérité et de richesse qui avait correspondu aux guerres puniques, dont la cité avait été épargnée. Quand on fêtait une victoire ou une cérémonie religieuse, les célébrations étaient joyeuses et intenses. Lors des Panathénées, des Olympiades et des Dionysies, la baie était en folie. Tous les Hellènes étaient conviés aux réjouissances qui soudaient le peuple.

Archimède aimait y participer. Il arrêtait alors toute activité intellectuelle, pour rejoindre les citoyens conviés à célébrer l'événement. Même les prisonniers étaient libérés pour participer. Lorsqu'il faisait beau à nouveau, après l'hiver, et que les conditions de navigation étaient bonnes, commençaient les processions et les défilés des militaires. Puis c'étaient les spectacles des poètes et des artistes, avant la grande procession de tous vers le Temple de Dionysos, d'où l'on sortait la statue du dieu pour l'emmener dans l'espace sacré du théâtre. Alors commençaient les dithyrambes, les pièces de théâtre, drames et tragédies, et les comédies. Un jury choisi parmi le peuple votait pour élire le vainqueur parmi les artistes qui concouraient. Archimède, même s'il n'était pas poète, aimait écouter les pièces de théâtre dans lesquelles il voyait une conception du monde : cette représentation dont il ne cessait de chercher la forme ultime. Il se disait que les mathématiques étaient aussi une pièce de théâtre. Mais la différence entre les mathématiques et les tragédies, c'était que les mathématiques permettent d'agir, et pas seulement de contempler. Il était convaincu qu'il ne lui manquait pas grand-chose pour détenir la clef du monde. La Beauté en faisait partie. La beauté des vers des dithyrambes, mais aussi la beauté de sa ville, avec ses statues : Vénus surgissant des flots, magnifique par le modelé, d'une délicatesse admirable ; Hercule, Déméter et Coré, la fontaine d'Aréthuse près de la mer, vers le grand port, construite d'après la fameuse légende selon laquelle Aréthuse, nymphe d'Artémis, poursuivie par son amoureux sur les montagnes du Péloponnèse, échappa à son étreinte en se jetant dans la mer. Et le théâtre sur la colline, avec ses gradins, son chœur qui commentait les récits des acteurs, avait vu tant de spectacles, de tragédies et de comédies, dont celles d'Épicharme, qu'il affectionnait particulièrement. Combien de fois il avait ri en voyant les acteurs s'agiter tels des pantins, avec leurs masques et leurs déguisements de pitres. Plus jamais, pensa-t-il soudain en ce jour néfaste, plus jamais Syracuse ne verrait la joie en ses murs. Plus jamais de Dionysies, plus jamais de mathématiques. La puissance romaine écraserait la ville, qu'ils étaient en train de mettre à sac, sans plus se soucier du Beau, du Vrai et du Bien.

Une larme coula sur sa joue, se perdit dans les méandres de sa barbe. Il pensa à ce moment où il cherchait la solution d'un problème que lui avait posé le roi de Syracuse : une méthode pour prouver que sa couronne était bien en or massif. Il prenait son bain lorsqu'il avait trouvé la solution. Son excitation avait été telle qu'il était sorti tout nu pour se promener dans les rues de la ville en hurlant Eurêka !, et il avait trouvé le principe : tout corps plongé dans un liquide subit de la part de celui-ci une poussée exercée de bas en haut et égale au poids du liquide déplacé. Et il avait compris que les monarques grecs faisaient confiance à la pensée, mais les Romains étaient des guerriers qui exerçaient une impitoyable domination.

Que se passerait-il lorsque les Romains auraient pris le contrôle de la ville ? Les vaincus perdaient tout. Les survivants devaient payer un très lourd tribut à Rome. Claudius Marcellus n'épargnerait ni les vies ni les édifices sacrés, et que ferait-il des profanes ? Serait-il sensible à la beauté de la ville ? Et les hommes et les objets seraient-ils tous transportés à Rome ? Lui qui s'était passionné pour les centres de gravité avait compris que la ville allait être prise. Donnez-moi un point d'appui, et je soulèverai le monde, dit-il. Et ce point d'appui, il l'avait perdu. Le centre du monde allait se déplacer. Syracuse ne serait plus rien d'autre, qu'un petit village sur la mer, une ville touristique, balnéaire, sans rien à y faire, sans rien à y construire.

Vite, Archimède déroula le papyrus qu'il avait emporté avec lui. Il n'avait que quelques minutes pour terminer son œuvre. À l'aide de son stylet, il acheva le cercle qu'il avait commencé à tracer. Sa main tremblait. Il s'en voulait de n'avoir pas réussi, cette fois, à sauver sa ville. Il n'avait rien pu faire pour assurer la survie de ses concitoyens.

– Regardons ce cercle dont je veux évaluer la circonférence, murmura-t-il, pour mieux se concentrer. On peut le comparer au périmètre d'un carré inscrit dans le cercle, approximation très mauvaise, je l'admets. La circonférence du cercle est supérieure au périmètre du carré vert. Si l'on regarde à présent le carré dans lequel le cercle est inscrit, le carré circonscrit : la circonférence du cercle est inférieure au périmètre de ce carré plus grand. Nous pouvons donc affirmer que le nombre est compris entre deux valeurs, le petit périmètre divisé par le diamètre et le grand périmètre, divisé par le diamètre. Si maintenant, au lieu de prendre un carré, on choisit un pentagone, on réduit la marge dans laquelle est compris le nombre. Si l'on prend un hexagone, la précision est encore meilleure. Et c'est par cette méthode, avec un polygone dont le nombre de côtés est de plus en plus grand, que l'on peut réduire l'approximation, et tendre vers la valeur du nombre !

Il s'arrêta un instant.

Il pensa à son enfance passée à Syracuse. Son père lui avait appris à regarder le ciel. Il en avait fait des découvertes, depuis. Mais comment les garder, pour la postérité ? Comment seraient-elles en sécurité alors que les Romains avaient pour habitude de tout détruire sur leur passage, biens, objets, cultures et traditions ? Il repensa à la Bibliothèque d'Alexandrie. Après son départ, il n'avait plus jamais revu Ératosthène. Mais ils avaient correspondu, parfois de façon amicale, parfois au sujet de problèmes mathématiques qu'Archimède voulait partager avec lui, ou même, selon leur habitude lorsqu'ils se voyaient, de simples facéties, des blagues, des colles : « Mesure-moi, ami, si tu as la sagesse en partage, lui avait écrit Archimède, avec une application soutenue, le nombre des bœufs d'Hélios qui, jadis, passaient dans les plaines de l'île Trinacrienne, la Sicile, répartis en quatre troupeaux de couleurs variées, l'un d'un blanc de lait, le second d'un noir brillant, le troisième blond, et le quatrième bigarré. » Ératosthène avait fait part à Archimède de son projet de révéler une nouvelle vision du monde. Il avait élaboré une carte qui serait un instrument de travail et d'archivage des connaissances géographiques, régi par la géométrie euclidienne. La recherche de l'ordre, de l'écart juste des proportions entre les lieux et les temps, était son maître mot.

Ils échangeaient sur des problèmes dont la plupart des êtres humains ne pouvaient comprendre la portée, mais qui étaient essentiels. Ils voulaient savoir d'où venaient la Terre, le Soleil, la Lune, et ce qui formait l'essence du système solaire. Ils méditaient pendant des heures sur la droite et le cercle. Lequel était le plus parfait. Le rapport entre eux. Et surtout : le secret du Nombre, celui qui mesurait le rapport entre la droite et le cercle.

C'est ainsi qu'Archimède avait réussi à déterminer avec précision les chiffres du Nombre.

Mais quelle était la nature de ce nombre ? Puisqu'il n'était pas naturel, comme 1, 2, 3, 4, il n'était pas non plus un nombre rationnel qui peut être présenté comme le rapport de deux nombres entiers. Il avait la particularité de posséder un grand nombre de décimales, dont on savait que le développement n'était pas périodique, ce qui faisait de lui un nombre étrange, un nombre anormal. Et pourtant, ce nombre, le Nombre, organisait le monde.

Le vieil homme se pencha sur la feuille de papyrus qu'il avait déjà noircie de son écriture. La lettre était terminée. Le support était solide : la fibre avait été découpée en bandes, à la base de la plante, la surface aplanie au maillet, puis collée. Les rouleaux fabriqués en Égypte étaient distribués partout dans le monde depuis Alexandrie. En colonnes serrées de lettres capitales, sans espace entre les mots ni de ponctuation, il avait écrit jour et nuit. Entre les colonnes de texte, pour illustrer le propos, il avait inséré des diagrammes. Archimède apposa sa signature sur la lettre, puis il roula délicatement le papyrus et se dirigea vers la pointe sud du Port, où il avait rendez-vous.

L'homme l'attendait. Archimède le salua, ainsi qu'il avait l'habitude de le faire.

– Comment allez-vous faire pour échapper à la flotte romaine ? demanda-t-il.

– Les Romains sont plus préoccupés par le sac de la ville que par ce qui se passe en mer, répondit-il. Nous allons partir par le sud, ainsi nous les contournerons avant de reprendre le cap.

Archimède lui tendit la lettre.

– Tu la remettras en main propre à Ératosthène. À lui et à personne d'autre. C'est très important !

L'homme prit la précieuse lettre, et l'argent. Puis il s'enveloppa dans sa cape, et se dirigea vers l'embarcation qui l'attendait, non loin de là.

Archimède le regarda s'éloigner.

Voilà. Maintenant, il fallait attendre. Il resta un instant sur le port, à regarder le soleil se coucher. Derrière lui, la ville flambait.

C'est alors qu'il sentit une présence.

12

– Marcellus, murmura Archimède sans se retourner.

Marcellus, en effet.

Le général romain était simplement vêtu d'une toge et de sandales. Son visage buriné, sous ses cheveux gris, affichait le sourire de la victoire.

– J'étais sûr de te trouver ici, dit-il.

– Qu'est-ce qui t'en rendait si sûr ?

– Toi qui es si observateur, tu as dû t'apercevoir que tu étais espionné. Mes informateurs me rapportent tous tes faits et gestes.

– À quoi bon, Marcellus ? Je ne suis qu'un géomètre.

Le Romain partit d'un grand rire, un rire sonore, si puissant qu'il glaça les sangs du vieux savant.

– Un géomètre qui nous a donné beaucoup de fil à retordre... Tes machines de guerre ont fait forte impression à Rome. Imagine ce que serait ta puissance d'invention associée à notre force logistique. Ensemble, nous pourrions être les maîtres du monde.

– Je suis grec, et c'est en tant que tel que je vous ai combattus. Nous n'avons pas les mêmes valeurs, Marcellus, et nous ne les aurons jamais. Pourquoi vous acharner contre nous ? Pourquoi ne pas nous laisser la Sicile ?

– Parce que nous voulons la Méditerranée qui est notre mer, et tout ce qui l'entoure aussi. Aujourd'hui, Syracuse est tombée. Une pierre de plus de notre édifice. Plus qu'une pierre, d'ailleurs, un vrai joyau…

Marcellus fit quelques pas, contempla la ville au loin, ou ce qu'il en restait, et soudain, son sourire se transforma en un rictus d'amertume.

– Tu vois, malgré la joie de la victoire, je vois toutes ces richesses se consumer, et cela me donne envie de pleurer.

– Pourquoi faut-il que vous détruisiez tout ? murmura Archimède.

– C'est un monde qui s'écroule, et ce monde était ton monde. Si tu avais accepté de nous rejoindre, nous n'en serions pas là.

– Roi du Monde, vous disiez… Quel est ce Roi du Monde qui n'est pas capable de résister à un homme seul, et sans défense ?

– Ton attitude m'a considérablement énervé, je dois le dire. Puis j'ai commencé à réfléchir à la raison pour laquelle tu refusais de nous rejoindre. J'ai su que je n'avais pas tous les éléments qui me permettraient de saisir ta motivation. Jusqu'au moment où j'ai intercepté les informations qui m'ont permis de comprendre.

– De comprendre quoi ?

– Tu travailles sur un projet bien plus vaste et plus ambitieux que tout ce que tu as fait jusqu'ici. Tu as découvert quelque chose qui va véritablement changer la face du monde. Et c'est cela que tu protèges, au péril même de ta vie et de celle des tiens ! L'enjeu est tel que tu penses avoir raison de laisser périr ta ville ! Le maître du monde, c'est toi, Archimède, et tu le sais !

Marcellus se rapprocha du vieil homme, et murmura à son oreille :

– Rejoins-nous ! Il n'y a plus rien ici. Qu'as-tu à perdre désormais ?

– Mon âme. Et c'est tout ce qui me reste.

Marcellus considéra Archimède d'un œil noir, l'air terrible.

– Je sais que tu as décidé d'écrire une lettre. Une lettre qui contient ton secret. Cette lettre, je la veux. Donne-la-moi, dès à présent. Sois raisonnable ! Tu sais que tu ne peux plus faire autrement.

– Tu es bien renseigné, il est vrai, dit Archimède. Mais tu arrives trop tard.

Archimède désigna le bateau qui voguait, emporté par les flots, vers l'horizon. La liberté, et peut-être même l'éternité sont-elles la même chose, pensa-t-il : des représentations de l'Infini ?

Marcellus se retourna, regarda le bateau s'éloigner.

– Ce que tu voulais obtenir, Marcellus, c'était la formule du nombre qui organise le monde, celui qui commence par 3,14…, murmura Archimède. Je l'ai trouvée, cette formule, tu as raison. J'ai réussi à trouver le secret de la série qui gouverne le monde ! Mais à présent, il est déjà loin !

Et c'est alors que, fou de rage, le Romain prit son épée et transperça Archimède d'un coup mortel.

13

Le kykéon ayant fait son effet, j'avais écouté la scène du meurtre d'Archimède, racontée de la bouche d'Elsa Maarek, mais c'était comme si je l'avais vécue dans ma chair. Prostré, j'ouvrais et fermais les yeux, pour tenter de me réveiller, comme d'un mauvais rêve. Mais à nouveau, assailli de visions terrifiantes et de violents spasmes, je n'avais plus aucune maîtrise de mon corps au fur et à mesure que l'ivresse montait, accompagnée de visions incroyablement précises. Et soudain, la terreur une fois encore laissa place à la joie, au plaisir de me laisser bercer par les chants dans cette nouvelle perception de moi que je découvrais. Un flot de pensées que je n'avais jamais eues me submergeait, et j'avais du mal à ne pas me laisser emporter par elles.

J'étais ballotté d'une rive à l'autre de mon inconscient, comme si toutes les strates de mon esprit se mélangeaient, avec ce que j'avais appris, les époques se mêlaient l'une à l'autre, au point de s'égarer dans la forêt sombre de mon cerveau. Je me mis à voir Elsa Maarek sous les traits d'Hypathie. Une foule se pressait autour d'elle, pour écouter ses commentaires de Platon, Aristote et Plotin. On parlait d'elle dans les temples païens, les églises, les cercles de théologiens et de rhéteurs, les écoles de médecine et de mathématiques, l'école catéchétique et l'école rabbinique, qu'elle défendait. Vêtue de son tribon, elle se déplaçait en char pour donner ses cours et rendre visite aux personnages importants de la ville. Elle apprenait à ses étudiants les mystères de l'Univers. Elle était à l'écoute des signes envoyés par les planètes aux êtres vivants, et de la magie du monde. Pour elle, l'intelligence des étoiles définissait la destinée dès la naissance et déterminait les états psychiques ainsi que le tempérament. Elle disait que la géométrie était divine. Elle montrait que les principes sacrés de réciprocité s'appliquaient aussi aux relations amicales, elle guidait ses étudiants sur le chemin de la réalité idéale à travers les vérités mathématiques.

Je regardais le ciel étoilé et les créatures célestes, dont je perçais le secret pour deviner l'origine et les principes du cosmos. Le nombre Pi ! Je le contemplais, enfin ! Je me déplaçais dans les rayonnages de la Bibliothèque d'Alexandrie, à travers les parchemins et les papyrus, avant de sortir sur l'Agora. Elle était là : la jeune femme dont je connaissais le corps et la voix sans avoir vu le visage. Je m'élançai vers elle, de tout mon être…

Un temps infini s'écoula, un long silence. Puis, la voix :

– Archimède avait donc trouvé la formule de Pi, et il avait démontré qu'il tendait vers l'infini. Il ne se limitait pas au calcul mathématique, dit le professeur Maarek. Tout comme Pythagore, la réflexion sur la quantité cachait des pensées métaphysiques et une certaine vision du monde. Le nombre Pi, dont on ne peut atteindre la limite, n'ouvre pas seulement à l'infini mathématique comme la série des nombres, mais à l'infini métaphysique qui correspond à l'impossibilité pour l'être humain de parvenir à l'état définitif qui se présente comme la Vérité suprême, le Sens final de l'histoire. C'est en cela qu'aucun être humain ne peut se présenter comme l'incarnation de cette vérité ultime, de ce sens qui mettrait fin à l'histoire. Tous les accomplissements et toutes les réalisations des projets humains sont contenus dans les décimales de Pi. C'est cela l'Infini : il ne finit pas. Il reste toujours ouvert à d'autres événements… Au-delà de toutes les représentations que l'on se fait de Dieu, la vérité est toujours plus complexe. Le secret du cercle est le suivant : il est l'image de la perfection, sans début ni fin. Mais cette perfection est impossible à atteindre, car on ne peut inscrire le cercle dans un carré. Il touche les côtés du carré par les quatre points, certes, mais il ne le remplit pas totalement. Ces points de jonction sont les points indéfinissables. Chaque fragment de l'histoire, chaque idéologie, chaque philosophie qui se présente comme accomplissement de l'histoire résulte d'un totalitarisme et d'une négation de l'activité créatrice qui refuse d'arrêter l'histoire. C'est cela que nous enseigne Pi.

– Une vision résolument, absolument athée du monde, n'est-ce pas ?

– Ou résolument divine. Mais pas le Dieu auquel on a l'habitude de croire, dit le professeur Maarek, qui me tendait un épi de blé. Il symbolise la lumière, semée dans l'homme à sa naissance, et qui éclaire grâce à l'initiation. À présent, vous entrez dans un lieu supérieur, où tout est illuminé, qui représente le monde intelligible.

« *Je suis tout ce qui fut, ce qui est, ce qui sera, et aucun mortel n'a encore osé soulever mon voile* », murmura-t-elle.

– Isis, chuchotai-je. Mère Divine, déesse des Mystères, la magicienne…

Comment avais-je pu ne pas le voir ? Et sa canne, le bâton d'Isis, qu'elle utilisait pour les situations difficiles, afin d'éliminer les énergies négatives et les esprits inférieurs.

Je t'aurais suivie n'importe où...

– Et toi tu es...

– Je suis ton fils. Je suis Horus !

Elle eut un sourire. Oh ! ce sourire, je m'en souviendrai toujours. Un sourire de reconnaissance, de la mère vers son enfant. Un sourire de bonheur, de bonté et de joie, relation sacrée et inimitable, don absolu, qui vient de très loin, du moment où elle porte l'enfant en elle, dans son ventre, tout comme elle m'avait porté par l'esprit, avait accouché spirituellement de moi, m'avait donné naissance et accordé le lait de son amour et de la connaissance qui ne se tarirait jamais.

À ce moment nous avons entendu la sonnerie insistante de la porte.

Elsa Maarek, l'air troublé, s'est levée lentement pour aller ouvrir, après m'avoir jeté un regard interrogateur.

Peu après, elle revint, accompagnée par le commissaire Masquelier et le professeur Tibrac, qui se dirigèrent vers moi.

– Joachim, dit ce dernier. Tout va bien ?

Mon cœur battit plus vite, je me mis à trembler. Je tentai de répondre, sans y parvenir. Je m'assis, les mâchoires soudées par un spasme.

Le professeur Tibrac s'approcha de moi et me regarda. Ses yeux bleu acier me transpercèrent.

– Il est drogué ! lança-t-il.

– Professeur Maarek, dit le commissaire Masquelier

Elle affronta son regard, sans laisser paraître d'émotion.

Il lui tendit une feuille sur laquelle était inscrit son nom.

En jetant un œil, je reconnus avec effroi un certificat de vente sur lequel était apposé le sceau de l'hôtel Drouot.

– Vous êtes l'acheteur anonyme du Palimpseste d'Archimède.

14

Le professeur Maarek considéra le commissaire Masquelier, puis le professeur Tibrac. D'un geste magnanime, elle leur fit signe de prendre place.

– Vous enseignez la philosophie et vos revenus sont modestes, dit le commissaire. Mais la fortune de votre famille vous a permis d'acquérir le manuscrit, parce que vous pensiez enfin détenir la vérité, cette vérité que vous recherchiez à travers les Mystères d'Éleusis et l'usage du kykéon. Cette vérité qu'avait trouvée Archimède, probablement par les mêmes moyens que vous et grâce aux mathématiques, vous aviez peur qu'elle vous échappe. C'est vous la prêtresse d'Éleusis, qui avez tué Robert Sorias et Andrieux lors de cérémonies consacrées à la déesse Isis. Escortée par votre majordome Guillermo, qui vous aide à organiser les cérémonies, vous avez également exécuté Fabien Delorme et Ambroise Flamant. Et vous vous apprêtiez sans doute à tuer Joachim de la même façon. Vous l'avez initié, vous l'avez mis en rapport avec Ambroise Flamant, puis son assistante, Maud Simon… Au prétexte que vous vouliez avoir des informations sur le codex, mais vous cherchiez à l'inclure dans votre groupe.

– Vous vous trompez, commissaire. J'ai entrepris d'initier Joachim, c'est exact. Il est mon élève, mon disciple, et je considère que l'apprentissage de certaines vérités fait partie de mon rôle d'enseignante. Mais si je l'ai mis en relation avec Ambroise Flamant et son assistante Maud Simon, c'était pour avoir des informations sur le paléographe. Je commençais à soupçonner que nous étions trahis par quelqu'un de notre groupe, et je me demandais si ce n'était pas lui. J'étais en rapport avec lui, indirectement, via mon courtier Harry Bolt, mais je devais tenter de savoir s'il dissimulait quelque chose... Pour le reste, il semblerait que votre méthode criminologique vous ait égaré cette fois. Vous avez des soupçons, vous n'avez pas de preuves, et ce que vous affirmez relève de simples allégations.

– Vous cherchez à mettre nos méthodes en doute depuis le début, professeur Maarek, mais le profiling croise parfaitement votre profil avec celui du meurtrier. Qui d'autre que vous connaissait aussi précisément les rites de sacrifice ? Et les endroits de Paris qui représentent le culte d'Isis et Osiris ? Qui d'autre que vous aurait pu accomplir ces sacrifices avec autant de précision ? Une personnalité scindée telle que la vôtre, comme en témoignent vos multiples identités – la professeur de philo, la prêtresse d'Éleusis, l'acheteur anonyme – pourrait très bien avoir un trouble du comportement pouvant aller jusqu'à la schizophrénie, jusqu'à un trouble dissociatif de l'identité, ou encore, le syndrome d'identités multiples.

– En admettant que je souffre d'un tel syndrome, commissaire, comment expliquez-vous les chiffres sur les comptes Twitter ? Les décimales du nombre Pi ? dit le professeur Maarek. Pour quelle raison les aurais-je envoyés ?

– Pour égarer les enquêteurs et les entraîner vers la piste des mathématiciens. Et pour signifier également que vous possédiez la clef du savoir, puisque les autres, ceux qui étaient susceptibles de comprendre, étaient morts. Vous êtes redoutable. Vous avez pensé à tout... Alors, ajouta-t-il soudain paternel, il ne vous reste plus qu'à soulager votre conscience et avouer, professeur Maarek.

– Pour quelle raison vous aurais-je aidé à chercher le meurtrier, commissaire ?

– Vous m'avez aidé, poursuivit-il, pour détourner mes soupçons, tout en me guidant vers votre voie. Vous vous êtes bien jouée de nous ! Et de main de maître...

– Et selon votre raisonnement, répondit-elle d'un ton parfaitement calme, pourquoi aurais-je élaboré toute cette mise en scène, si j'avais voulu tuer ces personnes, commissaire ? Est-il possible que mon intelligence ne m'ait pas indiqué que la mise en scène en question renverrait à la Grèce antique, et donc à moi ?

– Vous avez élaboré cette mise en scène car ce que vous cherchez à deviner à travers l'examen de ces entrailles...

– L'hiéroscopie, intervint le professeur Tibrac qui poursuivit. C'est le retour d'Osiris... N'est-ce pas, Elsa ?

– Pourquoi attendrais-je le retour d'Osiris ?

– Vous n'avez pas supporté que je vous quitte... C'est cela qui vous a fait basculer... Parce que vous pensez être... la réincarnation d'Isis !

Elsa Maarek regarda le professeur Tibrac avec inquiétude.

– Si je pensais être la réincarnation d'Isis, pourquoi aurais-je commis ces meurtres ? Il manque quelque chose à votre raisonnement, si je puis me permettre, professeur.

– Parce qu'une seule chose manquait à votre panoplie.

– Et c'est ?

– Le code secret ! La formule de la Vérité… Pi !

Le professeur Maarek partit alors d'un grand éclat de rire. Un rire cristallin, heureux, qui ne contenait aucune trace d'inquiétude. J'étais figé sur place. Je la vis, telle qu'elle était, belle, calme, imperturbable, et je compris qu'elle s'apprêtait à le torpiller. Allait-elle donc s'en sortir encore une fois, par l'un de ces tours dialectiques dont elle avait le secret ?

– J'ai présidé aux Mystères d'Éleusis, auxquels assistaient en effet Robert Sorias, Jean Andrieux, Louise Sorias, et Ambroise Flamant. C'est un groupe, comme vous l'avez compris, qui promeut l'idéal grec et une certaine philosophie. Nous étions en recherche non pas de la Vérité, mais d'une certaine vérité : la nôtre, celle de chacun. Et par ce prisme, nous avions accès à la clef de l'univers. Ce qui se passe dans ces mystères est difficilement explicable et je ne m'étendrai pas sur la question. Lorsque Robert Sorias a parlé du palimpseste – dont j'apprendrai plus tard qu'il s'agit d'un texte d'Archimède – à Jean Andrieux, et qu'il lui a raconté sa légende, celui-ci a voulu le lire, bien entendu. Lui et Andrieux ont cru qu'il s'agissait de la clef du monde, celle que nous recherchions, celle qui nous donnerait accès à la vérité. Eleazar qui l'avait acheté à Istanbul était un bibliophile : il savait que le manuscrit contenait un écrit révolutionnaire et qu'il concernait Pi. Lorsque j'ai vu le manuscrit, j'ai compris que l'on tenait quelque chose d'exceptionnel. Alors oui, je l'ai acheté, mais il a fallu que je reste anonyme, sinon Louise ne me l'aurait jamais vendu.

– Pourquoi ?

– J'étais trop proche d'elle. J'étais son amie. Nous appartenions au même cercle d'Éleusis. Elle sentait qu'il existait un lien entre le manuscrit et le meurtre de son mari. Elle en était terrifiée. Elle devait s'en libérer au plus vite et l'éloigner d'elle. Quelqu'un d'autre a décidé de les éliminer, poursuivit le professeur Maarek.

– Ces allégations ne servent qu'à semer le trouble et la confusion dans l'esprit de ceux qui les écoutent, intervint le professeur Tibrac.

– Laissez-la poursuivre, intervint le commissaire Masquelier.

– Quelqu'un de bien renseigné, qui possède des agents partout. Qui avait suffisamment d'ascendance sur le père Éphraïm pour lui demander de nous enfermer dans son monastère. Qui côtoyait les professeurs Andrieux et Sorias quotidiennement. Qui ne pouvait pas ignorer le sujet et l'état d'avancement de leurs recherches, car il s'était fait nommer à un poste stratégique pour cette raison. Qui avait lui-même expérimenté les pouvoirs du kykéon. Et qui s'était documenté sur les rites sacrificiels en Grèce antique. Il suffisait d'avoir lu ma thèse pour en connaître le déroulé exact, ajouta-t-elle en me regardant. N'est-ce pas, Joachim ?

En un éclair, je compris ce qu'elle voulait me dire. Je sortis la thèse que j'avais prise avec moi, celle qui portait le tampon de la bibliothèque d'Ulm, et la tendis au commissaire Masquelier.

– Et ce serait lors des rites d'Éleusis qu'il aurait rencontré ses futures victimes, dit le commissaire Masquelier.

– C'est là qu'il a entendu parler du manuscrit. Bien sûr, Andrieux et Sorias venaient aux cérémonies de leur plein gré : c'est même Sorias qui achetait l'encens. Andrieux a initié son élève Fabien, qui a pris du kykéon lors des cérémonies. Puis tout cela a mal tourné. Tout se faisait dans le noir. Il y avait du monde. Le kykéon brouille les esprits. Personne n'a rien vu.

Enivrés par l'encens, ils se sont laissé faire. Mais au lieu de prendre la dose normale, quelqu'un les a drogués, avant de les emmener dans des endroits symboliques, savamment choisis, pour les égorger et les sacrifier sur l'autel de la vérité. Non pas pour honorer ces lieux, mais pour les salir. Et plus précisément : pour défier Isis, Osiris et Horus, en parcourant leur chemin sacré, celui qui est tracé dans Paris, à l'insu et aux regards de tous. Les victimes l'ont suivi, car elles le connaissaient.

– Et pour quelle raison cette personne aurait-elle agi ainsi ? demanda le commissaire Masquelier.

– Ce que le meurtrier cherchait à tout prix, c'était empêcher la légende de se propager et la révélation de la formule de Pi, qui se trouvait dans le palimpseste. Dans un premier temps, Sorias, Andrieux et Fabien ont été victimes des soupçons qui pesaient sur le contenu hérétique du codex. Et Ambroise Flamant a été exécuté lorsqu'il a réussi à décrypter le manuscrit. En effet, il a résolu le mystère de Pi.

« Et cela, le meurtrier ne pouvait le tolérer. Soit on croit en Pi, c'est-à-dire en un univers organisé selon le principe de l'Infini, soit on croit en Jésus, c'est-à-dire dans l'idéal de la perfection. La Trinité, le Père, le Fils et le Saint-Esprit, est en contradiction avec Pi : car Pi nous indique que le principe de l'Univers n'est pas le 3 mais quelque chose entre le 3 et le 4. Tout se joue dans les décimales, voyez-vous. Dans l'inachevé. Soit on adore Jésus… soit on recherche la formule de Pi qui organise l'univers autrement… Le nombre n'est-il pas le principe de toute chose ? En recherchant et en trouvant Pi, les mathématiciens ont trouvé un principe d'organisation de l'univers, dont, étrangement, ils avaient l'intuition sans en avoir la clef. En somme, si le fonctionnement du monde trouve son sens en une équation, on n'a plus besoin de Dieu ! Le codex d'Archimède contient la formule qui permet de calculer toutes les décimales de Pi et donc… de décoder la loi de l'univers. Un sérieux coup porté au christianisme, tel qu'il s'est construit à partir du Concile de Nicée, autour de l'Église et de Jésus. Le Roi du Monde… ce n'est pas un homme, ce n'est pas un dieu. C'est une formule !

– Pourquoi ne pas simplement voler le codex et le brûler, alors ?

– Parce qu'il fallait éliminer avant tous ceux qui avaient compris et qui étaient en mesure de transmettre ce qu'ils avaient vu. Puis Louise Sorias l'a vendu, et il était en sécurité à la BNF.

« Alors, c'est vrai, au début, mes soupçons se sont portés sur le père Delbos. Puis j'ai finalement compris qu'il n'était pas coupable. Il était animé d'une foi réelle et certainement prosélyte, mais il ne serait pas allé jusqu'à tuer ceux qui ne la partageaient pas. Sinon, il aurait assassiné Joachim, lorsqu'il a quitté les jésuites. Non seulement il ne l'a pas tué mais il a cherché à le sauver, lorsque celui-ci a réussi à s'infiltrer le soir de la cérémonie. Le père Delbos n'était qu'un missionnaire. Il devait obéir comme un cadavre à son supérieur hiérarchique. C'est lui qui lui donnait ses instructions, c'est à lui qu'il devait respect et admiration. Or ce soir-là, lorsqu'il s'est infiltré dans la cérémonie et qu'il a pensé sauver Joachim, le père Delbos a rompu son vœu d'obéissance.

– Poursuivez, dit le commissaire.

– Moi aussi j'ai mis du temps à comprendre, commissaire. Beaucoup trop, c'est vrai. Le meurtrier a décidé de passer à l'acte lorsqu'il a compris que le mystère de Pi allait être révélé, grâce aux membres de notre société secrète, qui comprenait des professeurs de philosophie, des mathématiciens, des historiens. Il ne pouvait laisser propager cette vérité dans les élites. C'est lui qui a ordonné au père Éphraïm de nous enfermer, Joachim et moi, au monastère de Saint-Sabas, et c'était bien pour nous tuer, car nous devenions gênants.

– De qui voulez-vous parler à la fin, professeur Maarek ?

– Demandez donc au professeur Tibrac, dit-elle.

– Voyons, professeur Maarek… Elsa, dit Tibrac. Jusqu'où vous aveugleront votre haine et votre ressentiment ?

– Vous étiez trois amis, à Ulm : le père Éphraïm, le père Delbos et vous, n'est-ce pas, professeur Tibrac ?

– En effet, nous étions amis. Puis nous nous sommes éloignés, pour des raisons idéologiques, je vous le rappelle.

– Vous étiez trois jésuites, qui avaient fait le vœu de servir la parole du Christ : est-ce correct ?

– Chacun a suivi sa voie. Édouard est devenu Éphraïm, Luc est devenu le père Delbos, et moi, j'ai quitté les jésuites. Vous le savez, n'est-ce pas ?

– C'est en partie vrai, et en partie faux. Les apparences montraient que chacun avait suivi sa voie. Mais en vérité, à l'intérieur de vous-mêmes et de votre groupe, personne n'avait quitté les jésuites. Bien au contraire, vous avez fait un pacte. Le pacte de vous hausser dans les plus hauts lieux, au plus haut niveau. Le père Éphraïm fut désigné pour aller chez les orthodoxes. Le père Delbos restait à Ulm, chez les jésuites. Et vous deviez être à la Sorbonne, puis à la direction de l'École normale supérieure, dans la position la plus stratégique : chez les philosophes, c'est-à-dire les incroyants. À présent, je vous le demande, professeur Tibrac. Quelle est la façon la plus sûre de cacher quelque chose ?

– Dites-le-moi, vous qui semblez tout savoir.

– N'est-ce pas de l'exposer aux yeux de tous ?

À cet instant, elle regarda le professeur Tibrac avec intensité.

– Vous nous avez expliqué l'importance de mener cette enquête. Vous nous avez même engagés à coopérer avec la police. Ainsi vous étiez au centre de tout, n'est-ce pas, professeur ?

– Je suis le directeur de l'École, cela semble naturel, ne croyez-vous pas ?

– Vous n'avez pas peur de la technologie, n'est-ce pas ?

– Il semble s'y connaître un peu, dit le commissaire Masquelier. Je n'ai eu aucun mal à skyper ou à échanger par mail avec lui. Ce qui n'était pas le cas avec vous, professeur Maarek. En tant que directeur, le professeur Tibrac a accès aux serveurs de l'École.

– Vous aviez la position idéale pour tout maîtriser, poursuivit le professeur Maarek. Vous étiez bien placé pour pirater le compte Twitter de Fabien puis de Joachim afin d'envoyer vos messages cryptés. Cela vous amusait de défier tout le monde. De montrer que vous étiez le plus fort. Vous avez même invité Joachim chez vous, dans votre phare…

– En effet, c'était pour le protéger. Il pourra vous le confirmer.

– C'est vrai que vous avez eu maintes fois l'occasion de le tuer. Et si vous ne l'avez pas fait, c'est juste parce que vous avez compris que vous pouviez vous servir de lui, d'une façon bien plus habile. Il était mon disciple. Armé contre moi, non seulement il vous disculpait mais il devenait un allié redoutable.

– Nous nous sommes posé beaucoup de questions sur vous, en effet, dit le professeur Tibrac. Et nous avons tenté d'y réfléchir ensemble, au phare, loin de tout.

– Depuis votre phare, vous aviez l'air de surplomber le destin des hommes. Un véritable humaniste. Loin de tout, comme vous dites. C'est pourquoi il m'avait paru étrange que vous acceptiez ce poste de directeur de l'École. En fait, vous avez fait plus que l'accepter. Tout comme votre position de professeur émérite à la Sorbonne, vous avez tout fait pour l'obtenir. Afin d'accomplir votre mission, celle que vous vous étiez assignée : manipuler l'esprit des élites. Dominer le savoir qu'on leur dispensait. Et bien sûr, dans votre plan, j'étais un pion parfait puisque j'étais sous votre aile. Vous faisiez parfaitement semblant d'être contre les religions. Vous ne communiez pas, n'est-ce pas ?

– Jamais, je ne suis plus catholique.

– Vous pouvez même aller jusqu'à critiquer violemment le christianisme, s'il le faut.

– Bien entendu, j'ai quitté la foi chrétienne !

– Vous vous êtes marié, vous avez eu des enfants. Vous aviez même une maîtresse. Cela ne vous posait aucun problème, pourvu que vous parveniez à vos fins. Car, dans votre système de pensée, la fin justifie les moyens.

– Je ne le pense pas. Je suis un adepte de la morale kantienne, vous le savez bien. Il faut parce qu'il faut.

– La morale kantienne adaptée à votre éthique personnelle. Kant a raison de fonder la morale sur elle-même ; mais il est obligé de préciser : *Agis de telle sorte que la maxime de ta volonté puisse être élevée à une législation universelle*. Est-ce là votre morale, professeur ?

Le professeur Tibrac ne répondit pas. Il regardait maintenant le professeur Maarek avec une sorte d'appréhension. Et je me demandais qui des deux allait l'emporter dans cette disputation étrange, dont il y aurait forcément un vainqueur et un vaincu.

– Est-ce là votre morale ? répéta la torpille.

– Et la vôtre, professeur Maarek ? Seriez-vous devenue une adepte de l'épicurisme depuis notre rupture ? Ou est-ce du stoïcisme ? Quelle est votre morale à vous, et de quelle morale parlons-nous ? De la morale secrète, celle à laquelle vous vous adonnez dans vos orgies ésotériques, ou de la morale publique, celle que vous professez en classe, faite de rigueur et de Raison ?

– Je n'ai qu'une morale, professeur : tu ne feras pas à autrui ce que tu ne voudrais pas que l'on te fasse.

– C'est cette morale qui vous a révoltée lorsque j'ai mis fin à notre relation, n'est-ce pas, professeur ? Ou, devrais-je dire, Isis ? Depuis vous attendez mon retour. Le retour d'Osiris. Le mari, le frère, l'amant. N'est-ce pas, Elsa ?

– Oh, je me suis laissé prendre, comme tant d'autres, poursuivit-elle, sans lâcher sa proie. Et beaucoup plus que d'autres. J'étais votre disciple. J'étais fascinée, c'est vrai. Vous en avez joué. Je vous aimais, je vous le disais. On aurait dit que vous buviez mes paroles, car vous saviez que vous n'auriez jamais accès à un tel sentiment. Vous me jalousiez d'être capable d'aimer. Vous me singiez, même. Vous m'avez demandé de garder notre relation secrète, par peur du qu'en-dira-t-on. Mais je sais maintenant la raison véritable de ce secret. Vous avez joué avec moi. Et quand vous avez compris que je voulais un enfant de vous, vous avez pris peur et vous êtes parti, sans aucune explication. Cela aurait nui à votre carrière. Une famille comme couverture, c'est possible. Mais une maîtresse et un enfant, cela commence à faire désordre.

– Cette relation était impossible, nous en étions convenus tous les deux. Nous nous sommes quittés d'un commun accord.

– C'est ce que vous m'aviez fait croire. En fait, vous aviez une mission plus importante que tout. Celle que vous dictait votre foi.

– Je n'ai jamais professé la foi chrétienne. Je faisais partie de votre groupe. Comment aurais-je pu sacrifier à d'autres dieux, si j'étais le fanatique que vous décrivez ?

– Vous faisiez partie des nôtres, c'est vrai. Mais votre mission était autre : surveillance et information. Lorsque vous avez eu connaissance du palimpseste d'Archimède, vous êtes devenu fou. Vous avez agi seul, en manipulant tout le monde. Toute l'œuvre de votre vie allait s'effondrer. Tout ce en quoi vous croyiez n'avait plus lieu d'être. C'est alors que, pour ne pas sombrer dans la maladie mentale qui vous guettait, vous avez décidé de passer à l'acte.

– Quel superbe sens de la dialectique ! Je vous reconnais bien là, Elsa ! L'élève a dépassé le maître. Mais ce sont des allégations, pour reprendre vos propres mots, qui n'ont aucune valeur juridique et qui sont destinées à détourner les soupçons du vrai coupable : c'est-à-dire vous, professeur Maarek. Lors d'une cérémonie, vous avez drogué Robert Sorias, Jean Andrieux et Fabien Delorme, vous les avez menés sur les lieux que vous aviez choisis pour eux, et à l'aide de votre majordome, vous les avez tués. Puis vous avez maquillé vos crimes en sacrifices rituels.

– Je n'ai rien fait de tout cela. En revanche, c'est vous qui avez piraté le compte Twitter de Fabien pour diffuser votre message... afin de vous assurer de la signature de vos meurtres, ultime gratification narcissique ! C'est vous qui lors d'une cérémonie masquée avez surdosé le kykéon afin de droguer le professeur Sorias, avant de recommencer le même cérémonial avec le professeur Andrieux. Ils vous connaissaient : ils vous ont suivi à l'endroit que vous aviez choisi pour les tuer. Vous les avez égorgés comme des bêtes, pour qu'ils ne parlent pas de leur incroyable découverte. Vous avez tué Fabien et Ambroise Flamant pour les mêmes raisons. Puis vous avez tout fait pour me faire accuser… Et pour défier Isis.

– Isis, c'est-à-dire vous !

– Isis, c'est-à-dire la vérité. Ce que vous cherchiez, c'était à effacer la vérité ! À la recouvrir de son précieux voile ! N'est-ce pas, professeur Tibrac ?

– Ce n'est pas moi qui ai interdit de soulever le voile d'Isis, professeur Maarek. Tout cela est très bien imaginé, ajouta Tibrac avec un sourire, mais… je ne crois pas qu'il existe une vérité, même si nous la cherchons tous. Vous me connaissez assez pour savoir que je suis un sceptique.

– Je dirais plutôt un véritable cynique.

– En tout cas, pas un religieux. N'est-ce pas, professeur Maarek ?

– Vous êtes philosophe. Vous avez la foi, mais cette foi doit rester dans les limites de la simple raison. Sinon…

– Sinon ?

Le commissaire Masquelier et moi regardions alternativement l'un et l'autre, sans parvenir à distinguer le coupable de l'innocent. Quelque chose de fou se jouait là – même pour l'expert en criminologie, et même pour le philosophe que j'étais. Les arguments de l'un étaient aussi rationnels que ceux de l'autre et nous ne parvenions plus à y voir clair, tour à tour convaincus par l'un puis par l'autre.

Alors le commissaire Masquelier, comme s'il avait compris que le débat en était ici à son point d'achoppement – le point ultime où la raison devient rhétorique et où tous les arguments se valent, stade du scepticisme que traverse toute véritable philosophie, et qui peut être son but ultime –, ouvrit doucement sa sacoche, dans laquelle il prit un paquet enveloppé d'un linge blanc.

– Sinon, vous êtes dans un sérieux embarras, professeur Tibrac, dit-il, et il dénoua soigneusement la ficelle qui fermait le paquet.

En regardant tour à tour Elsa Maarek et Éric Tibrac, le commissaire s'approcha d'eux, la main sur son arme.

– La Raison, la voici, dit-il, en dévoilant l'objet.

C'est alors que je le vis : le codex. Il avait été démantelé, puis rassemblé à nouveau. Le vieux codex était rafraîchi, lissé, lavé, il réclamait enfin sa vérité.

– Ceci vous appartient, n'est-ce pas ? dit-il en s'adressant au professeur Maarek.

Elle considéra l'ouvrage, l'air surpris, sans faire un geste pour le prendre. Mais avant que nous ayons pu intervenir, et sans même que nous ayons pu voir ce qui s'était produit, Tibrac se précipita dessus, l'arracha des mains du commissaire, et le jeta dans l'âtre. Le linge blanc prit immédiatement feu, et les flammes léchèrent les bordures du livre. Le professeur Maarek le regardait, interdite, alors que je me précipitais pour tenter de l'en sortir. Mais d'un geste sûr, elle me retint par le bras.

– Laissez, murmura-t-elle. Vous allez vous faire mal ! Croyez-vous que cela en vaille la peine ?

– Mais il brûle ! m'écriai-je, en désignant le feu qui crépitait sur le papier.

– En Enfer ! lança le professeur Tibrac avec un sourire démoniaque.

Le professeur Maarek s'interposa lorsque je plongeai la main dans le feu.

– Vous ne voyez pas que c'est trop tard ? Allez-vous vous brûler ?

– Nous ne saurons jamais ! dis-je, secoué par les larmes.

Je vis alors le codex se consumer, les feuilles dévorées, ravagées, réduites en cendres, ces pages qui avaient survécu au feu, aux guerres, aux croisades, aux Sarrasins, aux sacs, aux incendies, au christianisme, au paganisme, aux civilisations qui se construisent et se consument comme les autodafés, aux schismes, aux papes, aux rois, aux dynasties, aux théories, aux métaphysiques, aux philosophies, aux injustices, aux passions humaines, aux oublis, aux mystères, aux trahisons, à la pierre ponce, au soleil d'Alexandrie et au froid de la France, aux tempêtes de haute mer et aux sables du désert, aux caves et aux scriptoriums, aux basiliques, aux églises, aux monastères, aux religieux et aux mécréants, aux manipulateurs, aux fourbes, aux cyniques et aux idéalistes, aux philosophes, aux scribes, aux sauveurs de manuscrits en perdition, aux acheteurs et aux vendeurs, aux professeurs et aux élèves, aux conservateurs, aux paléographes, aux lecteurs, aux fantasmes, aux rêves, aux idéaux, à ce projet improbable de l'homme sur Terre, qui est d'écrire afin de comprendre ce qu'il fait là, à toutes les vies qu'a traversées l'écriture, à l'abaque, au papyrus, aux codex, aux livres imprimés, aux tablettes, et puis… et puis…

Il était trop tard. Le codex s'était consumé dans les flammes et disparaissait en fumée, devant nos yeux.

Épilogue

La grande Arche de la Défense brillait sous le soleil. Un vent léger s'engouffrait sous la voûte. Je considérais l'œuvre monumentale devant laquelle je me sentais minuscule. J'étais sous le toit qui pesait plus de trente mille tonnes. Une prouesse architecturale à l'égal des pyramides et des cathédrales. Un projet fou, pharaonique, qui avait coûté des vies humaines, et nécessité cinq mille ouvriers, architectes et ingénieurs pendant trois ans. Tout cela pour un cube de béton et de marbre. Que représentait-il qui fût si important ?

Je regardai droit devant moi. J'aperçus alors la route sacrée, depuis l'Arc de Triomphe des Champs-Élysées, vers l'Obélisque de la Concorde et, derrière, le Louvre. Cette perspective unique au monde traçait une voie connue par certains initiés, et s'achevait en ce lieu où elle se tenait debout, dans le crépuscule d'été. Non, ce n'était pas le vide, l'absence de sens, le Temple d'un monde sans Dieu. C'était bien autre chose.

C'est ici qu'était prévue la fin du voyage. Qui aurait été la dernière victime ? Peut-être elle ? Peut-être moi ? La police scientifique avait réussi à relever chez Éric Tibrac des traces d'encens et de psychotropes. On avait retrouvé dans son phare un couteau antique à la lame acérée – l'arme du crime. Son téléphone et son ordinateur montraient qu'il avait eu des relations avec Robert Sorias avant son décès, ce qui lui avait permis de s'infiltrer dans les cérémonies secrètes. Il avait également contacté Ambroise Flamant, à qui il avait donné rendez-vous à la BNF, le jour du crime.

Je me remémorai toutes les étapes de l'enquête, celle que j'avais accomplie depuis le début de l'aventure, volontairement ou non. Les sacrifices, l'encens, les cérémonies, l'étude, le passage au monastère où j'avais vu les ossements, puis le combat avec l'animal, et la rage qu'il avait fallu montrer pour le tuer. Le tête-à-tête au phare avec le diable. Ce diable séduisant et intelligent, qui m'avait conduit jusqu'à douter des autres et de moi-même, jusqu'au bord du gouffre, qui m'avait fait remettre en question ce que j'avais de plus cher. Car tel est le principe diabolique, l'essence du Mal : qui introduit la scission, la division, la dualité. Qui prend l'apparence du Bien, et c'est en cela qu'il nous égare. Qui procède par contagion, par capillarité, par imprégnation, qui comprend celui qui cherche à le comprendre. Qui a une structure dialogale, qui invite à l'échange et convertit par la parole. Qui envoûte, hypnotise et englobe. Ce qu'il préfère par-dessus tout, c'est prendre le visage du Bien. Car la perversité du Mal est de s'accomplir en professeur : il professe le Bien. Le propre du pervers tient à son ambivalence : il est à la fois charmant et détestable. C'est dans cette ambivalence que réside le pouvoir de la manipulation. C'est sur cette phrase que je mis un point final à ma thèse, avant de l'envoyer au professeur Maarek.

Je repensai à la façon dont le commissaire Masquelier avait fini par confondre le meurtrier, en utilisant la psychologie contre la dialectique. Et le regard du professeur Maarek, dénué de toute émotion, lorsque le manuscrit brûlait sur les bûches. Ce qu'elle m'avait dit, lorsqu'elle avait compris que personne n'aurait jamais accès à son secret : « C'est une illusion de soulever le voile, Joachim. La vérité n'existe que voilée. Et le problème, ce n'est pas de soulever le voile, c'est de faire croire qu'il existe une vérité. Elle est multiple. La vérité ne doit être ni sacralisée ni instrumentalisée. Tel est le sens des paroles d'Isis : *Mon voile, ô Mortel, personne ne l'a soulevé...* »

Et enfin, les mots, durs, terribles, que le professeur Maarek avait eus à mon égard : « Quant à vous, Joachim, je vous pardonne d'avoir douté de moi, d'avoir cherché à me piéger, de m'avoir crue coupable, même si vous étiez influencé, et même d'avoir ourdi un complot contre moi, alors que je vous faisais confiance, que je vous avais ouvert mon cœur, ma maison et ma raison, mais je ne me pardonne pas votre manque de discernement. Ce que j'ai pu faire pour vous, je l'ai fait... Je vous ai élevé, spirituellement, comme mon fils. Je vous ai appris à réfléchir. À discerner le vrai du faux, la vérité de l'erreur. Je voulais vous emmener vers la lumière. Mais apparemment, ce n'était pas suffisant. C'est la raison pour laquelle notre chemin commun s'arrête ici. Le vôtre est encore long, vers la sagesse. Mais vous êtes jeune, et vous avez le temps d'apprendre. » En quelques mots, elle m'avait torpillé. Par mon aveuglement, j'avais perdu mon maître. J'étais seul désormais, face aux ténèbres. J'avais tant appris. Essentiellement : j'avais appris que je ne savais rien.

– C'est l'ultime porte, murmura une voix derrière moi, d'une douceur incomparable. Le passage entre le monde d'ici et le monde d'en haut, qui parachève le chemin patiemment établi par nos architectes, au fil des ans, depuis la Révolution, l'Empire, la Restauration jusqu'à aujourd'hui.

– Vos architectes ? répondis-je, sans me retourner.

– Depuis Archimède, les forces obscures, les païens, les Romains, les chrétiens ou les musulmans, ont tenté par tous les moyens de mettre fin aux avancées de l'esprit humain, par peur de perdre le pouvoir.

– Qui êtes-vous et qui sont vos amis ? demandai-je enfin.

– Nous sommes ceux qui protègent les futurs Archimède, Socrate, Pythagore, Hypathie, ou Évariste Galois, tous ces hommes et femmes héroïques qui tentent de faire progresser l'humanité mais que les forces des ténèbres arrêtent, parce qu'elles en ont peur. À toutes les époques, nous avons lutté contre l'obscurantisme pour que la catastrophe de la Bibliothèque d'Alexandrie ne se reproduise jamais. Et nous nous passons silencieusement le flambeau – sans jamais dire qui nous sommes, nous restons cachés pour pouvoir agir en toute discrétion.

– Comme les constructeurs de l'Obélisque, du Monument des Droits de l'Homme, de la tour Eiffel ou de l'Arche de la Défense…

– En effet.

Il y eut un silence.

– Et comme le professeur Maarek…, ajoutai-je.

– Comme elle.

Alors, je me retournai enfin pour la voir, telle qu'elle était, sans masque, celle que j'avais connue par l'écriture, par l'image et par la voix. Vêtue d'une robe blanche, Maud me regardait. Ses yeux clairs, sous ses cheveux châtains ne me quittaient pas. Elle était plus belle que sur la photo. Sa voix était plus suave et plus douce que celle qui m'avait bercé au téléphone. Son corps plus voluptueux que celui de mes fantasmes nocturnes.

Je gonflai mes poumons, pour les remplir de l'air qui s'engouffrait sous les immenses piliers, comme pour participer à cette immensité. Tout ici était hors de proportion : l'Arche était métaphysique, même si elle n'était ni martiale ni sacrée. C'était le vide, l'absence de sens, l'Arche de Noé, la tente des douze tribus d'Israël, l'Arche d'Alliance, et le symbole de l'univers par les quatre assises, les quatre éléments, les quatre points cardinaux… C'était tout cela à la fois. *Que nul n'y entre s'il n'est géomètre.*

– Viens, Joachim, dit la jeune femme en me tendant la main. *Viens soulever le voile d'Isis.*

L'Arche représentait, avec ses deux colonnes sous son toit, un gigantesque Pi.

DU MÊME AUTEUR

Aux Éditions Albin Michel

LA RÉPUDIÉE, 2000.

QUMRAN, 2001.

LE TRÉSOR DU TEMPLE, 2001.

MON PÈRE, 2002.

CLANDESTIN, 2003.

LA DERNIÈRE TRIBU, 2004.

UN HEUREUX ÉVÉNEMENT, 2006.

LE CORSET INVISIBLE, avec C. Bongrand, 2007.

MÈRE ET FILLE, UN ROMAN, 2008.

SÉPHARADE, 2009.

UNE AFFAIRE CONJUGALE, 2010.

ET TE VOICI PERMISE À TOUT HOMME, 2011.

Chez d'autres éditeurs

L'OR ET LA CENDRE, Ramsay, 1997.

PETITE MÉTAPHYSIQUE DU MEURTRE, PUF, 1998.

LE LIVRE DES PASSEURS, avec A. Abécassis, Robert Laffont, 2007.

Site : www.eliette-abecassis.com
Twitter : ElietteAbecassis@BilletsdEliette
Facebook : Eliette Abécassis